Perry Rhodan

Kurt Mahr

Die Fremden aus dem Mikronebel
Bomben auf Karson

PERRY RHODAN-Planetenromane

www.zaubermond.de
Lektorat: Rainer Nagel
Titelbild: Arndt Drechsler
Satz: Zaubermond-Verlag
Druck und Bindung: Scandinavian Book
Printed in Germany April 2016

Internet: www.perry-rhodan.net

Perry Rhodan

Kurt Mahr

Die Fremden aus dem Mikronebel
Bomben auf Karson

PERRY RHODAN-Planetenromane
© 2016 dieser Lizenzausgabe Zaubermond-Verlag, Hamburg
www.zaubermond.de
Lektorat: Rainer Nagel
Titelbild: Arndt Drechsler
Satz: Zaubermond-Verlag
Druck und Bindung: Scandinavian Book
Printed in Germany April 2016

Internet: www.perry-rhodan.net

Inhaltsverzeichnis

Erstes Buch
Die Fremden aus dem Mikronebel
5

Zweites Buch
Bomben auf Karson
187

Kurt Mahr

Die Fremden aus dem Mikronebel

Sie tarnten sich und verließen ihre Heimatwelt, um in den Lebensraum der Menschheit vorzustoßen – doch der Solarmarschall durchschaute sie

Wenn man bedenkt, wie lange der Mensch brauchte, um sich die Erde untertan zu machen – mit anderen Worten: zu dem Punkt zu gelangen, an dem nicht mehr die Umwelt ihn, sondern er die Umwelt beherrschte –, kann man sich vorstellen, dass der Prozess der Eroberung der Galaxis nach einem Zeitplan ablaufen muss, der nicht nach Monaten und Jahren, sondern nach Jahrhunderten und Jahrtausenden rechnet.

Zwar stehen dem zur interstellaren Eroberung aufbrechenden Menschen Mittel zur Verfügung, wie er sie sich nicht einmal hätte träumen lassen, als er daran ging, sich die Erde untertan zu machen. Aber nicht nur Zahl und Qualität der Mittel, sondern auch Vielfalt und Größe der Gefahren, die dem Eroberer begegnen, sind lawinenartig gewachsen seit jenem Tag, an dem der erste Vormensch ein Tier erschlug, nicht weil er Hunger hatte, sondern um zu beweisen, dass er der Stärkere war.

Im Zuge seines Vorstoßes in immer fernere Welten sieht sich der Mensch mit immer fremderen Umgebungen konfrontiert. In vielen Fällen ist die neue Umgebung einzigartig, sodass keine Erfahrung ihn lehrt, wie er sich zu verhalten hat. Und in einigen Fällen entzieht sich die neue Umwelt jeder logischen Beurteilung – ganz einfach, weil sie auf der Basis einer anderen Gesetzmäßigkeit entstand, als der Mensch sie kennt.

Es ist daher nicht verwunderlich, dass das Kolonisationsprogramm des Solaren Imperiums noch im 24. Jahrhundert, vierhundert Jahre nach dem ersten Vorstoß des Menschen ins Weltall, jene bunt schillernde Vielfalt zeigte, wie sie unausgegorenen Ideen und Plänen eigen ist. Die Menschheit war am Probieren. Sie versuchte, aus vielen die eine Methode herauszufinden, die bei der Kolonisation einer fremden Welt am schnellsten zum Erfolg führte: Der eine Siedlerplanet wurde mit Hunderttausenden von Kolonisten überschwemmt, denen man nur spärliche technologische Mittel mitgab, um sie zu zwingen, ein eigenes System zu entwickeln; eine andere Welt wurde von nicht mehr als einer Handvoll Menschen besiedelt, die als Ausgleich die modernsten Erzeugnisse der Technik mitnehmen durften. Zwischen beiden Extremen gab es viele Variationen. Jede fand einen Fürsprecher, und jede wurde irgendwann einmal ausprobiert.

Der Planet Filchner gehörte zu jenen Welten, die man mit einem Mindestaufwand an Menschen und einem Höchstmaß an technischer Hilfe zu kolonisieren suchte. Filchner war zwölftausend Lichtjahre von der Erde entfernt – zu seiner Zeit also der am weitesten vom Zentrum des Imperiums entfernte Kolonialplanet. Auf Filchner gab es Eingeborene. Es handelte sich um ein durchaus humanoides Volk, das sich über mehr als die Hälfte von Filchner ausgebreitet hatte und etwa zehn Millionen Köpfe zählte.

Das Motiv, das sich hinter der Wahl der Kolonisationsmethode verbarg, war leicht zu erkennen. Filchner sollte nicht »erobert«, sondern »beeindruckt« werden. Eine große Anzahl von Siedlern hätte die Eingeborenen verbittert. Eine kleine Zahl dagegen, mit den entsprechenden Hilfsmitteln ausgerüstet, konnte das fremde Volk mit Bewunderung für die Menschen erfüllen und in ihm eine Bereitschaft erzeugen, der Übernahme seiner Welt in das Solare Imperium zuzustimmen.

Nachdem Filchners Untersuchung durch die Schiffe der Explorerflotte abgeschlossen war, landeten im Jahr 2386 fünf Kolonisten auf der Nordhalbkugel des Planeten. Mit ihnen zusammen wurden viertausendachthundert Tonnen technischen Materials aus dem Versorgungsschiff geladen. Die fünf Siedler erstellten mithilfe der Geräte innerhalb von fünf Tagen eine kleine Siedlung, wie sie ordentlicher und sauberer nirgendwo auf der Erde stehen konnte, und gingen ans Werk, Filchner zu kolonisieren. Die Eingeborenen, die eine leicht erlernbare Sprache sprachen und sich Arek nannten, waren aufgeschlossen und reagierten auf die überlegene Technik der Terraner genauso, wie die Experten des Siedlungsamtes in Terrania erwartet hatten.

Im Laufe eines Jahres entwickelte sich Filchner zu einer Art Musterplanet. Das Siedlungsamt betrachtete das Experiment als erfolgreich, und eine Reihe anderer Welten wurde für die gleiche Art von Kolonisierung vorgeschlagen.

Noch im Frühjahr 2388 sah es so aus, als könne nichts die ruhige Entwicklung der Siedlungswelt Filchner stören. Plötzlich jedoch zogen dunkle Wolken am Horizont herauf, und noch bevor die Leute auf Filchner sie richtig wahrgenommen hatten, brach ein Unwetter über die paradiesische Welt herein, das das gesamte Solare Imperium in Aufregung versetzte …

(Aus: Hoschpians Chroniken des 24. Jahrhunderts n. Chr., Kapitel 1.14: Die ersten Kolonien außerhalb des imperialen Kerngebietes)

1.

Doc Lorran hatte es sich gerade auf der Bank im Garten bequem gemacht, als er den Wagen kommen hörte. Verwundert drehte er sich um, aber das weiße Haus verdeckte die Aussicht. Er sah nur die Staubfahne, die sich hinter dem Fahrzeug erhob und über das platte Dach emporstieg.

Erstaunt und ein wenig mürrisch erhob er sich von der Bank, um nachzusehen. Es war acht Uhr nachmittags. Um diese Zeit hielten Doreen und Pete ihren Mittagsschlaf, Kalep jagte unten am Fluss nach Blaupelzhasen, und Sifter war mit dem Flugzeug unterwegs, um die Westhälfte des Kontinents zu kartografieren. In ganz Rivertown gab es niemand, den man um diese Tageszeit am Steuer eines Wagens zu sehen erwartete.

Doc Lorran schob seine zweihundertundsiebzig Pfund durch die Hintertür und durchquerte mit dröhnenden Schritten das kleine Haus, in dem er wohnte und praktizierte. Er hörte, wie der Wagen draußen vorfuhr und anhielt. Seine erstaunte Unruhe verwandelte sich in helle Sorge. Er stürmte zur Tür, riss sie auf und trat hinaus in das helle Sonnenlicht.

Vor ihm, am Rand der breiten Straße, die Rivertown der Länge nach durchzog, stand ein Fahrzeug, das er noch nie gesehen hatte. Und in dem Fahrzeug saßen zwei Männer, die er nicht kannte. Sie waren unzweifelhaft Terraner, aber auf ganz Filchner gab es nur fünf Terraner – das waren er selbst, Doreen und Pete, Kalep und Sifter.

Doc Lorran hatte einen Augenblick lang das Gefühl, er würde ohnmächtig. Mit einem hastigen Schritt zog er sich zur Hauswand zurück, lehnte sich dagegen und stieß einen tiefen Seufzer aus. Er senkte den Blick, wischte sich mit beiden Händen über die Augen und sah noch einmal hin.

Der fremde Wagen stand noch da.

Einer der beiden Männer war ausgestiegen und kam auf ihn zu. Mit seiner großen, schlanken Gestalt machte er keinen überwältigenden Eindruck. Aber das Lächeln auf dem ein wenig verlegenen Gesicht war voll von echter Freundlichkeit. Doc Lorran hatte das Gefühl, dem Fremden wäre die Überraschung genauso peinlich wie ihm. Der Braunhaarige blieb stehen.

»Ich versichere Ihnen«, begann er in fließendem Interkosmo mit unverkennbarem terranischem Akzent, »dass es uns äußerst unangenehm ist, unangemeldet zu erscheinen und Verwirrung zu verursachen. Aber wir hatten leider keine andere Wahl. Mein Name ist Giuliano, und mein Begleiter«, er wies auf den Mann, der hinter dem Steuer saß, »ist Mitchell Hannigan. Wir sind beide Mitglieder eines Surveyor-Teams, und unser Raumschiff liegt irgendwo in den südlichen Wäldern des Westkontinents.«

Mehr sagte er nicht. Er überließ es Doc Lorran, das Bild abzurunden. Lorran hatte keine Ahnung, was ein Surveyor-Team war, aber es hörte sich so an, als wäre es eine offizielle Sache. Und dass jemand, der mit seinem Raumschiff im Süden des Westkontinents notlanden musste, auf dem schnellsten Weg die Zivilisation zu erreichen suchte, das war mehr als verständlich. Doc Lorran schämte sich plötzlich seiner so offen gezeigten Überraschung.

Er trat auf Giuliano zu und reichte ihm die Hand.

»Entschuldigen Sie«, sagte er, »aber auf Filchner verliert man einfach die Fassung, wenn plötzlich zwei Fremde auftauchen.«

Giuliano nickte.

»Sie werden wahrscheinlich einen Funkspruch absenden wollen«, fuhr Lorran fort, bemerkte sein Versäumnis und schlug sich erschrocken auf den Mund. »Oh, verzeihen Sie – ich bin Ely Lorran, der Arzt in diesem Fünfleutedorf.«

Giuliano lächelte freundlich.

»Freut mich, Doktor. Sie haben recht. Wir müssen tatsächlich auf dem schnellsten Weg einen Spruch loslassen. Soweit ich über Filchner informiert bin, gibt es hier alle Vorzüge der modernen Technik. Sie …«

»Gewiss, gewiss«, unterbrach ihn Lorran. »Hyperkom, E-Em, Richtstrahlantennen jeder Bündelungsfähigkeit …, alles!«

»Vorzüglich. Was wir brauchen, ist ein Hyperkom. Selbst die nächststehenden Einheiten unseres Kommandos sind ein paar Hundert Lichtjahre entfernt. Die Leute haben alle Hände voll zu tun. Wie rasch sie uns zu Hilfe kommen können, weiß man nicht. Es könnte zwei oder drei Tage dauern.«

Doc Lorran war ganz in seinem Element. Seitdem er den Schock der Überraschung überwunden hatte, bemühte er sich zu zeigen, dass Rivertown gastfreundlich und weltaufgeschlossen war.

»Sie sind unsere Gäste«, stieß er hervor. »Warten Sie nur, bis ich den anderen erzähle, dass wir Besuch bekommen haben. Das wird eine Freude sein! Und bis man Sie von hier abholt – was hoffentlich nicht so bald geschieht –, werden Sie in einem der Häuser unten an der Straße wohnen. Sie stehen leer. Wir bauten sie, weil wir nichts anderes zu tun hatten.«

Der Schlanke, Braunhaarige, der sich Giuliano nannte, stand an dem breiten Fenster, das fast die gesamte Vorderwand des Zimmers einnahm, und sah auf die Straße hinaus. Für die geringe Zahl von Leuten, die darin wohnten, war Rivertown eine beeindruckende Stadt. Es gab nahezu dreißig Gebäude, und einige davon wiesen imposante Ausmaße auf.

Die Stadt war denkbar einfach angelegt. Ihr Kernstück bildete die Straße – ein einhundert Meter breiter, vorläufig noch ungepflasterter Verkehrsweg, über den in zwei oder drei Generationen die Fahrzeuge der Neusiedler rollen würden. Die Straße war nur einen Kilometer lang. Sie begann rechts irgendwo mitten in der Wildnis und endete rechts drüben im Busch. Im Augenblick spielte sie nur die Rolle eines Symbols.

An den Rändern der Straße entlang hatten die Siedler ihre Häuser gebaut. Die vier Wohngebäude lagen in der Mitte, je zwei rechts und links des Straßenrands. Nach Westen zu schlossen sich auf beiden Seiten die leer stehenden Häuser an, von denen Doc Lorran eines den beiden Fremden als Unterkunft angeboten hatte. Jenseits der bewohnten Gebäude erhoben sich die Häuser, in denen das wissenschaftliche und technische Gerät untergebracht war. Der Kolonisationstheorie entsprechend, die im Fall Filchner angewendet worden war, übertrafen sie an Größe und Zahl die bewohnten Gebäude bei Weitem. Der nachdenkliche Beobachter erkannte eine Anlage zur Herstellung von synthetischer Nahrung, ein Fusionskraftwerk, die grotesken Umrisse des automatischen Düngemittelerzeugers, eine Reparaturwerkstatt für Fahrzeuge, eine Garage, das Observatorium und schließlich, am östlichen Ende der Straße, das eindrucksvolle Bauwerk des Hypersenders mit seiner weit aufragenden Antenne. Zwischen denen, deren Zweck er leicht erkennen konnte, lagen andere Gebäude, deren Funktion ihm unklar blieb. Alles in allem, fand er, war Rivertown eine Stadt mit einer atemberaubenden Konzentration an menschlichem Wissen und an Produkten der modernsten Technik.

Er wandte sich vom Fenster ab und musterte den langgestreckten Raum, den der zukünftige Besitzer einst sein Wohnzimmer nennen würde, mit nachdenklichem Blick. Die Siedler hatten das Haus vollständig eingerichtet. Das Mobiliar stammte aus den Fertigungsanlagen weiter oben an der Straße und war aus einem Material hergestellt, das es unwesentlich machte, ob das Haus in fünf oder in fünfzig Jahren bezogen würde. Wände, Möbel, Teppiche, Fenster – alles besaß nahezu unbegrenzte Haltbarkeit.

Hannigan saß auf einem breit ausladenden Sofa im Hintergrund des Zimmers und starrte zwischen den Knien hindurch auf den Boden.

Giuliano sah ihn eine Zeit lang an, bevor er fragte: »Meech – wozu die ganze Geheimnistuerei?«

Meech, den man so nannte, weil er infolge eines lächerlichen Sprachfehlers seinen Namen Mitchell nicht richtig aussprechen konnte, sah auf.

»Ich erinnere mich, diese Frage schon öfter gehört zu haben,

Sir«, antwortete er mit unbewegtem Gesicht. »Die Entwicklung der Kolonie muss ungestört verlaufen. Niemals darf der Eindruck entstehen, dass offizielle Stellen des Imperiums sich in den Prozess eingeschaltet haben. Wie Sie wissen, Sir, handelt es sich um ein Experiment. Die vorgeschriebenen Versuchsbedingungen sind unbedingt einzuhalten.«

»Paragraf acht, Abschnitt dreizehn«, spottete der Dunkelhaarige. »Aber hier ist die Lage anders. Filchner befindet sich in Gefahr, nicht wahr?«

Meech hob abwehrend die Hand.

»Das ist noch nicht bewiesen, Sir«, gab er zu bedenken. »Vorläufig handelt es sich nur um einen Verdacht.«

»O ja!«, rief Giuliano ärgerlich. »Um einen Verdacht, der so dicht ist, dass man ihn mit den Händen greifen kann. Man müsste ein Idiot sein, um noch Zweifel zu haben.«

Meech zuckte mit den Schultern.

»Da kann ich nicht mitsprechen, Sir. Für mich besteht ein wesentlicher Unterschied zwischen einem Wahrscheinlichkeitskoeffizienten von eins und einem von null-Komma-neun-neun-neun.«

Giuliano winkte ab und kehrte zum Fenster zurück. Der große, rötliche Ball der Sonne Tara stand immer noch genau über der Dachkante des leeren Hauses auf der gegenüberliegenden Straßenseite. Der Tag auf Filchner war fast fünfzig Stunden lang. Es war jetzt knapp neun Uhr nachmittags – oder vierunddreißig Uhr Filchner-Zeit. Die Sonne würde erst in vier Stunden untergehen.

Weiter oben an der Straße erhob sich eine Staubwolke. Giuliano beugte sich nach vorn, um besser sehen zu können. Der Staub wurde von einem Rollgleiter aufgewirbelt, der mit halsbrecherischer Geschwindigkeit die Straße herunterkam. Vier Leute saßen in dem Fahrzeug.

»Meech, wir bekommen Besuch«, sagte Giuliano. »Doc Lorran hat fast die ganze Stadt zusammengetrommelt.«

Die Begrüßung vollzog sich in einer Atmosphäre, die von Verwunderung, Misstrauen und ein bisschen ehrlicher Freude durchsetzt war. Von der überwältigenden Begeisterung, die Doc Lorran versprochen hatte, war nichts zu fühlen. Die Besucher hatten es sich in den Sesseln des Wohnzimmers bequem gemacht, während Hannigan aus einer Flasche, die Lorran mitgebracht hatte, in Gläser einschenkte, die von Doreen Baerman zur Verfügung gestellt worden waren. Eine lebhafte Unterhaltung war in Gang gekommen. Giuliano hatte Zeit, während er Dutzende von Fragen beantwortete, die Bewohner von Rivertown genau zu studieren.

Pete und Doreen Baerman waren das einzige Ehepaar. Pete war ein stämmiger, braunhaariger Mann von ungefähr dreißig Jahren. Er wirkte anspruchslos, ein Durchschnittsbürger, dessen Bewerbung das Siedlungsamt angenommen hatte, weil er über eine verlässliche Gesundheit und ausreichende technische Kenntnisse verfügte. Doreen war blond und hübsch, Mitte zwanzig, sicherlich keine geistige Leuchte, aber gewandt im Umgang mit Menschen und mit einer Figur, der man ansehen konnte, dass sie in fünf oder sechs Jahren die idealen Schönheitsmaße weit hinter sich gelassen haben würde.

Kalep mit dem nichtssagenden Vornamen Joe war eine Figur, die aus dem Witzblatt geschnitten schien. Kalep war höchstens einen Meter sechzig groß und hatte eine Art, seine Schultern nach vorn zu drücken, als wäre er immerwährend dabei, das Gleichgewicht zu verlieren. Er hatte eine Knollennase so groß wie eine Kinderfaust, einen schiefen, dünnlippigen Mund, der ununterbrochen zu grinsen schien, zwei listige Äuglein von beeindruckender Beweglichkeit und ein Gefilz aus schmutziggrauem Haar, das seit einem Jahr weder Schere noch Kamm gesehen hatte. Kaleps Alter war schwer zu schätzen, aber er schien mindestens vierzig zu sein, und Giuliano fragte sich, welche Qualifikationen er besitzen mochte, die das Siedlungsamt veranlasst hatten, ihn nach Filchner zu schicken.

Der letzte in der Runde war Ely Lorran, behäbig und die gewaltige Masse seines Körpers mit Fett und Muskeln zu gleichen Teilen bestreitend. Ohne sich in Rivertown auszukennen, musste jedem sofort klar sein, dass Doc Lorran hier die leitende Rolle spielte.

Darrel Sifter, das fünfte Mitglied der Kolonie, war von seinem Flug zur Westhälfte des Kontinents noch nicht zurückgekehrt.

Meech war mit dem Einschenken fertig. Doc Lorran nahm sein Glas zur Hand und hob es.

»Wir trinken auf die glückliche Ankunft unserer beiden Besucher«, rief er mit tiefer Stimme. »Ihr Pech ist unser Glück, denn Rivertown hat die Abwechslung so nötig wie der Baum die Blätter.«

Alle tranken. Das Getränk war synthetischer Whisky. Das heißt, es musste synthetischer Whisky sein. Er schmeckte wie der beste echte, den Giuliano je getrunken hatte, aber es stand fest, dass sich unter den Gütern, die die Siedler mit nach Filchner brachten, kein alkoholisches Getränk befunden hatte.

Giuliano hatte eine passende Erwiderung des Trinkspruchs auf der Zunge, als Pete Baerman sich ihm plötzlich zuwandte und fragte: »Was ist eigentlich ein Surveyor-Team?«

»Eine Gruppe aus zwei bis vier Mann«, antwortete Giuliano und verfluchte Petes Neugierde, »die mit einem kleineren Raumfahrzeug in einem gewöhnlich eng begrenzten Raumsektor arbeitet und astrophysikalische Daten über die Himmelskörper in diesem Sektor sammelt.«

»Aha«, machte Pete, und es war deutlich, dass ihm die Antwort überhaupt nichts besagte.

»Mister Giuliano«, begann Doreen, dann fing sie an zu lachen und wischte mit der Hand durch die Luft. »Das klingt so steif. Wie ist eigentlich Ihr Vorname?«

Giuliano verkrampfte die Hände. Wie leicht es doch war, solch kleine Dinge zu übersehen!

»Julian«, antwortete er nach kurzem Zögern.

Doreen war begeistert.

»Julian Giuliano!«, rief sie lachend. »Also, Julian …«, verwirrt sah sie sich um, »… was wollte ich eigentlich sagen?«

Durch ihr Zögern kam Kalep zum Zug. »Sie hatten einen Triebwerksdefekt?«, erkundigte er sich.

Seine Stimme hatte einen hellen, trompetenartigen Klang, der seine ganze Erscheinung noch komischer machte.

Julian biss sich auf die Lippen. »Nein«, antwortete er knapp.

Kalep sah ihn verwundert an. »Was sonst?«, fragte er unverblümt.

»Gar nichts. Wir sind einfach hier gelandet.«

Im Hintergrund erhob sich Meech. »Vielleicht wünscht jemand noch etwas zu trinken?«, fragte er laut.

Niemand achtete auf ihn.

»Aber Sie sagten doch«, protestierte Doc Lorran lautstark, »dass Sie …«

Julian schüttelte den Kopf. »Ich sagte gar nichts, erinnern Sie sich? Nichts, außer dass unser Raumschiff irgendwo in den Wäldern des Westkontinents liegt.«

Lorran runzelte die Stirn. »Ja, das stimmt«, gab er verwundert zu. »Aber was …«

»Sir, Sie verhalten sich regelwidrig«, rief Meech.

»Ja, ich weiß. Aber bevor ich mir selbst wie ein Geisteskranker vorkomme, lasse ich lieber die Regeln außer acht.«

Pete Baerman sprang plötzlich in die Höhe. Den Arm ausgestreckt und mit dem Finger auf Julian weisend, schrie er:

»Ich erkenne ihn jetzt! Die ganze Zeit über kam er mir bekannt vor. Ich habe sein Bild Dutzende von Malen in den Zeitungen oder auf dem Bildschirm gesehen. Er gibt zu, dass er Julian mit Vornamen heißt. Der Nachname ist jedoch falsch. In Wirklichkeit ist er Julian Tifflor, Marschall der Flotte des Imperiums!«

Julian hob das Glas zum Mund und trank es aus. Ringsum war es plötzlich still geworden. Pete stand noch immer da und reckte ihm den Arm in pathetischer Geste entgegen.

Meech setzte sich wieder hin.
»Ist das wahr?«, fragte Lorran heiser.
Julian nickte. »Ja, das ist wahr.«
Doreen schlug klatschend die Hände zusammen.
»Wie aufregend«, rief sie. »Ein echter Marschall hier auf Filchner.«
»Fragt sich eben«, trompetete Kalep, *»warum?«*
Julian sah ihn an.
»Sie haben ein Recht, das zu fragen«, gestand er. »Aber bevor ich Ihnen meine Aufgabe erläutere, möchte ich Ihnen ein paar Fragen stellen.« Und ohne auf die Reaktion zu warten, fuhr er fort: »Einem von Ihnen obliegt es, regelmäßige astronomische Beobachtungen anzustellen. Wer ist das?«
Pete hob zögernd die Hand. »Ich«, antwortete er ohne jegliche Begeisterung.
»In welchen Abständen betätigen Sie sich am Teleskop?«
Pete zuckte mit den Schultern.
»Du liebe Güte, so alle vier Wochen mal«, murmelte er. »Am Anfang natürlich öfter, aber nachdem wir alles fotografiert hatten, hatte es nicht mehr viel Sinn, sich jeden Abend ans Okular zu klemmen.«
Julian ließ nicht locker. »Ich muss das ein wenig genauer wissen. An welchem Tag stellten Sie zum letzten Mal Beobachtungen an?«
Pete sah zur Decke hinauf und dachte angestrengt nach. »Warten Sie …, das war … vor vierzig Tagen ungefähr.«
Er sah Julian schuldbewusst an.
»Merkwürdig, wie lange hierzulande vier Wochen dauern«, spottete Julian und wurde gleich darauf wieder ernst. »Ich bitte Sie, heute Abend, sofort nach Einbruch der Dunkelheit das Teleskop in Betrieb zu setzen und den nordöstlichen Nachthimmel zu beobachten. Wir alle werden dabei sein. Ich möchte, dass jeder von Ihnen einen Blick durchs Okular wirft.«
Eine Sekunde lang herrschte erstauntes Schweigen. Dann be-

gannen alle zur gleichen Zeit zu reden. Julian stand auf und schwenkte die Arme.

»Warten Sie ab!«, rief er. »Ich kann im Augenblick noch nichts sagen. Meine Anwesenheit alleine sollte Beweis genug dafür sein, dass es sich um eine Angelegenheit handelt, der man in Terrania erhebliche Bedeutung beimisst. Wenn Sie sich noch vier Stunden gedulden, werden Sie alles erfahren.«

Er war nicht sicher, ob er die Siedler damit hätte beruhigen können, aber glücklicherweise ereignete sich etwas, das ihn wenigstens für den Augenblick aller neugierigen Fragen enthob. Ein rauschendes, fauchendes Geräusch erfüllte plötzlich die Luft. Wie elektrisiert sprangen die Leute von ihren Sesseln und rannten zur Tür.

»Das ist Sifter«, kreischte Doreen. »Er muss sofort wissen, was passiert ist.«

Julian warf einen Blick durchs Fenster. Eine kleine Maschine mit Deltaflügeln schoss in geringer Höhe über die Siedlung dahin. Weit im Süden beschrieb sie eine scharfe Wendung und kam zurück, ständig an Höhe verlierend. Hinter dem Dach des gegenüberliegenden Hauses verlor Julian sie aus der Sicht. Sekunden später verstummte das Motorengeräusch. Sifter war gelandet.

Doc Lorran stand noch unter der Tür, während die anderen schon in den Rollgleiter stiegen.

»Ich dachte mir, Sie wollten vielleicht mitkommen«, sagte er ein wenig verlegen.

Julian nickte. »Keine schlechte Idee, Doc. Meech – los, wir gehen!«

Eine Minute später hatte Doc Lorran das Fahrzeug schon zwischen den Häusern des südlichen Straßenrands hindurchgesteuert und ließ es auf das provisorische Landefeld zuschießen. Sifters Deltamaschine stand hundert Meter hinter dem nördlichen Ende des mit Betonplastik übergossenen Streifens. Aus der Triebwerksdüse erhob sich leichtes Flimmern. Sifter kletterte eben aus der Kanzel. Er zog etwas hinter sich her.

»Verdammt«, knurrte Kalep, »er hat einen Arek mitgebracht.«

Hinter Sifter bewegte sich eine merkwürdig gekrümmte Gestalt, die wie betrunken hin- und hertorkelte. Sifter sprang von der Tragfläche herunter. Der Arek schien zu zögern. Sifter packte ihn am Fuß und zog. Der Arek stürzte vornüber und fiel mit dem Bauch auf den Boden. Dann rührte er sich nicht mehr.

Doc Lorran zog den Gleiter in eine scharfe Kurve und hielt unter dem Bug des Flugzeugs. Alle stiegen aus. Sifter stand über den Körper des Arek gebeugt und schenkte seiner Umgebung keinerlei Aufmerksamkeit. Lorran klopfte ihm auf die Schulter.

»Wir wissen noch was viel Interessanteres, Sifter«, sagte er ruhig.

Sifter richtete sich auf. Julian folgte der Bewegung mit fassungslosem Staunen. Der Mann schien sich wie eine Ziehharmonika auseinanderzuziehen. Er wuchs und wuchs, während er sich streckte, und als er schließlich aufrecht stand, maß er wenigstens zwei Meter zehn und war dabei so hager und dürr, dass man Angst bekam, er bräche in der Mitte auseinander. Sein langes, schmales Gesicht mit der weit hervorspringenden Nase wirkte intelligent und besorgt zugleich. Er sah Doc Lorran an und antwortete ärgerlich:

»Was heißt hier interessant, Doc? Ich habe keine besonders guten Nachrichten. Den Arek fand ich draußen auf der Algier-Ebene. Ich flog ziemlich dicht darüber hinweg und sah ihn hilflos umhertorkeln. Ich landete und nahm ihn auf. Er ist nicht bei Verstand. Ich brachte ihn hierher, damit Sie sich um ihn kümmern.«

Julian begriff. Die größte Sorge einer Kolonie auf einem von Eingeborenen bewohnten Planeten war, dass unter den Eingeborenen eine Seuche aufkam. In neunundneunzig von hundert Fällen würde es sich um eine Krankheit handeln, von der die Männer des Experimentalkommandos nichts gewusst hatten, weil sie nur in langen Abständen auftrat. Und wovon das Experimentalkommando nichts wusste, dagegen besaßen die Siedler kein Mittel. Nichts konnte einer jungen Kolonie so gefährlich werden wie eine unbekannte Seuche unter den Eingeborenen.

»Ich werde ihn mir ansehen«, versprach Doc Lorran. »Mittlerweile möchten Sie vielleicht …«

Er unterbrach sich mitten im Satz. Der Arek, der scheinbar bewusstlos auf dem Boden gelegen hatte, erhob sich plötzlich. Er war ein schlanker, hochgewachsener Mann, völlig nackt und von eigenartiger grünlichschwarzer Hautfarbe. Seine Gesichtszüge erinnerten an die eines Polynesiers. Den Schädel bedeckte eine Fülle leicht gekräuselten schwarzen Haares. Die großen Augen, jetzt zu Schlitzen zusammengekniffen, starrten in die Ferne.

Sifter rief ein Wort, das Julian nicht verstand. Der Arek reagierte nicht darauf. Eine Zeit lang stand er reglos, dann setzte er sich in Bewegung und vollführte mit unsicheren Schritten und schwingenden Armen eine Art Tanz. Er fing an zu singen, und während er sang, fiel die Unsicherheit von ihm ab. Seine Bewegungen wurden zielbewusster. Er hatte keine Schwierigkeit mehr, das Gleichgewicht zu wahren. Seine Stimme wurde kräftiger.

Der Dialekt, dessen er sich bediente, war Julian unbekannt.

Er wandte sich an Sifter, der ihm am nächsten stand. »Verstehen Sie, was er sagt?«, erkundigte er sich.

Sifter sah ihn an und riss die Augen auf. »Wer sind Sie eigentlich?«, stieß er hervor.

»Ich glaube, Doc Lorran wollte Ihnen das gerade erklären, als der Arek anfing zu tanzen. Lassen wir das im Augenblick. Was singt der Mann?«

Sifter sah wieder zu dem Arek hinüber und horchte.

»Hört sich komisch an«, brummte er nach einer Weile. »Er singt: ›Wir, die wir von den Sternen kommen, werden siegen.‹«

2.

Die Kuppelhalle des Observatoriums war nur matt erleuchtet. Pete Baerman saß oben auf der Galerie und justierte das Teleskop. Julian hatte die übrigen in der Nähe des Aufgangs versammelt und wartete darauf, dass Pete ihm das Zeichen gab.

Die Leute waren eingeschüchtert. Wenn sie miteinander sprachen, flüsterten sie. Das beständige Summen der elektronischen Geräte war lauter als ihre Worte. Julian wusste, dass sie über den kranken Arek besorgter waren als über sein plötzliches Erscheinen, obwohl sie sich ausrechnen konnten, dass das Imperium keinen Marschall nach Filchner schickte, wenn nicht ein zwingender Grund vorlag. Aber die Angst vor einer heimtückischen Krankheit, gegen die sie kein Medikament besaßen, lag ihnen im Blut. Das Siedlungsamt hatte ihnen das eingetrichtert. Man konnte ihnen nicht übel nehmen, dass sie sich für die nächtliche Vorstellung im Observatorium kaum interessierten.

Doreen wandte sich an Julian. Mit einem schüchternen Lächeln, das ihr gut stand, flüsterte sie: »Ich bin ganz durcheinander. Denken Sie, der Arek bedeutet eine Gefahr?«

Julian schüttelte den Kopf. »Ich glaube es nicht«, antwortete er und dachte dabei an Doc Lorran, der ihm vor ein paar Minuten erklärt hatte, er könne an dem Arek außer seinem Benehmen nichts Ungewöhnliches finden.

Von der Galerie herunter rief Pete: »Okay, alles eingestellt. Sektor Nordost von zweiundzwanzig bis siebenundsechzig Grad, Höhe null bis ...«

»Ja, schon gut«, rief Julian zurück. »Kommen Sie runter, wir wollen uns das zusammen ansehen!«

Pete kletterte vom Teleskopsitz herab und kam die metallene Stiege heruntergepoltert.

»Dort drüben«, sagte er.

Die kreisförmige Zentralhalle des Observatoriums war von einer Reihe von Räumen umgeben, zumeist astrophysikalischen

Laboratorien. Eines der Gelasse war der Bildraum, der mit seinen vielfältigen Geräten eine Projektion des Teleskopbilds auf einen Schirm ermöglichte. Pete Baerman hatte das Teleskop bereits mit dem Projektor gekoppelt. Als die Leute, Julian an der Spitze, den Bildraum betraten, sahen sie vor sich den Nachthimmel des nordöstlichen Sektors.

Der Raum war dunkel bis auf die geringe Lichtmenge, die vom Schirm reflektiert wurde.

»Pete?«, rief Julian.

»Hier«, antwortete eine Stimme aus der Dunkelheit.

»Besitzen Sie eine Aufnahme desselben Sektors, die Sie irgendwann früher einmal gemacht haben?«

»Ganz sicher«, antwortete Pete.

»Gut. Finden Sie sie und projizieren Sie sie neben das Teleskopbild.«

Im Hintergrund erhob sich das Rumoren von Schubladen und Fächern. Der schwache Strahl einer kleinen Taschenlampe blitzte auf. Man hörte Pete erleichtert aufatmen, als er das Gewünschte fand. Augenblicke später leuchtete ein kleines Bild neben dem großen. Auf den ersten Blick schien es genau dieselben Einzelheiten zu zeigen wie das große. Selbst Julian Tifflor, der sich auskannte, musste eine Zeit lang suchen, um die Stelle zu finden, an der sich die beiden Bilder unterschieden.

»Ich will Sie nicht lange auf die Folter spannen«, sagte er laut, und das erregte Geflüster ringsum verstummte. »Meech wird Ihnen zeigen, inwiefern die beiden Bilder sich voneinander unterscheiden. Pete, wann wurde das kleine Bild aufgenommen?«

»Kurz nach der Landung«, rief Pete. »Oktober sechsundachtzig.«

»Gut. Seitdem sind anderthalb Erdjahre vergangen. Das große Bild zeigt den nordöstlichen Himmel, wie er im Augenblick ist. Meech, fang an!«

Zwei nadelfeine Lichtstrahlen zuckten plötzlich durch die Dunkelheit. Einer landete auf dem kleinen, der andere auf dem großen Bild, beide etwa in der Mitte zwischen zwei hellen Sternen, von denen der eine bläulich, der andere rötlich leuchtete. Auf dem kleinen Bild war der Zwischenraum leer und schwarz, auf dem großen zeigte sich zwischen den Sternen ein verwaschener, nebelartiger Lichtfleck.

Pete schrie auf. Das Blut des Astronomen meldete sich.

»Ein Nebel!«, gellte sein Schrei. »Ein neuer Nebel, welche Entdeckung!«

Julian spürte einen Ellbogen in der Seite.

»Wie kommt er dahin?«, fragte Doreen leise.

»Das möchten wir alle gern wissen«, antwortete Julian flüsternd.

Plötzlich flammte die Beleuchtung auf. Pete hatte sie eingeschaltet. Er stand in der Nähe der Tür und sah aus, als wäre ihm der Leibhaftige über den Weg gelaufen.

»Wie kann das geschehen?«, rief er verwirrt und sah zuerst Doc Lorran, dann Julian an. »Jedes Mal, wenn ich hierher komme, mache ich einen Schablonenversuch, und noch nie wurde eine Diskrepanz gefunden.«

»Vielleicht«, riet Julian, »könnten Sie uns erklären, was Sie unter einem Schablonenversuch verstehen. Die Sache wird dann klarer.«

Pete deutete auf das kleinere der beiden Bilder, die trotz der hellen Beleuchtung noch zu sehen waren.

»Ich machte viele solcher Aufnahmen, von jedem Sektor des Himmels, zu jeder denkbaren Nacht- und Jahreszeit. Ich fertigte Schablonen an und koppelte sie mit dem Teleskop. Einmal in jedem Jahr nehmen die Sterne mit Ausnahme der Planeten wieder genau dieselbe Position ein wie zum selben Augenblick im Vorjahr. Ich ließ das Teleskop durch die Schablone sehen, und wenn es einen Stern entdeckte, der nicht genau da stand, wo er stehen sollte, oder vielleicht einen völlig neuen Stern, dann sollte es Alarm schlagen. Es gab nie Alarm. Als ich zum letzten Mal hier war, vor rund vierzig Tagen, benutzte ich ebenfalls eine

Schablone. Auf der Schablone ist dieser Nebel dort nicht verzeichnet, das weiß ich. Und trotzdem bekam ich keinen Alarm. Ich … weiß nicht …«

Die Haare zerwühlt, die Augen weit aufgerissen, so starrte er Julian an. Seine Brust hob und senkte sich unter keuchendem Atem. Er stand am Rand eines Nervenzusammenbruchs.

»Das lässt nur einen einzigen Schluss zu, nicht wahr?«, fragte Julian sanft.

»Aber welchen?«, schrie Pete.

»Der Nebel war vor vierzig Tagen noch nicht da!«

Ruhig und schwer fielen die Worte in den Raum. Da war keiner, Doreen Baerman vielleicht ausgenommen, der nicht verstand, was sie bedeuteten. Ein Nebel, der groß genug war, dass er über beachtliche Entfernung hinweg wahrgenommen werden konnte, entstand nicht von heute auf morgen – und schon ganz und gar nicht mitten im freien Raum mit seiner unvorstellbar geringen Dichte an interstellarer Materie. Ein interstellarer Nebel, der sich im Laufe von wenigen Tagen entwickelte, war ein Ungeheuer, eine wissenschaftliche Monstrosität. Julian spürte, wie die Männer verzweifelt nach einer Erklärung suchten – gerade so, wie er es getan hatte, als er zum ersten Mal von der Sache erfuhr.

»Das Phänomen wird vielleicht ein wenig klarer«, sagte er in die Stille hinein, »wenn wir ein paar zusätzliche Untersuchungen vornehmen. Pete, gibt es hier Geräte, mit denen Geschwindigkeit und Abstand interstellarer Materie gemessen werden können?«

»Ja, natürlich«, antwortete Pete.

»Gut. Dann lassen Sie uns das tun.«

Pete führte sie in einen anderen Raum. Er bewegte sich mit der geistesabwesenden Sicherheit eines Schlafwandlers. Der andere Raum besaß ebenfalls Vorrichtungen zur Aufnahme des Teleskopbildes. Pete stellte die Projektion her und machte sich dann an einem Gerät zu schaffen, das im Hintergrund des Raumes stand und wie ein altes Elektronenmikroskop aussah.

»Zunächst die Entfernung«, erklärte er, während er ein paar Einstellungen vornahm. »Das Objekt ist zur Triangulation geeignet.«

Julian war beeindruckt. Zur Triangulation waren Messgeräte erforderlich, die an drei möglichst weit voneinander entfernten Punkten der Planetenoberfläche aufgestellt waren. Aus den Unterschieden der Winkel, unter denen die Geräte das anzumessende Objekt sahen, ließ sich dessen Entfernung bestimmen. Pete Baerman musste zur Zeit der Landung ein eifriger Mann gewesen sein. Er hatte die Mühe nicht gescheut, die Messgeräte an entlegenen Orten des Planeten zu installieren und sie mit dem Observatorium zu verbinden.

»Abstand rund drei Komma acht Lichtjahre«, rief er, ohne die Augen vom Okular des Instruments zu nehmen. »Jetzt die Geschwindigkeit. Ich benutze die Hyperwellen-Reflextechnik.«

Das Prinzip war dasselbe wie das der Geschwindigkeitsmessung durch Radar. Nur dass Hyperwellen fast zeitverlustfrei durch den Raum eilten und ihre Frequenzverschiebung ungleich genauer zu messen waren als die elektromagnetischer Mikrowellen.

Zwei oder drei Minuten vergingen, dann verkündete Pete:

»Der Nebel bewegt sich mit einer Geschwindigkeit von rund achttausend Kilometern pro Sekunde relativ zu uns. Der Geschwindigkeitsvektor ist genau auf uns gerichtet.«

In seiner Stimme schwang Verwunderung und Besorgnis. Die Messergebnisse beseitigten auch den letzten Zweifel daran, dass es sich um eine Art Wunder handeln müsse. Hätte sich der Nebel mit hochrelativistischer Geschwindigkeit bewegt – also etwa so schnell wie das Licht –, dann wäre mit Hängen und Würgen vielleicht zu erklären gewesen, warum ihn das Teleskop vor vierzig Tagen noch nicht hatte sehen können. Aber er kam in jeder Sekunde nur um achttausend Kilometer näher, in den vierzig Filchner-Tagen seit Petes letzter Beobachtung hatte er also nicht mehr als sechzig Milliarden Kilometer zurückgelegt. Für das Teleskop aber machte es keinen Unterschied, ob ein Objekt 3,8 Lichtjahre oder 3,8 Lichtjahre plus sechzig Milliarden Kilometer entfernt war.

Julian sah ostentativ auf die Uhr, sodass jeder es bemerkte.

»Ich habe jetzt neununddreißig Uhr achtzehn Minuten Ortszeit. Pete, wir wollen die beiden Messungen in einer halben Stunde noch einmal wiederholen. Einverstanden?«

»Was auch immer Sie sagen«, murmelte Pete niedergeschlagen.

»Und noch etwas, Pete. Sie können Ihre Instrumente wenigstens bis auf die vierte Dezimalstelle ablesen. Geben Sie mir bitte die genaue Entfernung des Nebels.«

Pete kehrte verdrossen an das Gerät zurück. Rechts an der Wand hing eine kleine Tafel, auf der sich rasche Notizen machen ließen. Ein paar Stücke Kreide lagen unordentlich auf dem Tafelbrett.

Julian nahm eines davon zur Hand.

»Drei Komma acht null eins vier Lichtjahre«, sagte Pete.

Julian schrieb die Zahl auf die Tafel. Dann trat er zurück. Die Ziffern starrten ihn herausfordernd an.

Doc Lorran trat auf ihn zu.

»Was hat das alles zu bedeuten?«, fragte er leise, als hätte er Angst, die anderen durch seine Frage zu erschrecken.

»Warten Sie noch eine halbe Stunde«, riet ihm Julian, »und Sie werden genauso viel wissen wie ich.«

Ohne dass er es bemerkt hatte, war Pete herangekommen und hatte seine Antwort gehört.

»Warum tun Sie so geheimnisvoll?«, fragte er unfreundlich. »Wir haben ein Recht zu wissen, was hier vor sich geht.«

Er sprach ziemlich laut. Ärger schwang in seiner Stimme. Kalep und Sifter, die sich leise miteinander unterhalten hatten, sahen erstaunt auf. Doreen trat mit besorgtem Gesicht an Petes Seite und legte ihm die Hand auf die Schulter. Pete zuckte unter der Bewegung zusammen. Meech stand in der Nähe der Tür und betrachtete die Szene völlig ungerührt.

»Was hier vor sich geht«, antwortete Julian gelassen, »weiß in Wirklichkeit niemand. Das einzige, was ich Ihnen sagen könnte, sind die Resultate der Messung, die Sie in einer halben Stunde anstellen werden. Gerade das aber werde ich bleibenlassen. Erstens möchte ich, dass Sie unvoreingenommen an die Sache herangehen, und zweitens sind Sie Manns genug, um eine halbe Stunde der Ungewissheit ohne Schaden zu ertragen.«

Pete hatte eine Erwiderung auf der Zunge. Aber Julian sah, wie die Knöchel scharf aus Doreens Hand traten, als sie den Druck auf seine Schulter verstärkte. Ohne noch ein Wort zu sagen, wandte Pete sich ab und ging mit Doreen weg. Julian sah ihm nach. Er kannte Leute wie Pete. Er kannte auch Leute wie Joe Kalep, und für das, was bevorstand, hätte er sich lieber einen zweiten Joe Kalep als einen Pete Baerman gewünscht.

Er wandte sich an Doc Lorran. »Wir hatten kaum Zeit, darüber zu sprechen«, begann er. »Was für Untersuchungen haben Sie an dem Arek vorgenommen?«

Lorran hob die Hand und zählte an den Fingern ab: »Blutprobe, physiologische Merkmale, Reflexvermögen, Gleichgewichtstest … und, äh … das war alles.«

»Und alles war normal? Auch sein Gleichgewichtssinn?«

Lorran nickte.

»Merkwürdig«, murmelte Julian. »Als Sifter ihn aus dem Flugzeug zerrte, konnte er seinen rechten Fuß nicht von dem linken unterscheiden. Das muss sich in der Zwischenzeit gegeben haben.«

Er dachte eine Zeit lang darüber nach. Dann sah er auf und tippte Lorran mit dem Zeigefinger gegen die Brust.

»Wir sind natürlich noch lange nicht fertig«, erklärte er. »Wir brauchen ein Enzephalogramm. Sie kennen natürlich das Gedanken-Grundmuster der Areks?«

»Ja, selbstverständlich.«

»Gut. Das Enzephalogramm muss mit dem Grundmuster verglichen werden. Vielleicht erhalten wir daraus weitere Aufschlüsse. Überhaupt – kennt einer von Ihnen den Mann?«

Lorran drehte sich halb zur Seite. »Sifter oder Kalep sind die Einzigen, die mit den Areks regelmäßigen Kontakt haben.«

Unaufgefordert kamen die beiden Männer herbei. Julian wiederholte seine Frage.

»Ich glaube«, antwortete Sifter nachdenklich, »ich habe ihn schon mal gesehen. Er gehört nicht zu Loggallans Gruppe, dessen bin ich sicher.« Er sah Julian an und erklärte: »Das ist eine Horde von etwa achtzig Leuten, die zehn Kilometer südlich von Rivertown lagern. Aber vielleicht gehört er zu Hellimans oder Tiggurrans Klan.« Ein Gedanke schien ihm zu kommen. »Ganz einfach – wir fliegen hin und fragen die Leute. Jemand muss ihn vermissen.«

»Er hat seinen Namen nicht genannt, Doc?«, erkundigte sich Julian.

»Vielleicht hat er«, brummte Lorran. »Aber ich verstehe nur zwei Worte von seiner Sprache. Das eine heißt so viel wie ›Guten Tag‹, und das andere ›Medizin‹.«

Julian fragte sich, wie jemand so uninteressiert sein konnte, anderthalb Jahre auf einem von Eingeborenen bevölkerten Planeten zu leben, ohne die Sprache der Ureinwohner zu lernen. Er widerstand der Versuchung, eine Bemerkung darüber zu machen. Er konnte es sich nicht leisten, Doc Lorran zu verbittern.

Er wandte sich an Sifter und Kalep. »Sie beide kennen die Sprache, nicht wahr?«

Beide nickten.

»Sifter beherrscht außerdem noch ein paar südwestliche Dialekte«, sagte Kalep mit seiner hellen Stimme.

»Vorzüglich. Hatten Sie irgendwelche Pläne für die Zeit von jetzt bis fünfundvierzig Uhr?«

Kalep schüttelte den Kopf, und die Knollennase zog sich in die Höhe, als wittere sie Aufregendes.

»Keinen außer zu schlafen«, antwortete Sifter. »Aber das kann ich immer noch nachholen.«

Doc Lorran machte ein erstauntes Gesicht.

»Ganz recht, Doc«, lachte Julian ihn an, »wir wollen Sie mit unserer Gegenwart beehren. Der Arek muss so schnell und so gründlich wie möglich untersucht werden. Meech dort kann Ihnen mit den Instrumenten zur Hand gehen, er versteht eine ganze Menge davon. Und von Kalep und Sifter will ich wissen, was der Mann sagt. Einverstanden?«

Eine Sekunde lang machte Lorran ein höchst unglückliches Gesicht. Dann hatte er sich wieder in der Gewalt.

»Natürlich«, antwortete er übertrieben höflich. »Ich stelle eigens für den Zweck eine Flasche kalt.«

Julian grinste spöttisch. »Es könnte sein, dass uns der Appetit zum Trinken vergeht«, sagte er halblaut.

Er spürte plötzlich, dass Kaleps Blick fragend auf ihm ruhte. Er sah den Knollennasigen auffordernd an.

»Sir, Sie waren eigentlich wegen des Nebels gekommen, den wir dort auf dem Schirm gesehen hatten, nicht wahr?«

Julian wusste, was jetzt kam, und er wünschte voller Inbrunst, Kalep hätte ihm ein paar Stunden mehr Zeit gelassen.

»Ganz richtig«, antwortete er, so ruhig er konnte.

»Plötzlich aber«, fuhr Kalep unbeirrt fort, »interessieren Sie sich für den durchgedrehten Arek. Heißt das, Sir, dass der Arek und der Nebel etwas miteinander zu tun haben?«

Da war's heraus. Julian durchforschte voller Hast sein Bewusstsein nach einer plausibel klingenden Ausrede, aber er konnte keine finden. Er entschloss sich zur Aufrichtigkeit.

»Das lässt sich nicht mit Sicherheit sagen«, gab er zurück. »Aber wenn Sie wissen wollen, was ich glaube, dann heißt die Antwort: Ja, ich glaube, dass das plötzliche Auftauchen des Nebels und der merkwürdige Zustand des Arek miteinander in Zusammenhang stehen.«

Einen Augenblick lang herrschte verblüfftes Schweigen. Dann brach es aus Sifter hervor:

»Warum?«

»Erinnern Sie sich an den Gesang des Arek, den Sie selbst mir übersetzten? ›Wir, die wir von den Sternen kommen, werden siegen.‹ Ich bin über die Psychologie der Areks informiert. Bislang haben sie noch nicht einmal begriffen, dass die Sterne am Nachthimmel andere Sonnen sind, genau wie Tara, nur weiter entfernt. Wie, in allen drei Teufelsnamen, käme ein Arek von sich aus auf die Idee zu sagen, er sei von den Sternen gekommen?«

Die halbe Stunde war um. Julian hatte sich noch ein wenig mit Kalep und Sifter unterhalten, während Doc Lorran sich zu Doreen und Pete gesellte. Julian beobachtete Pete, ohne dass er es bemerkte. Es sah aus, als sei es Doreen gelungen, ihn einigermaßen zu beruhigen. Als die Zeit um war, kehrte er ohne weitere Aufforderung an sein Instrument zurück und begann mit der Messung.

Er mochte erregt sein, aber an der Schalttafel des Geräts benahm er sich wie ein Mann, der ganz in seine Aufgabe versunken war. Er schaltete mit zielsicheren Handbewegungen, beobachtete die Messskalen mit kritischem Blick und beugte sich schließlich nach vorn, um das Ergebnis abzulesen.

»Zunächst die Geschwindigkeit«, sagte er laut. »Sie beträgt nach wie vor achttausendeinhundertunddreizehn Kilometer pro Sekunde, und der Geschwindigkeitsvektor ist noch immer genau auf Filchner gerichtet.«

Er nahm einige zusätzliche Schaltungen vor. Julian sah, wie er plötzlich innehielt und mit zusammengekniffenen Augen auf eine Skala starrte, als wäre er nicht sicher, dass das, was er sah, richtig sein könne. Mit dem ausgestreckten Zeigefinger die einzelnen Schalter berührend, ging er die ausgeführten Schaltungen noch einmal durch und fand sie anscheinend in Ordnung. Dann las er die Skala ein zweites Mal ab. Er stützte das Kinn in die rechte Hand, und es war ihm anzusehen, dass er fieberhaft rechnete.

»Den Abstand bitte, Pete!«, rief Julian.

Meech stand vor der Tafel und hatte die Kreide in der Hand.

Pete zuckte mit den Schultern und las mit heiserer Stimme ab: »Der Abstand beträgt drei Komma sieben neun sieben sechs Lichtjahre.«

Jemand stieß einen schrillen Pfiff aus. Julian drehte sich rasch um. Das war Sifter gewesen. Sein langes, hageres Gesicht war ein einziges Fragezeichen. Niemand außer ihm schien die wahre Bedeutung der Messung erkannt zu haben.

Meech hatte inzwischen die neue Zahl an die Tafel geschrieben. Die beiden Ziffergruppen standen nun untereinander.

3,8014

3,7976

Julian wartete. Irgendwann würde auch den anderen die Ungeheuerlichkeit des Messergebnisses aufgehen. Pete hatte sein Instrument verlassen und stand vor der Tafel. Er fuhr sich mit einer verlegenen Geste durch die Haare. Dann drehte er sich um, das Gesicht eine Grimasse der Hilflosigkeit wie vorhin, als er den Nebel entdeckt hatte.

»Das ... das ist unmöglich!«

Er flüsterte nur, und seine Stimme war heiser. Trotzdem standen die Worte wie ein schriller Hilfeschrei im Raum.

»Ich verstehe das nicht«, sagte Doreen. »Was ist da so Besonderes dran?«

Kalep stöhnte dumpf. Auch Doc Lorran schien allmählich zu begreifen, worum es ging. Die gesunde Bräune seines breitflächigen Gesichts wich einem fahlen Grau, als er die Erkenntnis in sich aufnahm und ihm der Schreck in die Glieder fuhr.

Plötzlich begann Meech zu sprechen. Er hatte eine aufreizende Gewohnheit, selbst in der kritischsten Lage mit einem Tonfall zu reden, als läse er einen Wetterbericht vor. Das entsprach seiner Natur. Er konnte auch anders, aber nur, wenn sein Gewissen es ihm befahl.

»Zwischen den beiden Messungen besteht ein Unterschied von rund achtunddreißig Milliarden Kilometern. Die zeitliche Differenz zwischen den Messungen beträgt eine halbe Stunde, also etwa achtzehnhundert Sekunden. Der Nebel hat sich in achtzehnhundert Sekunden um achtunddreißig Milliarden Kilometer fortbewegt. Das entspricht einer Geschwindigkeit von etwa einundzwanzig Millionen Kilometern pro Sekunde.« Niemand außer Julian fiel auf, dass er die Zahl ohne das geringste Zögern herunterrasselte, als hätte er sie auswendig gelernt, sodass er sie nicht auszurechnen brauchte. »Ganz abgesehen davon, dass ein optisch wahrnehmbares Objekt sich mit nicht größerer als der Geschwindigkeit des Lichts bewegen kann und dass der merkwürdige Nebel diese Grenze um das Siebzigfache überschreitet – ganz abgesehen davon haben wir in zwei miteinander übereinstimmenden Messungen die Geschwindigkeit des Nebels zu achttausend Kilometern pro Sekunde bestimmt.«

Er schwieg, und jedermann sonst schwieg auch.

Sifter, der den Sachverhalt als erster begriffen und daher am längsten Zeit gehabt hatte, sich von dem Schock zu erholen, meldete sich nach mehr als zwei Minuten als erster zu Wort.

»Wie kann man das erklären, Sir?«

»Ich versuche seit vier Tagen«, antwortete Julian, »eine Erklärung zu finden. Man kann an vielerlei denken. Zum Beispiel daran, dass eine der beiden Messungen – entweder Geschwindigkeit oder Abstand – ein falsches Ergebnis liefert. Die Abstandsmessung folgt einem Jahrtausende alten rein mechanischen und daher verlässlichen Prinzip. Sextanten sind unkomplizierte Geräte und lügen nicht. Wenn sie sagen, der Nebel ist uns jetzt um achtunddreißig Milliarden Kilometer näher als vor einer halben Stunde, dann müssen wir das hinnehmen. Die Geschwindigkeitsmessung könnte falsch sein. Es gibt mancherlei Effekte, die die Reflektierung von Hyperwellen beeinflussen. Wenn wir das aber annehmen, dann stehen wir vor der Frage, wie ein ohne Zweifel materielles, deutlich sichtbares Objekt im Einstein-Universum sich mit dem Siebzigfachen der Lichtgeschwindigkeit bewegen kann.«

Er zuckte mit den Schultern und breitete die Arme aus. »Wenn

Sie mich fragen – ich weiß die Antwort nicht. Ich habe eine schwache Vermutung, dass beide Messungen richtig sind und wir nach einem bis jetzt unbemerkten Effekt suchen müssen. Lassen Sie mich diesen Verdacht noch ein wenig für mich behalten, ich muss noch ein bisschen daran herumarbeiten.« Er sah die Leute der Reihe nach an und schenkte ihnen ein freundliches Lächeln.

Dann wurde sein jungenhaftes Gesicht plötzlich ernst. »Über eines allerdings«, fuhr er mit harter Stimme fort, »müssen wir uns jetzt schon im Klaren sein. Der Nebel gehört nicht zu der Sorte von Himmelskörpern, die wir kennen. Einiges an ihm widerspricht unseren Naturgesetzen. Und er bewegt sich geradewegs auf Filchner zu. Er kann Gefahr bedeuten. Ich wiederhole: er *kann* – er muss nicht. Aber es ist besser, vorsichtig zu sein und mit dem Schlimmsten zu rechnen. Wenn der Nebel seine Geschwindigkeit beibehält, wird er Filchner in fünfhundert Stunden erreicht haben. Noch lange, bevor es so weit kommt, werden Meech und ich ihm mit unserem Fahrzeug entgegenfliegen und Untersuchungen an Ort und Stelle durchführen. Bis dahin brauchen wir hier im Observatorium einen ständigen Posten, der den Nebel im Auge behält. Wir müssen zu jeder Sekunde wissen, was da draußen vor sich geht, ob der Nebel den Kurs beibehält oder ihn ändert, ob seine Geschwindigkeit gleich bleibt oder nicht und was für physikalische Eigentümlichkeiten er aufweist.«

Er wandte sich an Pete. »Sie sind der Astronom. Ich überlasse es Ihnen, einen Wachplan aufzustellen. Schließen Sie Meech und mich darin ein.«

Pete nickte. Über dem Schock der Entdeckung schien er seinen Ärger vergessen zu haben.

»Gehen Sie jetzt nach Hause«, riet Julian. »Im Augenblick können wir nichts tun. Zu ihrer Beruhigung kann ich Ihnen versichern, dass das Imperium über die merkwürdigen Vorgänge Bescheid weiß und nicht zögern wird, Filchner im Augenblick der Gefahr zu Hilfe zu eilen.«

Er nickte ihnen zu, dann drehte er sich um und schritt hinaus, von Meech gefolgt.

»Ich wollte«, sagte er halblaut zu sich selbst, »wir hätten mehr Zeit!«

3.

Er nahm einen kurzen Imbiss zu sich, bei dem Meech ihm zuschaute. Um vierundvierzig Uhr dreißig waren sie bei Doc Lorran verabredet. Sie hatten noch zwanzig Minuten Zeit. Julian gönnte sich einen kräftigen Schluck aus der Flasche, die Lorran bei dem hastigen Aufbruch nach Sifters Landung mitzunehmen vergessen hatte. Er war ihm dankbar dafür. Er war aufgeregt und brauchte eine Beruhigung.

Seine Sorge galt nicht so sehr dem Nebel und seinem unerklärlichen Verhalten wie den Leuten auf Filchner. In zehn planetarischen Tagen würde eine Katastrophe über sie hereinbrechen, wie sie sie selbst in ihren schwersten Albträumen sich nicht hätten ausdenken können.

Das Imperium erwartete von ihnen, dass sie trotzdem den Kopf oben behielten und sich vernünftig benahmen. Julian zweifelte nicht an Sifters oder Kaleps Fähigkeit, in der Gefahr ihren Mann zu stehen, aber schon bei Doc Lorran war er seiner Sache nicht mehr so sicher, und Pete und Doreen Baerman würden ganz bestimmt den Kopf verlieren und davonlaufen, sobald das erste Zeichen von Gefahr erschien.

Missmutig beendete er sein Abendessen und warf Meech einen ärgerlichen Blick zu.

»Ich wollte, du fändest etwas zu tun, anstatt mir andauernd auf den Teller zu starren«, fuhr er ihn an.

Meech verzog das Gesicht zu einem freundlichen Grinsen. »Tut mir leid, Sir. Ich wusste nicht, dass Sie das stört.«

Julian warf Teller und Besteck in den Disposer. Die Maschine kam mit hellem Surren in Gang. Das Geräusch erfüllte die kleine Wohnküche bis in den hintersten Winkel. Julian fühlte sich irritiert, bis er bemerkte, dass es nicht das Surren des Disposers war, das ihn störte. Ein zweites Geräusch hatte sich dazugemischt. Es kam vom Videofon im Wohnzimmer.

Er lief hinaus und hob den Hörer ab. Der kleine Bildschirm

flammte auf und zeigte Doreen Baerman. Sie wirkte schuldbewusst und kokett zugleich.

»Ich musste Sie unbedingt anrufen, Marschall«, sagte sie und bediente sich dabei eines halb flüsternden, halb beschwörenden Tons, der Julian missfiel. »Pete hat vorhin die Beherrschung verloren. Er ist mit den Nerven herunter. Zuviel Belastung in der letzten Zeit. Ich wollte mich für ihn entschuldigen.«

Julian war nicht klar, woher bei dem geruhsamen Leben auf Filchner so viel Belastung kommen könne, dass Pete Baerman nervöse Beschwerden bekam. Aber er wollte nicht unhöflich sein. Er machte eine belanglose Geste und antwortete: »Das ist gar nicht nötig. Ich habe es nicht ernst genommen, Doreen. Wo ist Pete?«

»Zu Bett gegangen. Er schläft. Ich habe ihm ein Schlafmittel gegeben.«

Sie lächelte vertraulich und zwinkerte dazu.

»Na, das ist gut«, kommentierte Julian voller Unbehagen. »Am besten ist, Sie legen sich auch hin. Wir haben ein paar arbeitsreiche Tage vor uns.«

»Aber das geht nicht«, protestierte Doreen. »Ich kann nicht schlafen. Pete hat mich als Wache für das Observatorium eingeteilt.«

Mit eisigem Schreck wurde Julian sich seiner Nachlässigkeit bewusst. Er hatte Doc Lorran, Sifter und Kalep zu einer Verabredung bestellt und Pete Baerman zur gleichen Zeit damit beauftragt, das Observatorium ständig besetzt zu halten. Pete hatte wahrscheinlich versucht, Sifter, Kalep oder Lorran für die erste Wache zu gewinnen, aber alle drei hatten einen triftigen Grund abzulehnen. Also blieb Pete nichts anderes übrig, als entweder selbst zu gehen oder Doreen zu schicken. Doreen hatte ihm eine Schlaftablette gegeben, also fiel Pete aus. Julian verfluchte seine Unaufmerksamkeit. Es würde Doreen niemals gelingen, das Teleskop auf den richtigen Punkt einzustellen.

»Ist das nicht lustig?«, kicherte Doreen. »Er schickt *mich*. Dabei habe ich von der Astronomie keine Ahnung.«

Julian nickte zerstreut. »Sie brauchen Hilfe«, stellte er fest.

»Ich bin froh, dass Sie von selbst darauf kommen«, antwortete Doreen.

Da war ein Unterton in ihrer Stimme, der Julian nicht behagte. Er sah sie an. Ihre Augen waren erwartungsvoll weit geöffnet. Sie starrte ihn an, als hoffe sie, aus seinem Mund die Offenbarung der letzten Wahrheit zu hören.

Julian hatte plötzlich eine Idee und fühlte sich daraufhin so erleichtert, dass er sogar ein freundliches Lächeln zustande brachte.

»Wissen Sie was? Gehen Sie zum Observatorium und versuchen Sie, das Teleskop einzustellen. Sobald ich kann, schicke ich Ihnen Meech hinüber. Er wird Ihnen behilflich sein.«

Eine Sekunde lang wirkte sie enttäuscht. Dann jedoch besann sie sich eines Besseren und nickte ihm begeistert zu.

»Ja, das ist wunderbar. Vielen Dank für Ihr Entgegenkommen, Marschall. Ich gehe jetzt zum Observatorium. Mister Hannigan soll recht bald kommen.«

Sie blendete aus. Gedankenvoll legte Julian den Hörer auf die Gabel zurück und drehte sich um. Meech Hannigan stand ein paar Schritte hinter ihm und hatte offenbar die ganze Unterhaltung mit angehört.

»Meech«, sagte Julian mit fester Stimme, »unsere Pläne haben sich ein wenig geändert.«

Meech nickte gelassen. »Ich verstehe, Sir. Manchmal ist Feigheit vor dem Feind nichts weiter als ein geschickter Schachzug der Diplomatie.«

Julian warf ihm einen nachdenklichen Blick zu und enthielt sich jeglicher Bemerkung.

Auf dem Weg zu Doc Lorrans Haus traf er auf Kalep. Sie sagten einander »Guten Abend« und schritten schweigsam nebeneinander her. Der Tag war warm gewesen, und die Nacht schien keine spürbare Abkühlung zu bringen. Julian schätzte die Temperatur auf zweiunddreißig Grad, aber er liebte Wärme und fühlte sich wohl.

Als sie Lorrans Haus erreichten, näherte sich von links her Sifter.

»Pete hat Doreen ins Observatorium geschickt«, sagte er anstelle einer Begrüßung. »Ich möchte wissen, was er sich dabei denkt. Das Mädchen weiß nicht einmal, an welchem Ende sie ins Fernrohr gucken soll.«

Julian erklärte, er hätte ihr Meech zu Hilfe geschickt.

»Ah so«, entgegnete Sifter verdrossen.

Doc Lorran hatte auf sie gewartet. Er öffnete die Tür und ließ sie ein.

»Wo ist Ihr Begleiter, Sir?«, fragte er Julian verwundert.

»Im Observatorium«, antwortete Julian. »Er muss Doreen helfen, den Nebel zu beobachten.«

Lorran fuhr zurück, als traute er seinen Ohren nicht.

»Und wo ist die Flasche?«, erkundigte Kalep sich mit heller Stimme.

»Pete hat Doreen ans Teleskop geschickt?«, fragte Lorran, ohne auf Kalep zu achten.

»Muss wohl, wie?«, fragte Julian zurück. »Von selbst wäre sie nie gegangen.«

Kalep wiederholte seine Frage. Diesmal überhörte Lorran sie nicht. Er schien froh zu sein, einen Augenblick verschwinden zu können. Julian hörte ihn in der Wohnküche rumoren. Als er zurückkam, schwenkte er eine Flasche Wein, die von der Luftfeuchtigkeit rasch beschlug. Die Flasche trug kein Etikett. Der Wein war synthetisch hergestellt. Was Julian beeindruckte, war das tiefe Empfinden für Stil, das die Filchnerianer veranlasst hatte, den Wein in eine altmodische Glasflasche abzufüllen, die sie ebenfalls herstellen mussten, anstatt in einen Plastikbehälter, von denen sie Tausende mitgebracht hatten.

Doc Lorran war plötzlich wie ausgewechselt.

»Wir werden wahrscheinlich auch ohne Mister Hannigan fertig«, rief er. »Kommen Sie hier herein! Der Arek ist fertig zur Untersuchung, aber zuvor wollen wir uns einen Schluck genehmigen.«

Er führte sie in die Ordination. Julian war abermals beeindruckt. Das Ordinationszimmer unterschied sich in keiner Weise von dem eines wohletablierten irdischen Arztes. Der Raum war gut und gerne fünfzig Quadratmeter groß und enthielt jedes nur denkbare Gerät, das man in einer Arztpraxis zu sehen erwartete.

Der Arek lag angeschnallt auf einer mit Rollen versehenen Liege. Er war entweder bewusstlos, oder Lorran hatte ihm ein starkes Beruhigungsmittel verabreicht.

Lorran wies mit der Flasche in der Hand auf seinen nackten Patienten und bemerkte: »Er schläft. Ich habe ihm eine Pille gegeben, aber ich glaube, er wäre ohnehin eingeschlafen. Machte einen ziemlich müden Eindruck.«

Er öffnete die Flasche. Inzwischen hatte Sifter sich mit untergeschlagenen Beinen auf den Boden gehockt und Kalep in einem Zahnarztstuhl Platz genommen. Julian sah sich um, fand jedoch keine passende Sitzgelegenheit und entschloss sich, stehenzubleiben. Lorran nahm vier Bechergläser aus einem Wandschrank, reichte sie herum und schenkte ein. Der Wein war dunkel und schwer und schmeckte ebenso vorzüglich wie Einundachtziger Côte du Rhone. Julian nahm einen kräftigen Schluck und begann an der Richtigkeit seiner privaten Philosophie zu zweifeln, wonach Natürliches besser war als Künstliches.

Lorran lenkte seine Gedanken zurück zur Tagesordnung.

»Nicht, dass ich euch …«, er unterbrach sich und warf Julian einen Blick zu, »… nicht, dass ich Sie vom Trinken abhalten wollte. Aber ich bin entsetzlich neugierig, was das Enzephalogramm zeigen wird. Wenn wir die Gläser vielleicht für eine Weile beiseitesetzen könnten, dann …«

Sifter erhob sich und ließ seinen Becher auf dem Boden stehen. Kalep glitt aus dem Zahnarztstuhl, nachdem er sich vergewissert hatte, dass sein Gefäß im Spülbecken sicher stand. Julian leerte seinen Becher mit einem kräftigen Zug und stellte ihn ebenfalls auf den Boden.

»Vorzüglich«, lobte Lorran mit strahlendem Lächeln. »Nun also – wir haben hier …«, er durchquerte mit ein paar langen, behänden Schritten, die seinem massigen Körper so rasch niemand zugetraut hätte, den Raum und blieb vor einem hüfthohen Schaltpult stehen, »… haben hier die Bedienungsanlage des Enzephalografen mitsamt der Mattscheibe, die das Enzephalogramm wiedergeben wird. Ich habe das grundlegende Enzephalogramm der Arek-Rasse bereits eingeschoben. Es wird erscheinen, sobald wir das Gerät einschalten. Darüber blenden wir das Enzephalogramm des Patienten, sodass die beiden Aufzeichnungen leicht miteinander verglichen werden können. Ich brauche wohl nicht weiter darauf einzugehen, welches die Charakteristiken eines Enzephalogramms sind und was man daraus lesen kann. Wir …«

»Nein, das brauchen Sie nicht, Doc«, sagte Sifter trocken.

Lorran schluckte. »Na schön, dann wollen wir anfangen.«

In der Nähe der Liege stand ein kleiner, mit Instrumenten beladener Rolltisch. Lorran schob ihn an die Liege heran. Vorsichtig, sodass der Arek nicht erwachte, presste er ihm die flexiblen Sonden aus Metallplastik gegen Schläfen und Stirn und vergewisserte sich, dass die Kontakte an den Verstärkern richtig saßen. Julian hatte sich inzwischen vor das Schaltpult gestellt. Lorran sah auf und schien als selbstverständlich anzunehmen, dass Julian das Pult zu bedienen verstand.

»Bitte, schalten Sie ein, Sir!«

Julian legte den Schalter um. Augenblicklich erschien auf dem Bildschirm die gezackte Linie eines Grundenzephalogramms. Die Linie repräsentierte das Ergebnis Dutzender oder gar Hunderter von Messungen, aus denen das, was für die Gehirnausstrahlung der Arek-Rasse typisch und charakteristisch war, herausgesucht worden war. Jeder Arek, sofern er geistig normal war, produzierte ein Enzephalogramm, dessen Grundstruktur dem auf dem Bildschirm gezeigten gleich oder zumindest ähnlich war. Die Methode war so zuverlässig, dass Enzephalografen auf breitester Basis zur Identifizierung von galaktischen Rassen benutzt wurden.

Sifter und Kalep standen zu beiden Seiten des Pults und taten, als ginge sie die ganze Sache nichts an. Julian dagegen spürte, wie Spannung und Unruhe rasch von ihm Besitz ergriffen. Was das merkwürdige Benehmen des Arek anging, so hatte er seine eigene Theorie, und die nächsten Sekunden mussten zeigen, ob er auf dem richtigen Weg war.

Erwies sich sein Verdacht als richtig, dann stand das ganze Imperium vor einem Problem, das es in der Geschichte der Menschheit noch nie gegeben hatte.

»Ich blende jetzt die Elektroden ein, Sir«, sagte Lorran.

Julian hielt unwillkürlich den Atem an. Über das ruhige Bild des Grundenzephalogramms lief ein huschendes Gewirr von Linien, als die Elektroden zu arbeiten begannen. Der Bildschirm flackerte und zuckte, und Julian in seiner Ungeduld kam es vor, als würde sich das Durcheinander niemals beruhigen.

Gebannt starrte er auf die Mattscheibe. Das Flimmern beruhigte sich. Die Elektroden hatten sich auf das fremde Gedankenmuster eingestellt, die Anlaufeffekte verschwanden. Das Bild war plötzlich klar und deutlich. Als kräftige schwarze Linie zeichnete sich das Grundmuster ab, dessen Schablone Doc Lorran in den Projektor geschoben hatte, und leuchtend rot stach dagegen das Enzephalogramm des kranken Arek hervor.

Eisig kalt lief es Julian über den Rücken. Sein Verdacht erwies sich als richtig. Das rote Muster besaß nicht die geringste Ähnlichkeit mit dem schwarzen. Wo das schwarze steile Zacken und Grate zeigte, da hatte das rote nur sanfte Hügel und Rundungen. Während das schwarze sich über die Breite der Mattscheibe wenigstens zwanzigmal in die Höhe und nach unten schwang, zeigte das rote nur zwei flache Berge und ein sanftes Tal.

Das war mehr, als Julian erwartet hatte. Er brauchte ein paar

Sekunden, um den Schock zu überwinden. Das Enzephalogramm besaß nicht nur keinerlei Ähnlichkeit mit dem Grundmuster der Areks, es war darüber hinaus verschieden von allem, was Julian jemals gesehen hatte. Der Arek war nicht im eigentlichen Sinne krank. Er war besessen. Er dachte nicht. Etwas Fremdes dachte in ihm.

Etwas so unglaublich Fremdes, dass es unmöglich schien, die Gedanken, die sich hinter den roten Linien verbargen, jemals zu erfassen.

Julian bemerkte, dass Doc Lorran hinter ihm stand. Er keuchte vor Aufregung. Julian trat zur Seite. Lorran hatte die Augen weit aufgerissen und starrte fassungslos auf die flache, rote Linie. Auch Sifter und Kalep interessierten sich jetzt für die Aufnahme. Von der Seite her betrachteten sie die Mattscheibe, aber keiner von beiden machte den Eindruck, als verstünde er, was hier vor sich ging.

Lorran erwachte schließlich aus seiner Starre.

»Das ... das ist einfach ... einfach unmöglich!«, stieß er hervor.

Julian trat zu der Liege und nahm dem Arek die Elektroden ab. Lorran wirbelte herum, als der Bildschirm erlosch.

»Was tun Sie da?«, rief er ärgerlich.

Julian zog die Brauen in die Höhe. »Nicht so hastig, Doktor. Sie sprechen nicht mit Ihrem Sanitäter.«

Lorran war völlig durcheinander, was Julian ihm nicht übel nahm.

»Verzeihung, Sir«, brummte er niedergeschlagen. »Rutschte mir so raus.«

»Schon vergessen. Sagen Sie mir, was Sie von der Aufnahme halten.«

Lorran ließ sein beachtliches Gewicht in den Zahnarztstuhl fallen, den Kalep innegehabt hatte. Gedankenverloren nahm er das Glas aus dem Spülbecken und leerte es in einem Zug.

»Eine einfache Erklärung ist natürlich«, begann er, »dass der Enzephalograf nicht mehr funktioniert.«

Julian lachte bitter. »Dann versuchen wir's eben mit einer weniger einfachen.«

Lorran blickte ihn an. »Sie haben Erfahrung mit Enzephalogrammen«, brach es aus ihm hervor. »Glauben Sie, was Sie gesehen haben?«

Julian zuckte mit den Schultern. »Es bleibt mir nichts anderes übrig.«

Sifter räusperte sich.

»Kalep hier«, sagte er ruhig, »ist ein ausgezeichneter Positroniker, und ich kann ein Flugzeug auseinandernehmen und wieder so zusammenbauen, dass man es als Unterseeboot verwenden kann – aber von dem, was hier vorgeht, hat keiner von uns auch nur ein Wort verstanden. Doc, würden Sie sich die Mühe machen, uns …«

Julian winkte ab, und Sifter schwieg sofort.

»Also gut, Doc. Fangen Sie an«, sagte Julian.

Lorran fuhr sich mit dem Handrücken über den Mund.

»Das Enzephalogramm weist auf ein völlig fremdartiges Gehirn hin. Es kann unmöglich das Gehirn des Arek sein, dessen Ausstrahlungen wir da gesehen haben. Selbst die schwerstwiegende Geisteskrankheit würde das Grundmuster nicht so stark verändern. Also bleibt uns nur übrig anzunehmen, dass sich … dass sich …«, wie um Hilfe bittend sah er zuerst Sifter, dann Kalep an, und schließlich ging der Zorn über die eigene Hilflosigkeit mit ihm durch, »… dass sich, zum Donnerwetter«, polterte er, »ein fremder Verstand im Schädel des Arek eingenistet hat.«

Sifter und Kalep warfen Julian einen fragenden Blick zu.

Julian nickte.

»Wie das geschehen ist«, fuhr Lorran fort, »können wir nicht sagen. Alles, was sich erkennen lässt, ist erstens, dass der fremde Verstand intelligent sein muss – gewisse Einzelheiten des Musters weisen untrüglich darauf hin –, und zweitens, dass es sich um eine Intelligenz völlig fremdartigen Aufbaus und unbekannter Denkweise handelt. Mit anderen Worten: Wenn mir aus dem fernsten Sternennebel des Universums, Milliarden Lichtjahre entfernt, von einem winzig kleinen Planeten mit einer Schwefelwasserstoffatmosphäre und einer Schwerkraft von hundert Gravos ein molchartiger Ureinwohner hier begegnete – *dann* würde ich vielleicht erwarten, ein solches Enzephalogramm zu finden.«

Er hatte mit wachsender Erregung gesprochen. Als er schloss, stand ihm der Schweiß auf der Stirn, und seine Augen leuchteten in fiebrigem Glanz.

Sifter und Kalep sahen Lorran eine Zeit lang an. Julian spürte fast körperlich, wie sie sich Mühe gaben, das Gehörte zu verarbeiten, und dann – beide zur gleichen Zeit – auf dieselbe Idee kamen. Sie drehten sich um. Ihre Blicke richteten sich auf Julian.

Julian kannte ihre Frage im Voraus.

»Nein, ich weiß nichts«, stellte er fest. »Ich habe ein Durcheinander von Informationen, die ohne Zusammenhang zu sein scheinen und nur von einer äußerst lebhaften Fantasie auf einen Nenner gebracht werden könnten.«

Er zündete sich eine Zigarette an und fuhr fort: »Nehmen wir zum Beispiel den merkwürdigen Nebel. Sein Auftauchen und die Erkrankung des Arek fallen zeitlich zusammen. Handelt es sich dabei um einen Zufall, oder gibt es einen kausalen Zusammenhang? Nehmen wir an, es *gibt* einen Zusammenhang. Welchen Schluss können wir dann weiterhin ziehen? Dass eine fremde Intelligenz es auf Filchner abgesehen hat. Das Unbekannte, dessen Enzephalogramm wir gesehen haben, könnte ein Scout sein oder so etwas Ähnliches. Die Hauptmacht der Fremden kommt in Form des Nebels auf uns zu.«

Er wischte mit der Hand durch die Luft.

»Man könnte eine Menge Bedenken haben. Zum Beispiel, dass Pete Baerman wirklich nicht auf den Bruchteil einer Winkelsekunde genau sagen kann, ob der Nebel sich auf Filchner oder Tara zubewegt. Darüber brauchen wir uns jedoch nicht den Kopf zu zerbrechen. Bevor ich hierherkam, stellte die Flotte eingehende Untersuchungen an. Der Nebel hat geraden Kurs auf Filchner. Bei gleichbleibender Geschwindigkeit wird er in fast genau zehn Tagen auf diesen Planeten treffen und ihn einhüllen.«

Er machte eine kurze Pause, und die Frage, die er erwartet hatte, kam prompt. Kalep stellte sie.

»Verzeihen Sie, Sir, aber es scheint mir unglaublich, dass sich bei einem so großen Gebilde, wie es ein Nebel sein muss, ein Ziel so genau angeben lässt. Das Ding, das wir im Teleskopbild gesehen haben, muss wenigstens so groß sein wie das ganze Tara-System, sonst könnte es nicht einen so breiten, verwaschenen Fleck ergeben. Wenn das aber stimmt, wenn der Nebel wirklich zwanzig oder dreißig Astronomische Einheiten durchmisst, wie kann man dann mit Gewissheit sagen, dass Filchner, und nicht Tara, sein Ziel ist?«

Julian hatte ihn ruhig ausreden lassen.

»Sie haben völlig recht, Joe«, antwortete er. »Aber Ihnen fehlt eine wichtige Information. Der Nebel ist nicht so groß, wie Sie annehmen. Der eigentliche Nebel hat die Form einer stark abgeplatteten Kugel mit einem Äquatordurchmesser von nur einhunderttausend Kilometern. Der Poldurchmesser beträgt knapp sechzigtausend. Was wir auf dem Teleskopbild sehen, ist nur das Streulicht des Nebels, das von einem den Nebelkern umhüllenden Feld erzeugt wird. Der Nebelkern besitzt eine unglaubliche Leuchtkraft. Wenn das Hüllfeld nicht wäre, erschiene er uns als der bei weitem hellste Stern des Nachthimmels. Das Feld jedoch entbündelt die Helligkeit und verstreut sie über eine weitere Fläche, sodass wir den verwaschenen Fleck zu sehen bekommen, den Pete uns vorhin zeigte.«

»Dann ist es wohl gar kein Nebel?«, fragte Sifter.

Julian lächelte.

»Wir sind nicht näher als bis auf ein halbes Lichtjahr herangekommen«, gab er zu. »Aber selbst unsere empfindlichsten Instrumente konnten innerhalb des Hüllfelds keine feste Materie entdecken. Ich glaube, wir sollten also das Ding nach wie vor als Nebel bezeichnen. Übrigens sind wir ein wenig vom Thema abgekommen. Eine andere Frage drängt sich auf. Nämlich: Woher kommt der Nebel?«

Er sah zuerst Sifter, dann Kalep an. Doc Lorran saß immer noch in seinem Zahnarztstuhl und hatte das Gesicht in die Hände vergraben.

»Nun, das ist einfach. Wir brauchen nur den Kurs, auf dem sich der Nebel befindet, nach rückwärts zu verlängern. Dabei nehmen wir als selbstverständlich an, dass der Nebel sich stets geradlinig bewegt, aber das ist, in Ermangelung einer besseren, eine durchaus vernünftige Annahme. Wenn wir das tun, dann stoßen wir in knapp achtzig Lichtjahren Entfernung auf die Randgebiete der Humdinger-Ballung.«

»Uuuhh!«, machte Sifter aus tiefstem Herzen.

Lorran sah überrascht auf.

»Und das«, schloss Julian seine Lektion, »macht uns klar, dass wir auf einiges gefasst sein müssen.«

»Das walte Lookum!«, stimmte Kalep bei.

Julian wollte sich erkundigen, wer Lookum sei.

Doch bevor er dazu kam, fragte Doc Lorran: »Entschuldigen Sie meine Unwissenheit – aber *warum* schlägt jeder drei Kreuze, sobald er den Namen Humdinger-Ballung auch nur hört?«

Sifter warf ihm einen verächtlichen Blick zu, als hielte er es für unverzeihlich, dass jemand über die Humdinger-Ballung nicht ausreichend Bescheid wüsste.

»Es handelt sich«, erklärte Julian, »um eine starke Konzentration interstellarer Materie, Wasserstoff und Helium in der Hauptsache. Warum sie sich gerade dort angesammelt hat, wissen wir nicht. Es ist jedoch billig zu vermuten, dass es im Innern der Ballung, die uns auf den Teleskopbildern als breitflächiger Nebel erscheint, ein energiereiches Schwerkraftzentrum gibt, das ungeheure Mengen kosmischer Gase an sich binden kann. Außerdem jedoch muss es im Innern der Ballung noch einiges andere geben. Raumschiffe, die in den Gasnebel vorzudringen versuchten, gerieten in Plasmastürme, die sämtliche Ortungsinstrumente lahmlegten. Es gibt dort außerdem ein starkes Magnetfeld, oder vielmehr ein Dutzend von Magnetfeldern, die unregelmäßig fluktuieren, und zwar mit so gewaltiger Amplitude, dass den Forschungsschiffen praktisch die Nieten aus den Hüllen gesogen wurden. Ganz abgesehen davon, dass in den Hüllen Wirbelströme entstanden, die das Schiff aufheizten. Mit wenigen Worten: Ein Vordringen ins Innere der Ballung ist mit unseren heutigen technischen Mitteln noch nicht möglich. Die Ballung bleibt *Terra incognita,* bis wir ein Mittel gefunden haben, Plasmastürme, Magnetfeldschwankungen und ähnliche Dinge unschädlich zu machen.«

Lorran wirkte ratlos.

»Das ist alles recht klar«, sagte er, »und manches davon wusste ich auch. Aber ich begreife immer noch nicht, warum jedermann so entsetzliche Angst vor der Ballung hat.«

»Das lässt sich leicht erklären«, stellte Julian fest. »Humdinger, nach dem die Ballung benannt ist, stellte gegen Ende der vierziger Jahre in den Randgebieten des Gasnebels einige Untersuchungen an. Er ist nicht der Entdecker der Ballung – das muss wohl ein alter Astronom gewesen sein, den die Geschichte längst vergessen hat –, aber er machte eine aufregende Beobachtung. Während er Plasmastürme und Magnetfelder vermaß, fing sein Funker Bruchstücke einer Sendung auf, die geradewegs aus dem Inneren des Nebels kam und ganz eindeutig aus modulierten Signalen bestand. Es handelte sich um eine Folge von Hyperimpulsen, denen es irgendwie gelungen war, dem Gewirr von reflektierenden Einflüssen innerhalb der Ballung zu entkommen. Die Modulation bewies, dass es im Innern des Nebels intelligentes Leben gab. Als Humdinger zur Erde zurückkehrte und von seiner Entdeckung berichtete, war die Hölle los. Die Leute auf Terra fühlten sich bedroht. Sie hatten ganz einfach Angst vor dem Unbekannten, das sich in den Tiefen des Nebels verbarg.

Es ist unnötig zu sagen, dass die Regierung sich nicht ins Bockshorn jagen ließ. Angst vor einer fremden Rasse zu haben, nur weil man sie noch nicht zu Gesicht bekommen hat, gehört nicht zu den Gewohnheiten des Großadministrators.

Es blieb also alles beim alten – wenigstens nach außen hin, und die Öffentlichkeit hatte ihre Sorgen nach wenigen Monaten schon wieder vergessen. Hinter den Kulissen allerdings war man eifrig an der Arbeit. Die Köpfe der Theoretiker rauchten, und die großen Positroniken liefen auf Hochtouren. Man wollte eine Antwort auf die Frage finden: Wenn es im Innern der Humdinger-Ballung intelligentes Leben gibt – wie muss es aussehen?

Man kannte die physikalischen Gegebenheiten in den Randgebieten des Nebels und konnte mit einiger Sicherheit darauf schließen, wie es weiter im Inneren aussehen muss. Ein paar Hypothesen über die biologische Struktur der Nebelintelligenzen wurden aufgestellt und harren noch der experimentellen Bestätigung. Etwas anderes aber wurde ziemlich rasch klar: Die unbekannte Nebelrasse musste eine Technologie besitzen, die sich von der unseren wesentlich unterschied. Die Bedingungen im Innern des Nebels mussten die Entwicklung der Wissenschaften in eine völlig fremdartige Richtung gedrängt haben. Es stand nicht zu erwarten, dass die Humdinger-Intelligenzen uns technisch überlegen waren – wenn man alles in allem nahm –, aber es war durchaus möglich, dass sie auf einigen eng begrenzten Spezialgebieten uns gegenüber einen riesigen Vorsprung hatten. Denken Sie zum Beispiel daran, wie schwierig es sein muss, im Innern eines von Plasma- und Magnetstürmen zerrissenen Gebiets eine drahtlose Nachrichtenverbindung aufrechtzuerhalten. Die Humdinger hatten es geschafft, das bewies die Sendung, die am Rand des Nebels aufgefangen worden war. Es ist daher nicht unwahrscheinlich, dass die Nebelleute uns auf dem Gebiet der Hyperschwingungstechnik haushoch überlegen sind. Ähnliches mag auf andere Gebiete zutreffen. Wir wissen es nicht.

Die Regierung des Imperiums behielt jedenfalls die Ballung

scharf im Auge, nachdem ihr die Resultate der theoretischen Untersuchung vorgelegt worden waren. Jahrelang rührte sich nichts, aber plötzlich erschien weit vor dem Rand der Ballung jener winzige Nebel, den wir vorhin gesehen haben. Er war plötzlich da, als sei er aus dem Nichts entstanden. Als die Astronomen ihn zum ersten Mal sahen, war er schon acht Lichtjahre vom Rand der Ballung entfernt. Dass er von dort gekommen sein musste, darauf wies sein Kurs unzweideutig hin. Er bewegte sich geradlinig von dem Gasnebel fort und zeigte von Anfang an dieselben Eigentümlichkeiten, die auch wir heute Abend beobachteten. Er war ständig sichtbar und bewegte sich trotzdem mit einer Geschwindigkeit, die weit über der des Lichtes lag. Für dieses Verhalten glauben wir mittlerweile eine Erklärung zu besitzen ..., aber das tut im Augenblick nichts zur Sache. Wichtig ist nur, dass jemand schließlich auf die Idee kam, die Flugrichtung des nebelartigen Gebildes nach vorwärts zu verlängern, und dabei stieß er auf das Tara-System. Mehr noch. Wenn man annahm, dass der Fremdkörper sich weiterhin mit gleichbleibender Geschwindigkeit bewegen würde, dann konnte man auf Tag und Stunde genau den Augenblick errechnen, an dem er mit Filchner, der sich zu jenem Zeitpunkt an der entsprechenden Stelle seiner Umlaufbahn befand, zusammenstoßen würde.

Man ließ noch ein paar Monate verstreichen. Weder Geschwindigkeit noch Kurs des Nebels änderten sich. Zielsicher strebte er auf Tara und Filchner zu. Man flog den Nebel vorsichtig an und versuchte zu erfahren, woraus er bestand. Aber das gleiche Feld, das die vom Nebelkern ausgehende Helligkeit ringsum verstreut, verbietet auch den Einblick ins Innere – und damit meine ich *jeden* Einblick. Selbst unsere modernsten Ortergeräte versagten kläglich.

Dann schickte man mich nach Filchner. Ich bin hier, um Ihnen klarzumachen, dass das Imperium die Augen offen hat. Sollte der Nebel feindliche Absichten gegen Filchner hegen, wird innerhalb kürzester Frist eine zweitausend Einheiten starke Flotte hier auftauchen und den Gegner bekämpfen. Das soll allerdings nicht übereilt geschehen. Man will den Fremden studieren. Man will möglichst viel über seine Technik, seine Denk- und Handlungsweise und seine Absichten erfahren. Dazu bietet sich hier die erste Möglichkeit, nachdem der Unbekannte sich aus dem Schutz seiner Nebelballung hervorgewagt hat.

Aber was auch immer geschieht – seien Sie nicht beunruhigt. Das Imperium wacht.«

Er fühlte, dass sein Mund trocken war. Er nahm sein Becherglas vom Boden auf und hielt es Lorran hin. Lorran war so in Gedanken versunken, dass er eine Zeit lang brauchte, um zu begreifen. Dann sprang er auf und goss den Becher voll. Julian nahm einen tiefen Zug.

Sifter hatte seinen dürren Pferdeschädel ein wenig auf die Seite gelegt und ein Auge zugekniffen. Plötzlich fragte er: »Sir – bei all den Erwägungen, die das Imperium anstellte, spielte die Entdeckung, die wir heute Abend machten, noch keine Rolle, oder doch?«

Er streckte den Arm aus und wies auf den schlafenden Arek.

»Das ist richtig«, antwortete Julian. »Wenn es sich wirklich um das handelt, was wir vermuten – nämlich um einen Vorposten des Fremden, der sich in den Geist des Arek eingeschlichen hat – dann haben wir es hier mit einem Vorgang zu tun, von dem die Planleitung der Flotte noch keine Ahnung hat. Es ist ein völlig neuer Aspekt.«

Sifter nickte befriedigt. »Wird dieser Aspekt die getroffenen Vorbereitungen beeinflussen, Sir?«

»Ich werde noch heute Nacht einen entsprechenden Bericht abgeben«, wich Julian aus, weil er wirklich nicht wusste, welche Tragweite die Entdeckung hatte. »Wenn sich dadurch Änderungen in unserer Taktik ergeben, wird man mich das wissen lassen.«

Sifter war damit zufrieden.

Aber inzwischen war Lorran etwas eingefallen. »Hatten Sie einen besonderen Grund, Sir, sich mit dem Abnehmen der Elektroden so zu beeilen? Sie erinnern sich – als ich Sie unverzeihlicherweise …«

Julian lachte und winkte ab. »Ja, verstehe schon. Natürlich hatte ich einen Grund. Nehmen wir an, es sitzt wirklich etwas Fremdes im Schädel des Arek – könnte es dann die Tätigkeit der Elektrodensonden wahrnehmen? Die Möglichkeit erscheint durchaus gegeben. Je länger die Elektroden in Betrieb sind, desto größer die Gefahr, dass der Fremde unsere Absicht erkennt und misstrauisch wird. Das wollen wir nicht. Wir möchten ihn unvoreingenommen beobachten können. Deswegen nahm ich die Sonden ab, sobald ich konnte.«

»Aha«, machte Doc Lorran.

Julian leerte sein Glas. »Wenn niemand etwas dagegen hat …«, begann er.

Kalep unterbrach ihn. »Verzeihung, Sir, aber ich hätte gerne noch etwas gewusst.«

Julian sah ihn auffordernd an.

»Warum«, fragte Kalep, »hat der Fremde sich ausgerechnet Filchner ausgesucht?«

Da war sie – die Frage, die Julian die ganze Zeit über erwartet hatte. Ein paar Augenblicke lang hatte er gehofft, sie würde heute Abend nicht mehr gestellt werden und er bekäme ein paar Stunden Zeit, um selbst darüber nachzudenken. Denn seitdem er das rote Enzephalogramm gesehen hatte, betrachtete er die Dinge aus einer anderen Perspektive. Bisher war er mit den Offizieren der Flottenleitung der Meinung gewesen, dass die Humdinger-Wesen weiter nichts als neugierig waren und sich Filchner ganz einfach deswegen ausgesucht hatten, weil er am nächsten lag. Die allgemeine Ansicht war, dass sie sich nur umschauen wollten und wieder abziehen würden, sobald sie ihre Neugierde befriedigt hatten.

Dann war plötzlich der besessene Arek ins Spiel gekommen. Wie unverständlich die Logik der Fremden auch immer sein mochte – niemand bemächtigte sich des Bewusstseins eines anderen, solange er rein friedliche Zwecke verfolgte.

Julian erinnerte sich der Idee, die ihm gekommen war, als er am Nachmittag zum Fenster hinausstarrte und sich Rivertown ansah. Er blickte Kalep an und fragte: »Was wollen Sie hören – offizielle Vermutungen oder meine private Meinung?«

»Ihre private Meinung, Sir.«

»Gut. Der Fremde hat sich Filchner ausgesucht, weil er hier ein Höchstmaß an Erzeugnissen einer hoch entwickelten Technik erbeuten kann und dabei nur mit einem Mindestmaß an Widerstand zu rechnen braucht – denn schließlich gibt es auf ganz Filchner nur ein paar Leute, die in der Lage sind, Gegenwehr zu leisten.«

4.

Julian nahm sich Zeit für den Nachhauseweg. Die Nacht war immer noch so warm wie zuvor. Die Sterne strahlten mit verschwenderischer Pracht, und von unten, vom Fluss her, kamen die Geräusche von Hunderten fremder Tiere.

Er hatte Doc Lorran, Sifter und Kalep in heftiger Diskussion zurückgelassen. Jeder von ihnen hatte seine eigene Theorie darüber, was die Humdinger-Wesen wollten und wie sie aussahen. Julian hatte nicht viel Sinn darin gesehen, sich an der Unterhaltung zu beteiligen. Er hatte sich mit Sifter für vier Uhr morgens verabredet und war dann gegangen.

Als er am Rand der Straße entlangschritt, kehrte die Sorge zurück, die er in den Augenblicken der Aufregung eine Zeit lang vergessen hatte. Was er Lorran und Sifter und Kalep gesagt hatte, war nicht die volle Wahrheit. Die Leute auf Filchner hatten allen Grund, sich um ihre Sicherheit Sorgen zu machen, denn die Strategie der Flotte beruhte auf einer Philosophie, die das Wohl des Ganzen im Auge hatte und das des einzelnen – oder fünf einzelner – dabei vielleicht aus dem Blickfeld verlor.

Die Neugierde des Imperiums galt den Fremden, die es endlich gewagt hatten, aus ihrem Versteck hervorzukommen. Um sie zu studieren, um ihre Methoden kennenzulernen, würde die Flotte ein nicht geringes Risiko auf sich nehmen. Zum Beispiel das Risiko, im Fall eines allumfassenden gegnerischen Angriffs auf Filchner zu spät einzugreifen. Es ging darum, die Taktik der Nebelwesen zu begreifen, sodass daraus Rückschlüsse auf ihre Mentalität und auf den Stand ihrer Technik gezogen werden konnten. Das Imperium hatte sich niemals zuvor in einer Lage wie dieser befunden. Wo immer ein Gegner auftauchte, gab es Möglichkeiten, ihn zu fassen und entweder zum Frieden zu zwingen oder zu vernichten. Hier dagegen war es anders. Die Unbekannten hatten ein Versteck, in das ihnen niemand folgen konnte. Sobald sie Gefahr witterten, brauchten sie nur umzukehren und in die Humdinger-Ballung zu fliehen. Dort waren sie sicher.

Gerade weil die Leitung der Flotte das wusste, legte sie Wert darauf, die Fremden solange wie möglich ungestört beobachten zu können. Ungestört – das bedeutete, ohne dass sie wussten, dass sie beobachtet wurden. Ohne dass sich auch nur ein einziges terranisches Raumschiff im Umkreis von mehreren Lichtjahren sehen ließ. Die Mikrosonden würden die ganze Arbeit erledigen, winzige, äußerst schwer ortbare Gebilde, die trotzdem Leistung und Energie eines starken Hypersenders in sich vereinigten. Sie würden sich dicht über der Oberfläche von Filchner herumtreiben, wenn der kritische Augenblick kam, und sich nichts von dem entgehen lassen, was auf Filchner geschah.

Julian Tifflor, ein Veteran im Generalstab der Flotte, hatte gegen diese Einstellung, die das Leben von fünf Siedlern – ganz zu schweigen von dem von Millionen Eingeborenen – leichten Herzens als nichtig abtat, heftig protestiert. Er war bis zu Perry Rhodan, dem Großadministrator, selbst vorgedrungen und hatte darauf gedrängt, dass die vorgesehene Taktik geändert werde.

Sein alter Freund Perry Rhodan hatte ihm klargemacht, wie engstirnig er dachte. Niemand konnte mit Sicherheit sagen, dass den Areks Gefahr drohte. Selbst wenn man als gegeben annahm, dass die Humdinger-Wesen sich in unfreundlicher Absicht Filchner näherten, bestand immer noch die Möglichkeit, dass den Ureinwohnern kein schlimmeres Schicksal zuteil werden würde als anderen Rassen in ähnlichen Fällen, in denen die Oberherrschaft von einem Fremden an den nächsten überging. Wirklich gefährdet waren alleine die fünf Siedler selbst, denn im Bewusstsein ihrer technischen Stärke würden sie sich zur Wehr setzen, und den Fremden bliebe schließlich nichts anderes übrig, als sie aus dem Weg zu schaffen.

Das Leben von fünf Menschen aber, argumentierte Perry Rhodan, wog gering gegenüber dem strategischen Vorteil, den das Imperium aus der ungestörten Beobachtung der Nebelwesen gewann. Falls die Fremden, wie man annahm, eine hoch entwickelte und auf manchen Gebieten weit überlegene Technik besaßen, dann stellten sie eine potenzielle Gefahr für das Solare Imperium mit seinen Hunderten von besiedelten Welten dar. Die Filchner-Affäre mochte dazu beitragen, dass die Menschheit im entscheidenden Augenblick wusste, wie sie sich zu verteidigen hatte.

Julian Tifflor hatte den Großadministrator jedoch nicht verlassen, ohne nicht wenigstens ein kleines Zugeständnis erwirkt zu haben. Er erhielt die Erlaubnis, zusammen mit einem Begleiter, den er sich selbst auswählen konnte, nach Filchner zu fliegen und die letzten Tage bis zum Eintreffen des merkwürdigen Nebelgebildes dort zu verbringen. Er hatte sich irgendeine Geschichte zurechtzulegen, die den Filchnerianern plausibel erschien und verhinderte, dass sie auf die Idee kamen, es sei etwas Ungewöhnliches im Gang. Gleichzeitig war er berechtigt, die Siedler an Bord seines Raumschiffes von Filchner zu nehmen, sobald die Lage kritisch wurde – das heißt, wenn ihnen Lebensgefahr drohte.

Julian hatte sich aus eigenem Antrieb entschlossen, den Befehl zur Geheimhaltung seiner Mission außer Acht zu lassen. Er hatte sich, nachdem er den Siedlern begegnet war, eine eigene Meinung über die bevorstehenden Ereignisse gebildet. Erstens hielt er es für möglich, während der verbleibenden Tage vielerlei Dinge tun zu können, die den Planeten in einen verteidigungsbereiteren Zustand versetzten als den, in dem er sich augenblicklich befand. Dazu brauchte er die Mithilfe der Siedler. Er konnte sie nur gewinnen, wenn er ihnen reinen Wein einschenkte.

Und zweitens hatte er die Absicht, die Kolonisten an Bord seines Schiffes zu verfrachten, noch bevor der erste Fremde Hand an sie legen konnte. Die Gefahr, dass sie gefangen genommen und einem Psychoverhör unterzogen wurden, aus dem hervorging, dass das Imperium über die Vorgänge auf Filchner gewarnt war, glaubte er damit ausschalten zu können.

Das waren seine Gründe gewesen, und so, wie er die Dinge im Augenblick sah, hatte er richtig gehandelt. Er nahm an, dass es unter den Eingeborenen in den nächsten Tagen immer mehr Fälle von Besessenheit geben würde, denn die Humdinger hatten sich bestimmt nicht darauf beschränkt, einen einzigen Scout auszusenden. Ereigneten sich diese Fälle in der Nachbarschaft von Rivertown, war es möglich, dass die Siedler in Panik gerieten. Das musste verhindert werden, und am besten ließ es sich dadurch verhindern, dass man ihnen klarmachte, was hier vorging.

Julian hielt sein Verhalten immer noch für das vernünftigste, und er würde Wege finden, sich auf Terra für die Befehlsverweigerung zu verantworten. Er war sicher, dass der Großadministrator Verständnis hatte. Von Zeit zu Zeit entwickelte sich eine Lage, die sich mit der üblichen Verknüpfung von Befehl und Gehorsam nicht meistern ließ. Das war ein statistisches Gesetz.

Nachdem er dieserart mit sich selbst ins Reine gekommen war, stellte Julian plötzlich fest, dass er das Haus, in dem er mit Meech Hannigan wohnte, schon weit hinter sich gelassen hatte. Ein paar Schritte vor ihm lag das westliche Ende der Straße. Unschlüssig drehte er sich um, da bemerkte er am südlichen Horizont einen gelblichen Lichtschimmer. Er sah aus, als rührte er von einem großen Feuer her. Julian wurde neugierig und blieb stehen. Nach wenigen Minuten schob sich die Scheibe von Filchners größerem Mond, Lord-1, über die Kimm und erhob sich langsam in den Himmel. Die Helligkeit, die der Mond verbreitete, war so bedeutend, dass die Umgebung sich erhellte wie etwa am Morgen eines wolkenverhangenen Tags. Julian entschied, dass er noch keineswegs müde sei, verließ die Straße und schritt in südlicher Richtung zum Fluss hin.

Zweihundert Meter jenseits der Straße begann das Gelände sich zu senken. Der Boden war grasig. Es gab weder Büsche noch Bäume. Julian erinnerte sich, gehört zu haben, dass die Siedler, als sie sich auf Filchner niederließen, den Fluss als sichere Barriere gegen etwaige Feindseligkeiten der Areks betrachteten und allen höheren Pflanzenwuchs niedergebrannt hatten, um freien Überblick zu haben – für den Fall, dass die Eingeborenen trotzdem versuchen sollten, übers Wasser zu kommen.

Diese Sorgen gab es längst nicht mehr. Es gab kaum eine friedlichere Rasse als die Areks. Das freie Blickfeld zum Fluss hinunter wurde nicht mehr benötigt, aber die Bäume und Büsche waren nun einmal vernichtet.

Im Licht von Lord-1 tauchte der Fluss auf. Julian blieb überrascht stehen. Von seiner Schulung her wusste er, dass es sich bei dem Strom, der an Rivertown vorbeiführte, um einen bedeutenden Wasserlauf handelte, aber er hatte nicht gewusst, wie groß er in Wirklichkeit war. Jetzt sah er unter dem Licht des Mondes eine scheinbar endlos weite Wasserfläche, von vereinzelten Inseln unterbrochen. Das gegenüberliegende Ufer war kaum mehr auszumachen.

Er schritt bis zum Rand des Flusses hinunter und hockte sich in das feuchte Gras. Nachdenklich starrte er auf die ruhig dahingleitende Wasserfläche hinaus und dachte über die Dinge nach, die sich im Laufe der nächsten Tage ereignen mussten. Er nahm einen Stein zur Hand, holte weit aus und warf ihn flach über das träge Wasser, sodass er mehrere Male wieder in die Höhe hüpfte und erst weit draußen mit einem schwachen platschenden Geräusch in der Flut versank.

Er beobachtete den Mond, ohne ihn wirklich zu sehen, und dachte an die Fremden, die sich in Form eines winzigen Nebels Filchner näherten. Was wollten sie? Wie sahen sie aus – und was dachten sie? Waren sie wirklich Feinde? Oder war er selbst zu sehr der menschlichen Logik verhaftet, als dass er hätte erkennen können, dass es noch andere Beweggründe gab, die sie zu diesem Unternehmen veranlasst haben mochten?

Später wusste er nicht mehr, wie lange er so gesessen hatte. Eine eigenartige Faszination ging von dem Fluss aus. Er musste sich zwingen, daran zu denken, dass er nicht hierhergekommen war, um sich romantischen Stimmungen hinzugeben. Er stand auf, ging das sanft ansteigende Ufer hinauf und hielt sich dabei nach rechts, sodass er die Straße gerade an der Stelle erreichte, an der das Haus stand, das Doc Lorran ihnen angewiesen hatte.

Aus dem großen Wohnzimmerfenster fiel Licht. Meech war schon zu Hause. Er stand mitten im Zimmer und sah Julian undurchdringlich an.

»Na, wie war's?«, erkundigte sich Julian.

»Aufschlussreich, Sir«, war die Antwort.

»Oho. Inwiefern?«

»Doreen ist eine unzufriedene Frau, Sir.«

»Das wussten wir, bevor du losgingst, nicht wahr? Was sie am Videofon sagte, war ziemlich eindeutig.«

»Das schon, Sir. Aber es war schwer vorauszusehen, dass sie so hartnäckig sei.«

Julian grinste spöttisch. »Mit anderen Worten – du hast Mühe gehabt, sie dir vom Leib zu halten?«

Meech schüttelte den Kopf.

»Ich würde es nicht Mühe nennen. Schließlich steht mir ein fähiger Verstand zur Verfügung, der um vieles schneller und präziser arbeitet als Doreens Gehirn. Ich kann triftige Ausreden in derselben Zeitspanne erfinden, in der Doreen einmal mit den Augen zwinkert. Aber ich wollte sie nicht beleidigen, und infolgedessen hatte alles, was ich tat, nur aufschiebende Wirkung.«

»Was du sagen willst, ist: Beim nächsten Mal wird sie's wieder versuchen?«

»Genau das, Sir.«

Julian fing plötzlich an zu lachen. Die Komik der Situation war überwältigend. Er warf sich in einen Sessel und lachte, bis ihm die Tränen kamen.

»Wir müssen auf Komplikationen gefasst sein, Sir«, sagte Meech mit einem tadelnden Unterton in der Stimme.

Julian beruhigte sich.

»Ja, du hast recht. Zumindest während der kommenden sechs oder sieben Tage. Danach wird keiner mehr an Abenteuer dieser

Art denken wollen. Der Nebel wird bis dahin so nahe sein, dass man ihn mit dem bloßen Auge erkennen kann.«

»Aber bis dahin …?«

Julian zuckte mit den Schultern. »Bis dahin müssen wir uns anständig benehmen, Meech, dass niemand uns etwas vorwerfen kann.«

Er stand auf und gähnte.

»Ich lege mich hin, Meech. Ich brauche ein paar Stunden Ruhe. Was ist mit dir? Bleibst du auf?«

»Im Augenblick fällt mir nichts Besseres ein, Sir«, antwortete Meech und lächelte dazu.

Julian fand lange keinen Schlaf. So herzlich er auch über Meechs Abenteuer gelacht hatte, so deutlich war er sich darüber im Klaren, dass Doreen Baermans Sehnsüchte für die Sicherheit der kleinen Kolonie eine nicht zu unterschätzende Gefahr bedeuteten. Die Siedler hatten, selbst wenn sie einig waren, nur eine geringe Chance, dem herannahenden Gegner wirksamen Widerstand entgegenzusetzen. Tanzte einer von ihnen aus der Reihe, war die Sache vollends verloren.

Als es Julian schließlich gelungen war, Ruhe zu finden, schlief er lange und tief und erwachte ausgeruht und voller Tatkraft. Er musste nach seiner Schätzung wenigstens acht Stunden lang geschlafen haben, aber draußen war es noch so dunkel wie zuvor. Die Tür zu seinem Zimmer war geöffnet, und gegen das matt erleuchtete Viereck zeichnete sich Meech Hannigans Gestalt ab.

»Sie haben Besuch, Sir«, erklärte Meech.

Julian schwang sich aus dem Bett. Innerhalb weniger Sekunden war er völlig angekleidet. Draußen im Wohnzimmer stand Kalep und starrte vor sich hin auf den Boden.

»Guten Morgen, Joe«, begrüßte ihn Julian freundlich. »Hat das alte Scheusal Ihnen keinen Sitzplatz angeboten?«

Kalep grinste schief. »Doch, schon, Sir. Aber ich hab's eilig. Wollte Ihnen nur ausrichten, dass Ihre Wache jetzt dran ist. Sie wollten doch nicht ausgeschlossen werden, oder …?«

Julian erinnerte sich, dass er versprochen hatte, seinen Teil zur Überwachung des herannahenden Nebels beizutragen.

»Wie spät ist es jetzt?«, erkundigte er sich.

»Halb drei«, antwortete Meech von der Tür her.

»Ich bin um vier Uhr mit Sifter verabredet«, sagte Julian. »Aber bis dahin will ich gerne …«

»Klar«, machte Kalep. »Ich werde Pete Bescheid sagen, dass er um vier übernimmt.«

»Danke«, sagte Julian.

Kalep schickte sich zum Gehen an, aber bevor er die Tür erreichte, drehte er sich noch einmal um. »Sie haben doch hoffentlich nichts dagegen, dass ich nachher mitkomme?«, erkundigte er sich.

»Mit Sifter und mir? Nein, im Gegenteil. Wir brauchen jeden erfahrenen Mann.«

Man sah Kalep an, dass er sich geschmeichelt fühlte. Er öffnete die Tür und trat in die Nacht hinaus. Julian ließ sich von Meech einen Kaffee zubereiten, während er sich wusch. Zehn Minuten nachdem Kalep gegangen war, befand er sich auf dem Weg zum Observatorium.

Meech Hannigan hatte unterdessen das Teleskop so eingestellt, dass es automatisch der Bewegung des kleinen Nebels folgte. Als Julian in den Bildraum trat, entdeckte er den kleinen, verwaschenen Lichtfleck in der Mitte des großen Bildschirms. Julian überzeugte sich, dass sich an dem Nebel selbst nichts geändert hatte. Dann ging er zum Messlabor hinüber, machte sich mit den Geräten vertraut und führte noch einmal die gleichen Messungen durch, mit denen Pete am Abend zuvor die rätselhaften Eigenschaften des Nebels enthüllt hatte.

Die Resultate waren immer noch dieselben. Zwei Messungen, im Abstand von fünfzehn Minuten ausgeführt, zeigten, dass der Nebel sich nach wie vor mit einer Geschwindigkeit bewegte, die das Siebzigfache der Lichtgeschwindigkeit betrug. Die Hyperwellentastung dagegen maß weiterhin achttausend Kilometer pro Sekunde.

Julian kehrte in den Bildraum zurück und machte es sich in einem Sessel bequem. Er zündete sich eine Zigarette an und starrte auf den Nebelfleck. Er zwang sich zu logischem Denken. Der Nebel näherte sich Filchner mit einer Geschwindigkeit von rund einundzwanzig Millionen Kilometern pro Sekunde. Die Theorie vom vierdimensionalen Kontinuum dagegen lehrte, dass es keine größere Geschwindigkeit als die der elektromagnetischen Wellen gab. Anders war die Sachlage natürlich, wenn in Betracht gezogen wurde, dass das vierdimensionale Kontinuum in einen fünfdimensionalen Überraum eingebettet war. Wer die nötigen Mittel und Energien besaß, konnte das vierdimensionale Raum-Zeit-Gefüge verlassen und in den umhüllenden Überraum vordringen. Auf ähnliche Weise konnte er an einem anderen Punkt wieder in das vierdimensionale Kontinuum zurückkehren, das man nach dem Pionier der Kontinuumstheorie den »Einstein-Raum« nannte. Infolge der besonderen Eigenschaften des Überraums war es durchaus möglich, dass der Experimentator, nachdem er den Einstein-Raum durch den Austrittspunkt verlassen hatte, durch den Wiedereintrittspunkt viel schneller wieder zurückkehrte, als es etwa einer sich durch den Einstein-Raum bewegenden elektromagnetischen Welle möglich gewesen wäre, die Entfernung zwischen Austritts- und Eintrittspunkt zu überwinden.

Mit anderen Worten: Der fünfdimensionale Überraum öffnete einen Weg »hintenherum«, der es dem Weltraumreisenden ermöglichte, rascher von einem Ort zum anderen zu kommen, als die vierdimensionale Theorie es erlaubte. Das war die Basis des modernen Hyperflugs, mochte er nun in Form von Transitionssprüngen oder als Linearflug vor sich gehen.

Ein Gesetz blieb dabei erhalten. Ein Objekt, das in den Überraum vordrang, hörte im selben Augenblick auf, im Einstein-Raum zu existieren. Kein Instrument, dessen Auswirkung allein das vierdimensionale Kontinuum als Transportmedium benutzte, konnte es mehr wahrnehmen. Es war unsichtbar für jede Art von konventioneller Strahlung, ob es sich um Licht- oder Mikrowellen, um Gammastrahlung oder Ultrarotlotung handelte.

Das Verhalten des fremden Nebels stand offenbar in flagrantem Widerspruch zu diesem Gesetz. Er bewegte sich mit einer Geschwindigkeit, wie sie sich nur im Überraum erreichen ließ, und blieb trotzdem die ganze Zeit über im Einstein-Raum sichtbar.

Nachdem Julian sich die Dinge derart zurechtgelegt hatte, bereitete es ihm keine Schwierigkeit mehr, eine Erklärung zu finden.

Der Nebel bewegte sich zwischen dem Überraum und dem Einstein-Kontinuum hin und her. In rascher Folge tauchte er im fünfdimensionalen Übergefüge unter und auf. Im Überraum bewegte er sich mit einem Vielfachen der Lichtgeschwindigkeit, sobald er jedoch in den Einstein-Raum zurückkehrte, flog er nicht mehr als achttausend Kilometer pro Sekunde.

Julian erinnerte sich an die Stunde unten am Fluss und an den flachen Stein, den er übers Wasser geworfen hatte. Genauso wie der Stein verhielt sich der Nebel. Er hüpfte hin und her. Der Einstein-Raum war dem Wasser vergleichbar, die Luft stellte den Überraum dar. Jedes Mal, wenn der Stein das Wasser wieder berührte, hatte er seit der vorhergehenden Berührung eine viel größere Strecke zurückgelegt, als es ihm möglich gewesen wäre, wenn er sich nur durch Wasser bewegt hätte. Pete Baermans Teleskop war das Auge eines Wasserwesens, das nicht wahrnehmen konnte, was jenseits der Wasseroberfläche geschah. Jedes Mal, wenn der Stein auftauchte, sah es ihn an einer Stelle, die von dem vorhergehenden Berührungsort unbegreiflich weit entfernt war.

Der Vergleich hinkte, dessen war Julian sich bewusst. Das Bild des Nebels, das er vor sich hatte, lieferte nicht den geringsten Hinweis darauf, dass das fremdartige Gebilde sich rhythmisch aus diesem Universum entfernte und wieder zurückkehrte. Es war ununterbrochen sichtbar. Das ließ sich jedoch leicht erklären. Das menschliche Auge ist unfähig, die Helligkeitsschwankungen einer altmodischen Glühbirne wahrzunehmen, die im

Rhythmus des kommerziellen Wechselstroms fünfzigmal pro Sekunde erfolgen. Wenn der Nebel also pro Sekunde nur fünfzigmal im Überraum verschwand und wieder daraus hervorkam, dann erschien er dem unkritischen Auge dennoch wie ein stetiger Lichtfleck.

In Wirklichkeit war die Eintauchfrequenz wahrscheinlich weitaus größer. Julian schätzte, dass zwischen Ein- und Auftauchen des Nebels nicht mehr als wenige Millionstelsekunden verstrichen. Mittlerweile war ihm klar geworden, welchem Zweck die eigentümliche Fortbewegungsart der Fremden diente. Sie waren offenbar darauf angewiesen, Energie zu sparen. Der Übertritt vom Einstein-Kontinuum in den Überraum kostete Energie. Der Energiebetrag, der für den Übertritt aufgewendet werden musste, war umso größer, je tiefer das Objekt in das fünfdimensionale Kontinuum vordrang. Die Tiefe des Eindringens bestimmte gleichzeitig die räumliche Entfernung zwischen Eintauch- und Austrittspunkt. Ein Raumschiff, das sich von A nach B bewegte, indem es in rascher Folge zwischen Überraum und Einstein-Raum hin- und hersprang, verbrauchte weniger Energie als eines, das die gesamte Strecke von A nach B im Überraum zurücklegte. Je rascher die Eintauchfrequenz, um so geringer war der Energieverbrauch.

Das war eine Erkenntnis, die irdische Wissenschaftler schon vor geraumer Zeit gewonnen hatten. Dass terranische Raumschiffe sich trotzdem des Überraums als des einzigen Transportmediums bedienten, anstatt zwischen Über- und Einstein-Raum hin- und herzuspringen, lag daran, dass es einfacher war, die notwendigen Energiemengen aufzubringen, als die Kontrollmechanismen zu erstellen, die das Hin- und Herspringen regelten.

Die Wesen aus der Humdinger-Ballung hatten diese Schwierigkeit offenbar gemeistert. Sie besaßen Instrumente, die das rasche Hin- und Herwechseln zwischen den beiden Kontinua zufriedenstellend regulierten. Ohne Zweifel war dies eine Eigenart ihrer Technologie. Sie waren hervorragende Regeltechniker.

Trotzdem war Julian nicht bereit zu glauben, dass sie nicht in der Lage wären, genug Energie zu produzieren, um das Nebelgebilde auf dem geradesten Weg durch den Überraum nach Filchner zu schicken. Ein anderer Grund musste da eine Rolle spielen. Während sich der Nebel durch den Raum bewegte, ging in seinem Inneren etwas vor, das so viel Energie verbrauchte, dass die Fremden gezwungen waren, an Antriebsenergie zu sparen.

Er zerbrach sich den Kopf, was das sein könnte.

5.

Um zehn Minuten vor vier war Pete noch nicht erschienen. Julian war ziemlich sicher, dass der Nebel sich weiterhin ruhig verhalten würde, und verließ das Observatorium, um seine Verabredung mit Sifter einzuhalten.

Es war immer noch finster, aber Sifter hatte sich bereits auf dem Landefeld eingefunden, und das leerlaufende Triebwerk der Deltamaschine erfüllte die Nacht mit hellem Singen. Sifter stand gegen die linke Tragfläche gelehnt und rauchte eine Zigarre. Er sah aus wie ein Mann, der mit sich und der Welt zufrieden war. Julian empfand Sympathie für ihn. Der lange, dürre Mann war ganz nach seinem Geschmack. Er und Kalep, darüber gab es für Julian keinen Zweifel, waren die beiden Männer, auf die er sich während der kommenden kritischen Tage voll und ganz verlassen konnte.

»Guten Morgen, Sir«, sagte Sifter freundlich. »Kalep muss alle Augenblicke hier ankommen. Das Triebwerk ist vorgewärmt. Wir können sofort aufbrechen.«

Als hätte er ein Stichwort erhalten, tauchte Kalep plötzlich aus der Finsternis auf. Trotz seiner merkwürdigen linkischen Haltung hatte er eine Art, sich lautlos zu bewegen, die Julian beeindruckte.

Kalep machte ein missmutiges Gesicht und sagte anstelle einer Begrüßung: »Ärger liegt in der Luft, Leute – und ich glaube, er ist mir ziemlich dicht auf den Fersen.«

»Wer?«, fragte Julian verwundert.

»Der Ärger«, antwortete Kalep lakonisch. »Als ich an Baermans Haus vorbeikam, sah ich …, oh, da ist er schon!«

Aus der Dunkelheit waren hastige Schritte zu hören. Pete Baerman tauchte auf. Er sah aus, als wäre er gerade aus dem Bett gesprungen; die Haare hingen ihm wirr ins Gesicht, und die Kleidung saß unordentlich.

Er wandte sich geradewegs an Julian. »Sir«, stieß er hervor, »bei allem Respekt, den ich einem hohen Offizier des Imperiums schulde, muss ich darauf bestehen, dass Sie Ihren Begleiter besser im Zaum halten.«

Julian bekam große Augen.

»Was heißt das?«, erkundigte er sich verblüfft.

»Mister Hannigan fand sich gestern Nacht zur gleichen Zeit im Observatorium ein, als Doreen dort Wache hatte.«

»Ja, natürlich. Ihre Frau hat keine Ahnung, wie man das Teleskop bedient.«

»Das brauchte sie auch nicht. Ich hatte ihr lang und breit erklärt, was sie tun sollte.«

Julian nickte. »Richtig. Aber wir beobachten den Nebel deswegen, weil wir es für möglich halten, dass irgendwann einmal etwas Besonderes geschieht. Der Nebel kann seinen Kurs oder sein Aussehen ändern, er kann sich vergrößern oder verkleinern, verlangsamen oder seine Geschwindigkeit erhöhen. In diesem Fall müssen die Instrumente neu adjustiert und Messungen durchgeführt werden. Doreen wäre nicht in der Lage gewesen, das zu tun. Deswegen schickte ich Meech ins Observatorium.«

»Er hat meine Frau belästigt«, knurrte Pete.

»Das ist lächerlich«, gab Julian kalt zurück. »Wer behauptet das?«

»Ich weiß es, das genügt.«

Julian schüttelte den Kopf. »Es genügt eben nicht. Wenn Sie Vorwürfe erheben, dann bringen Sie gefälligst Beweise. Ich lasse nicht einen meiner Leute ungestraft beschimpfen.«

Pete brauste auf. »So? Und was gedenken Sie dagegen zu tun?«

Julian legte ihm die Hand auf die Schulter. Pete zuckte unter der Berührung zusammen und versuchte zurückzuweichen, aber Julian hielt ihn fest.

»Pete«, sagte er ruhig und freundlich, »Sie gehen jetzt am besten nach Hause und legen sich wieder ins Bett, bevor Sie sich noch lächerlicher machen. Ich versichere Ihnen, dass Meech Hannigan sich völlig korrekt verhalten hat. Ich kenne ihn. Sifter,

Kalep und ich haben einen ziemlich anstrengenden Tag vor uns, also folgen Sie meinem Rat und gehen Sie wieder heim. Niemand hat die Absicht, Doreen ein Leid anzutun.«

»Aber ich weiß …«, begann Pete.

»Gehen Sie nach Hause!«, donnerte Julian.

Pete duckte sich. Eine Sekunde lang starrte er Julian aus halb zusammengekniffenen Augen an, dann wandte er sich um, Julian lockerte seinen Griff, und Pete verschwand in die Dunkelheit. Das Geräusch seiner Schritte entfernte sich rasch.

Julian fing plötzlich an zu lachen. Sifter und Kalep starrten ihn verwundert an. Julian ließ seiner Heiterkeit freien Lauf. Es dauerte mehr als eine Minute, bevor er sich beruhigte.

»Ich weiß, Sie verstehen das nicht«, sagte er zu den beiden Männern, »aber Petes Vorwürfe sind wirklich vollkommen lächerlich.«

»Und wieso das?«, trompetete Kalep.

»Sergeant Meech Hannigan«, erklärte Julian, »ist ein Roboter.«

Zehn Minuten später waren sie unterwegs. Beeindruckt sah Julian auf das Bild des Relieftasters. Klar und deutlich, als herrschte draußen helles Tageslicht, zeigte es die Landschaft, über die sich die Maschine in mäßiger Höhe und mit geringer Geschwindigkeit bewegte. Die Ebene südlich von Rivertown war zumeist Buschland, aber hier und dort formten sich kleine Waldinseln, und eine Fülle von Bächen und Flüssen schlängelte sich nach Norden, dem großen Strom entgegen, der an der Siedlung vorüberfloss.

Sifter fungierte als Pilot und war wie üblich schweigsam, während Kalep mit seiner hohen Stimme Erläuterungen zu dem gab, was auf dem Tasterschirm zu sehen war.

»Das ist das Gebiet von Loggallans Stamm«, sagte er mit dem leiernden Tonfall eines Fremdenführers. »Loggallans Hauptlager befindet sich ziemlich dicht an der Stadt, obwohl sein Gebiet mehr als hundert Kilometer weit nach Süden reicht. Loggallans

Leute sind halbsesshafte Farmer. Sie bebauen ein Stück Land, bis es an Kraft verloren hat. Dann ziehen sie ein Stück weiter.«

»Unter diesen Umständen«, bemerkte Julian, »ist es recht merkwürdig, dass sie ein abgegrenztes Gebiet haben, nicht wahr? Man sollte annehmen, dass sie so weit ziehen, wie es ihnen passt.«

»Das taten sie auch«, bestätigte Kalep. »Aber alles, was sie damit erreichten, war Ärger mit den Nachbarstämmen. Loggallan, Helliman und Tiggurran lagen sich dauernd in den Haaren. Wir gaben ihnen Kunstdünger und machten ihnen klar, dass sie damit ihren Boden zehnmal länger als bisher und mit zwanzigfacher Ausbeute bebauen könnten. Die Burschen sind gelehrig. Sie blieben an Ort und Stelle und ließen uns Grenzen ziehen. Seitdem hat es keinen Streit mehr gegeben – es sei denn, sie betrinken sich und kriegen Händel wegen Frauen.«

Ein merkwürdig geradliniger Flusslauf zog sich über den Reflexschirm.

»Das ist hwenaho-an-laiijdin«, erklärte Kalep.

Julian nickte.

»Das Wasser der schnellen Boote«, murmelte er.

Joe Kalep geriet zum ersten Mal, seit er ihn kannte, aus der Fassung. »Wie, Sie verstehen das, Sir?«

Julian nickte.

»Schulung«, antwortete er knapp. »Das Experimentalkommando hat eine Reihe von Arek-Sprachen aufgenommen und analysiert. Die wichtigsten brachte man mir bei, bevor ich hierherkam. Aber was hat es mit dem Fluss auf sich?«

Kalep hatte sich noch immer nicht ganz beruhigt. Mit einem Ausdruck ungläubiger Verwunderung starrte er Julian an. Dann schüttelte er den Kopf und fuhr fort: »Die Areks haben Bootsrennen zum Nationalsport erhoben. Rennen werden in regelmäßigen Abständen veranstaltet, mit Vorliebe in möglichst reißendem Wasser. Loggallans Gebiet war dafür ungeeignet. Das war einer der Gründe, weswegen er sich zunächst gegen die neuen Grenzen wehrte. Wir halfen ihm aus. Ein Flusslauf wurde begradigt, und jetzt hat Loggallan die schönste Rennstrecke weit und breit.«

Julian dachte darüber nach.

»Merkwürdig«, sagte er mehr zu sich selbst. »Eine primitive Rasse mit einer so ausgeprägten Liebe für eine gewisse Sportart, wie man sie nur bei zivilisierten Völkern erwartet.«

»Die Areks sind anders als wir, Sir«, erwiderte Kalep ohne Zögern. »Sie haben alles in Hülle und Fülle. Sie leiden keine Not. Man hat mir beigebracht, dass Not die Triebkraft war, die den Menschen dazu veranlasste, eine Zivilisation zu errichten. Wenn das stimmt, dann werden die Areks für immer Primitive bleiben. Sie haben keinen Anlass, sich weiterzuentwickeln. Aber sie haben eine Menge Freizeit. Sie sind im Grunde genommen ein lustiges Volk. Kein Wunder, dass sie die Bootsspiele erfanden.«

Julian schwieg beeindruckt. Was er eben gehört hatte, waren die Grundzüge einer Ethnologie der Arek-Rasse, wie sie in spätestens zwanzig Jahren in irgendeinem gelehrten Buch zu finden sein würden. Wobei vom Autor unerwähnt bleiben würde, dass ein einfacher Mann namens Joe Kalep die Dinge schon viel früher durchschaut hatte als er.

»Dieser Fluss dort«, sagte Kalep schrill und deutete auf einen kleinen, vielfach gewundenen Wasserlauf, »ist die südwestliche Grenze von Loggallans Gebiet. Dahinter herrscht Tiggurran.«

Julian hörte ihm kaum zu. Ein Gedanke war ihm gekommen – nicht zum ersten Mal, er hatte sich schon des Öfteren über diese Frage den Kopf zerbrochen. Er überlegte, ob er Kalep um Auskunft bitten solle. Er war seiner Sache nicht sicher.

»Tiggurrans Stamm besteht aus rund zweihundert Leuten«, fuhr Kalep währenddessen fort. »Sein Gebiet ist daher größer als Loggallans. Es reicht so weit nach Süden, dass bis jetzt noch keiner von uns jemals an der Südgrenze gewesen ist. Außer Sifter natürlich. Der fliegt den ganzen Tag lang in der Gegend herum.«

Er bemerkte, dass Julian ihm nur mit halbem Ohr zuhörte und schwieg.

Julian fasste einen Entschluss. »Ich habe eine Frage, Joe«, begann er. »Was hat das Siedlungsamt veranlasst, drei Junggesellen und ein Ehepaar nach Filchner zu schicken? Sie verstehen, was ich meine? Es scheint eine recht unlogische Kombination zu sein. Eine Frau unter vier Männern verursacht Reibereien – oder nicht?«

Kalep sah nachdenklich vor sich hin. Er wirkte ernst, aber in seinen Augen blitzte es, als amüsierte er sich über die Frage.

»Am Anfang, Sir«, antwortete er, »hatten wir selber unsere Zweifel. Doreen ist hübsch, und wir konnten uns nicht vorstellen, dass Pete alleinigen Anspruch auf sie haben könnte, ohne dass deswegen über kurz oder lang Streit entstand.« Er nickte dazu und lächelte ein wenig, als hinge er einer freundlichen Erinnerung nach. »Dann merkten wir, dass das Siedlungsamt nicht so ganz planlos gehandelt hatte. Es gibt keine solchen Probleme auf Filchner. Ich würde sogar sagen, wenn Pete nicht bis über beide Ohren in Doreen verliebt wäre, dann wäre *er* derjenige, der sich Sorgen machen müsste.«

Julian sah ihn verwundert an.

Kalep beugte sich nach vorn und fragte Sifter: »Wie lange noch bis zu Tiggurrans Lager, Darrel?«

»Sechs oder sieben Minuten«, knurrte Sifter.

»Sie werden sehen, was ich meine, Sir«, wandte Kalep sich wieder an Julian.

Die Maschine rollte langsam aus. Im Schein eines großen, roten Feuers sah Julian die Umrisse von flachen, langgestreckten Hütten, die aus Stroh und Zweigen erbaut zu sein schienen. In der Nähe des Feuers bewegten sich ein paar Gestalten.

Sifter klappte das Kanzeldach zur Seite. Über die Tragfläche kletterten sie hinunter auf den weichen Grasboden. Zwei Areks kamen vom Feuer her auf sie zu. Der eine trug eine Fackel, die die Szene ausreichend beleuchtete.

Fasziniert musterte Julian den Arek, der vor dem Fackelträger herschritt. Er war groß und stämmig gebaut. Im Widerschein der Flammen schien seine Haut einen goldenen Schimmer zu haben. Er war nicht nackt wie der einzige Arek, den Julian bisher zu Gesicht bekommen hatte, sondern trug eine Art Wickelrock aus buntem Material, der ihm von der Taille bis auf die Knie herabreichte. Lose über die Schultern geworfen hatte er einen boleroähnlichen Umhang aus grellgefärbten Federn. Er machte den Eindruck eines Mannes, der sich seiner Würde bewusst war. Das schwarze Haar schien glatter als das des Arek, den Doc Lorran in seine Obhut genommen hatte. Die Art, wie er die Ankömmlinge musterte, verriet Intelligenz und Selbstvertrauen zugleich.

»Das ist Tiggurran selbst«, sagte Kalep halblaut.

Der Stammesführer begann zu sprechen. Julian hatte von Sifter erfahren, dass Tiggurrans Stamm sprachlich gesehen zu einer Gruppe von Völkern gehörte, deren Schwerpunkt rund tausend Kilometer im Süden lag.

Tiggurrans Leute waren diejenigen, die sich am weitesten nach Norden gewagt hatten. Ihre Sprache war ein Fremdkörper in diesem Teil des Landes. Julian beherrschte sie nicht. Beim Siedlungsamt war sie nicht als eine der wichtigen Sprachen klassifiziert.

Kalep übersetzte, während Sifter und der Häuptling sich unterhielten.

»Er sagt, er freue sich, uns zu sehen«, hörte Julian. »Besonders den Mann, der zum ersten Mal kommt.« Julian verneigte sich, obwohl er keine Ahnung hatte, ob diese Geste unter den Areks etwas bedeutete. »Sifter erklärt ihm jetzt«, fuhr Kalep fort, »warum wir hier sind.«

Julian sah, wie Sifter etwas aus der Tasche zog. Es war eine Fotografie des Arek, den er auf der Algier-Ebene aufgelesen und nach Rivertown gebracht hatte. Tiggurran nahm das Bild und hielt es in den Lichtkreis der Fackel. Nachdem er es eine Weile betrachtet hatte, sah er auf. Er hatte die Zunge in die rechte Backe geschoben, sodass die Wange sich wölbte.

»Das ist das Zeichen für Ja-und-doch-nicht-Ja«, erklärte Kalep eifrig. »Der Mann gehört nicht zu Tiggurrans Stamm, aber Tiggurran scheint ihn von irgendwoher zu kennen.«

Der Häuptling redete jetzt auf Sifter ein. Was er sagte, schien ziemlich erstaunlich zu sein, denn Kalep vergaß vor lauter Aufregung das Übersetzen.

Schließlich wandte Sifter selbst sich um und erklärte: »Er behauptet, der Mann käme von weither aus dem Süden, Sir. Er erinnert sich, ihn vor sechs oder sieben Tagen in der Nähe gesehen zu haben. Einer seiner Leute sprach mit ihm. Das heißt, er versuchte es. Der Kerl muss damals schon genauso durcheinander gewesen sein wie heute, als ich ihn fand. Immerhin hörte Tiggurrans Mann ihn ein paar Worte sagen. Er spricht, behauptet der Häuptling, mit einem Akzent, wie man ihn fünfzehnhundert Kilometer weiter südlich hört.«

Tiggurran schwieg und verfolgte die Unterhaltung der beiden Terraner mit gespannter Aufmerksamkeit.

»Wie verlässlich ist diese Information?«, erkundigte sich Julian.

»Sehr, Sir«, stellte Sifter mit Nachdruck fest. »Innerhalb eines bestimmten Sprachbereichs gibt es sehr feine Sprachunterschiede. Wir nennen sie Akzente. Sie sind zu geringfügig, als dass wir mit unserer geringen Erfahrung sie erkennen könnten. Für mich sprach der verrückte Arek dieselbe Sprache wie Tiggurrans Leute. Aber die Areks selbst haben für solche Nuancen ein scharfes Ohr. Sie brauchen einem Mann nur eine Minute lang zuzuhören, um genau zu wissen, von welchem Stamm er kommt.«

Julian nickte.

»Wie ist das«, erkundigte er sich plötzlich, »kann man Tiggurran dazu bringen, eine Sprache zu sprechen, die ich verstehe? Oder gilt das als unhöflich?«

Sifter wollte antworten, da trat Tiggurran einen Schritt auf Julian zu. Julian sah überrascht auf und bemerkte, dass der Häuptling über das ganze Gesicht strahlte.

»Ich unhöflich«, versicherte er in holprigem Interkosmo.

»Freuen, können Sprache Mann, der zum ersten Mal kommt … sprechen immerzu, immerzu.«

Julian warf Sifter einen hilfesuchenden Blick zu. Sifter zuckte mit den Schultern.

Julian wandte sich wieder an den Häuptling. »Sprichst du die Sprache, die Loggallans Stamm spricht?«, erkundigte er sich, wobei er sich eben dieser Sprache bediente.

Tiggurran wirkte ein wenig enttäuscht, dass er seine Kenntnis des Interkosmo nicht an den Mann bringen konnte. Aber er nickte bereitwillig – eine Geste, die er den Siedlern abgesehen haben musste – und antwortete fließend in Loggallans Sprache: »Selbstverständlich beherrsche ich sie. Wir sind Fremde in diesem Land. Ohne die Sprache unserer Nachbarn zu kennen, wären wir verloren.«

Julian fühlte sich erleichtert. Er hatte ein paar Fragen zu stellen, über die er mit Sifter und Kalep bis jetzt noch nicht gesprochen hatte. Der Umweg über Sifters Dolmetscherei wäre mühselig gewesen.

»Der Fremde, über den Sifter mit dir sprach«, erklärte er dem Häuptling, »ist vielleicht krank. So krank, dass er den Krankheitskeim auf andere Leute übertragen kann. Ich hätte gerne gewusst, ob in deinem Stamm während der letzten Tage Krankheiten aufgetreten sind, die du dir nicht erklären kannst.«

Tiggurran musterte ihn scharf. Die Freundlichkeit war aus seinem Blick gewichen. Julian überlegte sich, was er falsch gemacht hatte, aber da erwachte der Häuptling aus seiner Starre.

»Etwas an deiner Vermutung ist falsch«, sagte er mit rauer Stimme. »Aber komm trotzdem!«

Ohne weitere Erklärung drehte er sich um und stapfte auf das Feuer zu. Der Fackelträger lief an ihm vorbei, um an die Spitze der Gruppe zu kommen. Julian und seine beiden Begleiter folgten Tiggurran. Der Häuptling führte sie am Feuer vorbei zu einer Gruppe von Hütten, die abseits von den anderen standen. Ein paar Leute, die in der Nähe des Feuers gesessen und sich unterhalten hatten, standen auf und sahen der kleinen Gruppe neugierig nach. Julian glaubte, erregte Untertöne zu hören, als sie die Unterhaltung wieder aufnahmen.

Vor einer der Hütten blieb Tiggurran stehen. Er wandte sich an Julian.

»Die Krankheit des Fremden mag ansteckend sein«, sagte er, »aber meine Leute haben sie nicht von ihm. Sie waren schon krank, als der Fremde hier vorbeikam.«

Julian lauschte, aber aus dem Innern der Hütte war kein Laut zu hören.

»Wie viele sind es?«, wollte er wissen.

»Zwei«, antwortete Tiggurran knapp.

»Kann ich sie sehen?«

Der Häuptling deutete auf die Tür. Der Fackelträger machte sich an dem Schlingenverschluss zu schaffen. Er benahm sich wie jemand, der lieber zehn Kilometer weit weg gewesen wäre.

Julian stand zwei Meter von der Tür entfernt, als der Fackelträger sie aufriss und gleichzeitig als Deckung vor sich hielt. Im Innern war es immer noch ruhig und finster. Julian drehte sich um und wollte Tiggurran darum bitten, dass sein Träger ihm die Fackel überließ.

Da geschah es.

Ohne Warnung kamen die beiden Kranken aus dem Innern der Hütte geschossen. Sie mussten in der Nähe der Tür bereitgestanden haben, denn sie prallten mit solcher Wucht gegen Julian, dass er zu Boden gerissen wurde. Die Kranken rannten weiter. Trotz ihres umnachteten Verstands bewegten sie sich zielbewusst. Sie mieden den hellen Schein des Feuers und liefen zwischen den finsteren Hütten hindurch. Sie verhielten sich völlig ruhig, bis sie die Grenze des Dorfes erreicht hatten. Dann brachen sie in helles Triumphgeschrei aus. Julian hörte ihre Stimmen allmählich leiser werden, als sie sich nach Nordosten hin davonmachten.

Ein wenig verlegen wollte er Tiggurran für seine Unachtsamkeit um Entschuldigung bitten. Aber der Häuptling achtete nicht auf ihn. Er hatte den Kopf schräg gestellt, um besser hören zu können, und auf seinem Gesicht lag ein spöttisches Grinsen. Als die Stimmen nicht mehr zu hören waren, fing er an zu lachen.

»So verrückt«, stieß er in Loggallans Sprache hervor. »Sie wissen nicht, was sie reden.«

»Was reden sie?«, erkundigte sich Julian gespannt.

»Wir, die von den Sternen kommen, werden siegen«, übersetzte Tiggurran bereitwillig. »Und dann noch: Auf zur Stadt am Wasser!«

»Das ist Rivertown«, bemerkte Kalep pflichteifrig.

Tiggurran schien sich nichts daraus zu machen, dass die Kranken entkommen waren. Im Gegenteil, er wirkte erleichtert. Julian glaubte ihn zu verstehen. Ebenso, wie sich die Siedler vor unbekannten Krankheiten fürchteten, weil sie vielleicht kein wirksames Gegenmittel besaßen, empfanden die Areks Angst, weil in ihrer primitiven Mythologie Krankheit und böse Geister eins waren und die Anwesenheit eines Kranken konsequenterweise die Anwesenheit einer übelgesonnenen Gottheit bedeutete. Jeder der Stämme in der Umgebung von Rivertown war durch ein Übereinkommen dazu verpflichtet, seine Kranken in sicherem Gewahrsam zu halten und bei Gelegenheit Doc Lorran über den Krankheitsfall Bericht zu erstatten. Tiggurran hatte sich an das Abkommen gehalten. Es war Julians Schuld, dass die Kranken entkommen waren, und etwas Willkommeneres hätte dem Häuptling gar nicht zustoßen können.

»Ihr kommt von weither«, lenkte Tiggurran auf ein anderes Thema über. »Ihr müsst hungrig sein. Ich will meinen Frauen sagen, dass sie etwas für euch zurechtmachen. Nehmt einstweilen am Feuer Platz.«

Er schritt gravitätisch davon und verschwand im Dunkeln. Der Fackelträger geleitete die Gäste zum Feuer. Die Männer, deren Aufgabe es war, die Flammen zu unterhalten, wichen ehrfürchtig zur Seite. Julian und seine Begleiter nahmen auf einer bequemen, gepolsterten Bank Platz, die sich im Halbrund um den Feuerplatz zog. Tiggurrans Diener verschwand.

Julian starrte nachdenklich in die prasselnden Flammen, als Kaleps Stimme ihn aufschreckte: »Was halten Sie davon, Sir?«

Julian sah ihn an. »Wovon?«

»Von dem, was die Kranken schrien, als sie davonliefen.«

»Es lässt keinen Zweifel mehr übrig, nicht wahr?«, antwortete Julian. »Es ist undenkbar, dass zwei oder gar drei Areks, die aus weit voneinander entfernten Gegenden stammen, zur gleichen Zeit auf die Idee kommen, den gleichen Unsinn zu sagen. Wir, die von den Sternen kommen …«

Er schwieg. Die Areks wussten nichts von den Sternen. Selbst nach anderthalbjährigem Kontakt mit den Siedlern hatten sie keine Ahnung, was ein Raumschiff war, und glaubten im Stillen, die Terraner seien aus irgendeiner entlegenen Gegend von Filchner nach Rivertown gekommen. Der Gedanke, dass Sterne in Wirklichkeit andere Sonnen waren, um die andere Planeten kreisten, war ihnen völlig fremd.

»Wenn ich etwas sagen darf, Sir«, meldete sich Sifter schüchtern.

»Sprechen Sie, wie Ihnen der Schnabel gewachsen ist«, forderte Julian ihn auf.

»Sie wollten alle nach Rivertown«, sagte Sifter bedächtig. »Der Erste, den ich auf der Algier-Ebene auflas und der aus einer Gegend kommt, in der niemand etwas von der Siedlung weiß. Und die beiden Kranken aus Tiggurrans Stamm.«

Julian nickte. »Ja, das ist mir aufgefallen«, bestätigte er. »Was auch immer in ihren Gehirnen sitzt, es gibt ihnen den Befehl, nach Rivertown zu gehen. Und merkwürdig – sie machen den Eindruck von Geisteskranken oder Betrunkenen, aber dass sie nach Rivertown gehen sollen, das vergessen sie nie.«

»Hm«, machte Kalep. »Was halten Sie davon, Sir?«

»Das wissen Sie selber, Joe. Es liegt auf der Hand.«

Kalep sah ihn an. Er hatte die Augen zu schmalen Schlitzen

zusammengekniffen. »Die Besessenen sollen Unruhe stiften. Sie sollen Rivertown übergabereif machen, bevor die Hauptflotte des Gegners landet.«

Er hatte leise gesprochen, als fürchtete er, dass einer der Areks ihn verstehen könnte.

»So ungefähr«, gab Julian zu. »Das mit der Hauptflotte ist vielleicht ein bisschen zu dramatisch. Von einer Flotte ist bislang noch keine Spur zu sehen.«

»Und der Nebel?«, warf Kalep ein.

»Wir wissen nicht, was es ist. Aber auf keinen Fall ist es eine Flotte von Raumschiffen.«

Die Unterhaltung wurde unterbrochen. Tiggurran erschien mit »seinen Frauen«. Sein Auftritt vollzog sich, wie er eines Häuptlings würdig war. Der Zug wurde von einer Schar von Musikanten angekündigt, die auf Triangeln und Trommeln einen unmelodischen Lärm vollführten. Nachdem die Neugierde der Zuschauer auf solche Weise erweckt war, erschien Tiggurran, von drei Fackeln beleuchtet und gefolgt von mehr als einem Dutzend Frauen, die sich mit hüpfenden *und* tanzenden Bewegungen aus der Dunkelheit schälten.

Julian beobachtete den Aufzug fasziniert. Er wusste, dass dem Häuptling eines Arek-Stammes alles gehörte, was der Stamm besaß, Menschen und Material in gleicher Weise. Jeder Arek war im Grunde genommen das Eigentum seines Häuptlings. Die ungeschriebene Stammesverfassung räumte dem Häuptling eine Stellung ein, die nur mit dem Gottkönigtum der Kulturen des irdischen Altertums verglichen werden konnte. Allerdings hatte ein Häuptling, der seine despotischen Rechte voll zur Geltung bringen wollte, nicht geringe Schwierigkeiten zu überwinden. Das Stammesgesetz besagte zwar, dass jeder Befehl des Häuptlings unverzüglich ausgeführt werden müsse, aber es enthielt kein Patentrezept für den Fall, dass die Mehrheit des Stammes die Ausführung eines Befehls verweigerte. Es sprach für den gesunden Menschenverstand der Areks, dass sich aus diesem Missverhältnis von versprochener und verfügbarer Autorität ein Regierungssystem entwickelt hatte, das äußerst demokratisch war. Der Häuptling nutzte seine Privilegien nur so weit aus, wie es seinen Untertanen genehm war.

Es gab keinen Zweifel, dass Tiggurran diejenigen Frauen seines Stammes, die er für die hübschesten hielt, aus dem Schlaf geweckt hatte, um den Gästen ein Schauspiel seiner Gastfreundlichkeit zu geben. Ebenso sicher schien zu sein, dass die Frauen es für einen Vorzug hielten, zu dieser Aufgabe gerufen zu werden.

Julian erinnerte sich an seine Unterhaltung mit Kalep während des Fluges. Die Frauen, die hinter Tiggurran hertanzten, schienen einem alten Südseefilm entsprungen. Im Gegensatz zu den Männern ihrer Rasse hatten sie lange, über die Schultern herabfallende Haare in allen Farbtönen von Blond bis Schwarz. Ihre Kleidung war spärlich. Wie bei fast allen primitiven humanoiden Völkern forderte die Schicklichkeit nur die Umhüllung der mittleren Körperpartien von der Hüfte an abwärts. Die Frauen trugen kurze, bunte Röcke, die beim Tanzen wie Fahnen um sie herumflatterten. Wenn sie stillstanden, reichte ihnen der Rocksaum fast bis zum Knie.

Sie waren vollendet geformt. Fast jede einzelne hätte der Jury eines irdischen Schönheitswettbewerbs als Richtschnur dienen können. Ihre Gesichter wirkten überraschend klug. Die Neugierde, mit der ihre großen Augen während des Tanzens die Fremden betrachteten, war die Neugierde aufgeweckter, vor Leben sprühender Wesen.

Julian verstand, was Kalep gemeint hatte, als er sagte, unter gewissen Umständen wäre Pete Baerman der einzige Mann, der auf Filchner Probleme hätte.

Tiggurran verlor keine Zeit – vermutlich deshalb, weil er selbst hungrig war. Die Diener legten ihre Fackeln nieder und brachten aus den Hütten allerhand Gerätschaften zum Vorschein, die an der freien Seite des Feuers aufgebaut wurden. Sie verschwanden ein zweites Mal und kehrten mit Schüsseln und Kannen, Körben und Tellern zurück. Die Teller wurden an die Gäste verteilt. Der Inhalt der Körbe, Kannen und Schüsseln ging an die Frauen, die ihren Tanz abbrachen und mit der Zubereitung des Mahls begannen. Inzwischen hatte der Häuptling sich neben seinen Gästen niedergelassen und begann eine freundliche Unterhaltung.

Eine halbe Stunde später war die Mahlzeit bereit. Fünf Frauen defilierten an Tiggurran und seinen Gästen vorbei, jede von ihnen trug ein Gefäß, aus dem sie mithilfe eines hölzernen Schöpflöffels die Teller belud. Die Fackelträger erschienen ein drittes Mal und platzierten Trinkbecher, mit einer rötlichen Flüssigkeit bis zum Rand gefüllt, vor den Häuptling und die Terraner.

Das Essen wurde schweigend eingenommen. Julian hatte keine Ahnung, was er da aß, denn die Mahlzeit war von einer breiigen Konsistenz, die keinerlei Schlüsse auf die verwendeten Grundstoffe zuließ. Dennoch war er bereit zu schwören, dass er in seinem ganzen Leben höchstens fünfmal so vorzüglich gegessen hatte wie in dieser Nacht, fern aller Zivilisation, am Lagerfeuer eines halbwilden Arek-Stammes.

Das rote Getränk hatte es in sich. Die Speise war scharf gewürzt und verleitete zum Trinken. Die Fackelträger standen fortwährend auf dem Sprung, und sobald einer der Becher geleert war, füllten sie ihn nach. Nachdem er sich zum dritten Mal hatte auffüllen lassen, spürte Julian, dass es an der Zeit war, langsam zu tun. Das Zeug stieg ihm in den Kopf.

Nach dem Essen nahm er sich Zeit, Tiggurran und seine Gastfreundlichkeit in den höchsten Tönen zu loben. Das fiel ihm nicht schwer. Der Alkohol hatte seine Zunge genügend gelockert. Tiggurran war über die kleine Ansprache hoch erfreut und erwiderte sie mit ein paar Sätzen, in denen sich Arek und Interkosmo zu einem solchen Kauderwelsch vermischten, dass Julian kein Wort davon verstand.

Sifter hatte inzwischen das Triebwerk warmlaufen lassen. Kalep war plötzlich verschwunden und nirgendwo zu sehen. Dafür trug Sifter ein hinterhältiges Grinsen zur Schau, das Julian richtig zu deuten glaubte. Joe Kalep erschien eine Viertelstunde später und war ziemlich außer Atem.

»Verzeihung, Sir«, murmelte er, »aber ich …«

Es war das erste Mal, dass Joe Kalep nicht wusste, was er sagen sollte. Julian schlug ihm lachend auf die Schulter und schob ihn in Richtung der Tragfläche.

»Solange Ihre Freundin mit einem Fünfzehn-Minuten-Stelldichein zufrieden ist, haben wir keinen Grund zur Klage«, sagte er freundlich.

Tiggurran stand am Feuer und winkte ihnen nach. Die Frauen winkten ebenfalls. Es war ein äußerst herzlicher Abschied. Julian glaubte nicht fehlzugehen, wenn er annahm, dass es in der Hauptsache Kalep und Sifter zu verdanken war, dass die Eingeborenen so rasch Zuneigung zu den Terranern gefunden hatten, die in Wirklichkeit nichts weiter als Eindringlinge waren. Er bedauerte es, dass es unter den Feldexperten des Siedlungsamtes nicht mehr Männer wie Kalep und Sifter gab – und so verdammt viele von Pete Baermans Sorte, die zwar ihren Beruf beherrschten, aber unter der kleinsten seelischen Anspannung zerbrachen.

Während er den Haltegurt festzurrte, kam ihm zu Bewusstsein, dass er schon am ersten Tag seines Aufenthalts die Siedler in Kategorien eingestuft hatte und zu wissen glaubte, wie sie sich unter gewissen Bedingungen verhalten würden. Da waren Kalep und Sifter – umsichtig, mit der Umwelt vertraut, mutig. Dann Pete, labil und unzuverlässig, und Doreen, mannstoll und dumm.

Nur für einen einzigen konnte er kein passendes Schema finden – Doc Lorran. Er war tüchtig, und auf den ersten Blick hatte er so gewirkt, als vereinige er in sich die ganze Autorität der kleinen Siedlung. Inzwischen war Julian sich dessen nicht mehr so sicher, und je länger er darüber nachdachte, desto mehr kam ihm Lorran wie ein Mann vor, der nicht so ganz in das Siedlungsprojekt passte.

Die Maschine war inzwischen gestartet und jagte in geringer Höhe über das Land dahin. Joe Kalep, der wie zuvor das Ortergerät bediente, konnte die Gestalten der beiden Kranken ausmachen, die sich inzwischen sechs Kilometer von Tiggurrans Dorf entfernt hatten und beim Geräusch des Triebwerks versuchten, ein Versteck zu finden.

»Das ist merkwürdig«, murmelte Kalep vor sich hin.

Julian hörte ihn, obwohl er tief in Gedanken versunken war.

»Was ist merkwürdig?«, wollte er wissen.

»Wenn ein Arek sich auf Wanderschaft begibt«, antwortete Kalep, »dann benutzt er dabei eine ganz eigenartige Technik. Er geht nicht den geradesten Weg, auch wenn der eben und hindernisfrei sein sollte. Er richtet sich nach Wegmarken – einem besonders hohen Baum, einem Felsstück, einem Flusslauf. Diese Wegmarken sind seinem Stamm seit Generationen bekannt. Kein Arek geht mehr als einen Kilometer, ohne sich eine Wegmarke zurechtzulegen, die er auf dem Rückweg wiedererkennen und an der er sich orientieren kann. Da solche Marken nun mal nicht in gerader Linie zu finden sind, bewegt er sich im Zickzack, braucht doppelt so lange wie ein Terraner, um sein Ziel zu erreichen, weiß aber jederzeit, wo er sich befindet.«

»Aha«, machte Julian. »Und diese beiden dort unten verstoßen gegen die gute Sitte?«

»Genau. Ich kenne die Wegmarken zwischen Tiggurrans Lager und Rivertown. Die erste liegt ziemlich weit nach Osten herüber. Die beiden Kranken haben sich überhaupt nicht um sie gekümmert. Sie bewegen sich auf einer geraden Verbindungslinie zwischen dem Lager und der Stadt.«

Julian dachte darüber nach. Das Verhalten der Kranken wurde plausibel, wenn man bereit war anzunehmen, dass sich in ihren Gehirnen etwas eingenistet hatte, das ihnen seinen Willen aufzwang.

Plötzlich hatte er eine verrückte Idee. Wenn sich ein Fremdkörper im Gehirn der kranken Areks befand, dann musste man ihn finden können. Er würde Doc Lorran um Rat fragen. Die Sache war wichtig.

Als die Maschine kurze Zeit später in Rivertown landete, schickte er Kalep und Sifter nach Hause und riet ihnen, sich auszuruhen. Er wartete, bis sie gegangen waren, dann machte er sich auf den Weg zu Lorrans Haus.

Lorran schlief, und zwar so gesund, dass Julian zehn Minuten lang an der Tür rütteln musste, bevor er Antwort bekam. Lorran machte ein indigniertes Gesicht, als er öffnete, aber sobald er Julian erblickte, war er die Freundlichkeit selbst.

Julian entschuldigte sich wegen der Störung.

»Ich habe da eine Sache, die keinen Aufschub duldet«, fuhr er fort. »Ich möchte, dass Sie dem Arek den Schädel aufschneiden.«

6.

Lorran fuhr zurück, als hätte der Blitz vor ihm eingeschlagen. »Den Schädel aufschneiden …«, echote er fassungslos.

»Ganz richtig. Sind Sie für Gehirnchirurgie eingerichtet?«

Lorran nickte stumm.

»Gut. Dann kann die Operation durchgeführt werden, ohne dass der Arek dabei Schaden erleidet. Wann können Sie anfangen?«

Der Arzt erholte sich langsam von seiner Überraschung.

»Ich muss eine Reihe von Vorbereitungen treffen«, murmelte er und kratzte sich hinter dem Ohr.

»Außerdem müssen Sie sich ausschlafen«, riet ihm Julian. »Ziehen Sie das in Betracht.«

Lorran warf einen Blick auf die kleine Wanduhr, die hinter ihm im Hausflur hing. »Fast sieben Uhr«, überlegte er. »Sagen wir – um dreizehn Uhr? Eine Stunde nach Sonnenaufgang?«

Julian nickte. »Einverstanden. Ich bin eine halbe Stunde vorher hier.«

Er verabschiedete sich und ging langsam die breite Straße hinunter. Die Nacht war noch immer warm. Filchner war eine paradiesische Welt. Julian stellte sich vor, dass es in fünfzig Jahren in Rivertown vor Leben und Geschäftigkeit wimmeln würde. Dabei fiel ihm ein, dass dies nur eine der zwei Möglichkeiten war, die sich im Augenblick anboten.

Die andere war, dass die Fremden aus der Humdinger-Ballung Filchner angriffen und die Siedlung vernichteten. Dann würde es hier in fünfzig Jahren noch viel stiller sein als im Augenblick.

Er war nur noch hundert Meter von dem Haus entfernt, in dem die Siedler ihn und Meech untergebracht hatten, als aus dem Halbdunkel plötzlich eine Gestalt neben ihm auftauchte. Julian reagierte instinktiv. Als besäße er eigenes Leben, glitt ihm der Strahler in die Hand. Der Lauf schwenkte nach oben und richtete sich auf den Unbekannten.

»Nicht schießen …!«, gellte ein erstickter Schrei.

Julian erkannte Pete Baermans Stimme.

»Kommen Sie näher!«, befahl er ihm. »Und versuchen Sie so was kein zweites Mal. Ich bin in dieser Hinsicht sehr empfindlich.«

Pete trat vor ihn. Er wirkte genauso unordentlich wie drei Stunden zuvor, als er auf dem Landefeld seine Beschuldigungen gegen Meech Hannigan erhoben hatte. Das verschwitzte Gesicht trug einen Ausdruck von Angst und Hysterie. Petes Hilflosigkeit war so deutlich, dass Julian plötzlich Mitleid empfand.

»Sie wollten mit mir sprechen?«, erkundigte er sich.

»Ja«, stieß Pete hervor. »Ich möchte Sie bitten, Filchner wieder zu verlassen, Sir.«

Julian war so überrascht, dass ihm keine geeignete Erwiderung einfiel.

Pete nahm die Gelegenheit wahr, weiterzusprechen. »Es gibt keinerlei Beweise dafür, dass uns Gefahr droht, Sir«, sprudelte er hervor. »Alles basiert nur auf Vermutung und Hypothese. Wovor fürchten wir uns eigentlich? Vor einem kleinen Fetzen interstellarer Materie, der sich zufällig in Richtung unseres Planeten bewegt. Weiter nichts. Wir haben nicht den geringsten Anhaltspunkt dafür, dass die Humdinger-Wesen etwas mit dem Nebel zu tun haben. Das alles sind nur Hirngespinste.«

Julian ließ ihn reden. Pete schwieg schließlich, weil sein Vorrat an Argumenten ausgegangen war. Fragend und ein wenig verwirrt sah er sein Gegenüber an. »Nun – was sagen Sie?«

»Gehen wir von der Annahme aus, dass Sie recht haben«, antwortete Julian, »inwiefern könnte unsere Anwesenheit Ihnen schaden? Wir blieben nur solange hier, bis wir uns vergewissert hätten, dass Filchner wirklich keine Gefahr droht. Eine Stunde später wären wir schon wieder unterwegs.«

»Aber wenn es doch nicht nötig ist …«, protestierte Pete hilflos. »Ich sehe nicht ein …«

»Ich will Ihnen was sagen«, unterbrach Julian ihn grob. »Sie möchten uns so rasch wie möglich wieder loswerden, weil Sie Angst haben, einer von uns stiehlt Ihre Frau. Ich weiß nicht, wie weit Sie sich in dieses Hirngespinst verrannt haben, aber wenn Sie sich fünf Minuten zum Nachdenken nehmen, müssten Sie eigentlich von selbst darauf kommen, dass ein terranischer Solarmarschall nicht umhergeht und fremde Frauen verführt. Und was Meech Hannigan anbetrifft – er ist ein Roboter.«

Pete starrte ihn verblüfft an. Er hatte nicht gewusst, dass Meech ein Robot war. Aber seine Überraschung verflüchtigte sich schnell. Mit bitterer Miene stieß er hervor: »Ich habe nicht die Absicht, mich von Ihnen beleidigen zu lassen. Mir stehen andere Mittel zur Verfügung, Sie zum Verlassen dieser Welt zu zwingen.«

Damit wandte er sich um und verschwand in der Dunkelheit. Julian sah ihm kopfschüttelnd nach, dann setzte er den Weg zum Haus fort.

Meech öffnete ihm die Tür. »Ich sehe Sie verwirrt, Sir«, erklärte er ruhig und sachlich.

Julian fuhr sich über die Stirn und sah ihn verwundert an. Dann fing er an zu lachen.

»Ich werde mich daran gewöhnen müssen, dass eine Maschine mein Mienenspiel besser deuten kann als sonst jemand«, meinte er.

Dann berichtete er Meech von der Begegnung mit Pete.

»Der Mann wird uns noch manchen Kummer bereiten«, schloss er.

»Sie verstehen, worauf er mit seiner letzten Bemerkung anspielte?«

Julian nickte. »Natürlich. Das Siedlungsgesetz enthält eine Klausel, wonach die Einmischung offizieller Instanzen in den Entwicklungsprozess einer Kolonie während einer bestimmten Zeitspanne unzulässig ist. Damit droht er mir.«

»Es wäre wichtig zu wissen«, fuhr Meech fort, »was sein wahres Motiv ist.«

Julian sah ihn an. »Seine Frau natürlich, was sonst?«

Meech schüttelte in vollendet menschlicher Manier den Kopf. »Verzeihung, Sir – aber das ergibt keinen Sinn.«

Julian lachte ärgerlich. »Was weißt du Blechding schon über Frauen und Männer und ihre Sorgen!«

»Ich besitze eine ausgezeichnete Kombinierfähigkeit, Sir«, antwortete Meech, und Julian bildete sich ein, sein Tonfall habe einen beleidigten Klang angenommen. »Die logische Folgerung besagt, dass Pete Baerman, falls er normalen Verstandes ist, sich selbst ausrechnen kann, dass seiner Frau von uns keine Gefahr droht. Wenn er sich trotzdem widerspenstig gebärdet, muss er einen anderen Grund haben.«

»Sehr gut gefolgert«, lobte Julian. »Aber wo ziehst du die Grenze zwischen normal und nicht normal? Ich sage dir, dass im Laufe der Geschichte der Menschheit mehr Männer, die sonst recht vernünftig waren, der Frauen wegen mehr Unsinn angestellt haben, als du in einer Minute zusammenzählen kannst.«

Meech schwieg. Das war ein Zeichen dafür, dass Julian ihn nicht hatte überzeugen können. Er verzichtete aus Gründen der Höflichkeit, die Diskussion weiterzuführen. Julian beschloss, noch ein paar Stunden zu schlafen.

»Diese Tageseinteilung bringt mich ganz durcheinander«, beklagte er sich. »Ich kann mit einer fünfundzwanzig Stunden langen Nacht einfach nichts anfangen.«

Er lag noch eine Stunde lang wach, bevor es ihm gelang, einzuschlafen, und währenddessen zerbrach er sich den Kopf über Pete Baermans seltsames Benehmen. Er fragte sich, ob Pete womöglich an demselben Übel leide wie der Arek, den Darrel Sifter auf der Algier-Ebene aufgelesen hatte, und die beiden Kranken aus Tiggurrans Lager – nur eben, dass es sich bei ihm anders äußerte als bei den Areks.

Meech weckte ihn, als die Sonne aufging. Trotz der langen Ruhe fühlte Julian sich zerschlagen. Er nahm ein knappes Frühstück zu sich und machte sich dann auf den Weg zu Doc Lorran. Lorran hatte den Arek zur Operation bereitgemacht.

»Haben Sie eine bestimmte Vorstellung, Sir«, fragte er Julian, »wonach wir suchen?«

Julian gestand, er hätte nicht die geringste Ahnung. Lorran seufzte und rückte ein kompliziert aussehendes Gerät dicht an den Operationstisch heran, auf dem der Arek in tiefer Narkose lag.

»Das ist das Modernste, was die medizinische Kunst der Erde zu bieten hat«, erklärte er. »Eine selbsttätige Gehirnsonde.« Er hob ein Ding, das wie eine zweizinkige Gabel aussah und an einem spiraligen Kabel hing, in die Höhe und zeigte es Julian. »Dieses Instrument ist aus korrosionsfreiem Metallplastik hergestellt. Die Zinken der Gabel laufen zu Spitzen aus, die nur einen zehntausendstel Millimeter durchmessen. Trotzdem sind sie von enormer Festigkeit. Weiter oben in der Gabel sitzen je ein Mikrowellensender und -empfänger. Eine der Zinken überträgt die Mikrowellen durch die Gehirnmasse an die andere. Jeder Fremdkörper, der in die Bahn des Mikrowellenstrahls gerät, wird sofort registriert. Die Sonde, einmal eingestellt, bewegt sich selbsttätig durch die Furchen des Gehirns und schaltet nicht eher ab, als bis der gesamte Gehirnkomplex Millimeter für Millimeter durchsucht worden ist. Es sei denn, sie findet etwas Ungewöhnliches. Dann gibt sie ein Alarmsignal.«

Julian zeigte sich beeindruckt. »Aber eine Operation ist trotzdem notwendig?«, erkundigte er sich.

»Ja, natürlich – ich muss die Schädelplatte öffnen.«

»Wie gefährlich ist das? Für den Patienten, meine ich?«

Lorran lächelte wie ein Lehrer, der von einem Schüler gefragt wurde, ob er zwei und zwei zusammenzählen könne.

»Wir sind, Gott sei Dank, so weit, dass eine Öffnung der Schädelplatte nicht mehr das geringste Risiko birgt. Der Arek wird später nicht einmal feststellen können, dass überhaupt eine Operation erfolgte. Es sei denn, er nähme ein Mikroskop zu Hilfe.«

Julian dachte einen Augenblick nach.

»Ausgezeichnet«, sagte er dann. »Am besten fangen wir gleich an.«

Doc Lorran schob ein zweites Gerät herbei. Julian wandte sich ab und trat an das Fenster, das auf die Straße hinausführte. Weiter oben an der Straße sah er das Sendegebäude mit seiner grotesken Antenne. Ein frischer Wind war aufgekommen und trieb kleine, tanzende Staubwolken vor sich her. Die Temperatur stieg rasch. Lorrans Klimaanlage schaltete sich mit leisem Surren ein.

»So – das wäre es!«, meldete Lorran sich triumphierend. Als Julian sich umdrehte, hob er einen gläsernen Behälter, in dem ein Stück Schädelplatte in konservierender Lösung schwamm. »Jetzt zu der Sonde.«

Julian sah ihm zu, wie er die Gabel vorsichtig in den Schädel des Arek einführte. Das obere Ende des Instruments befand sich in einer gelenkigen Halterung, die den beiden Zinken volle Bewegungsfreiheit gab, während sie die Gabel als solche festhielt und sie davor bewahrte abzurutschen. Der Gerätekasten, mit dem die Gabel durch das Kabel verbunden war, erwachte mit hellem Singen zum Leben. Die Zinken begannen sich zu bewegen.

Eine Zeit lang verfolgte Julian den Vorgang mit wacher Aufmerksamkeit. Dann verlor er das Interesse und wandte sich wieder dem Fenster zu. Etwas, das er fast vergessen hatte, fiel ihm wieder ein. Die beiden Kranken aus Tiggurrans Stamm würden über kurz oder lang in Rivertown erscheinen. Vorsorge musste getroffen werden, dass sie keinen Schaden anrichten konnten. Außerdem gab es keinen Grund zu der Annahme, dass der Arek auf dem Operationstisch und die beiden aus Tiggurrans Volk isolierte Einzelfälle seien. Wahrscheinlich würden im Laufe der nächsten Tage immer mehr Areks von der Krankheit befallen werden und sich nach Rivertown wenden. Man musste sich dagegen vorsehen.

Hinter ihm schrillte eine Klingel, und Doc Lorran stieß einen überraschten Schrei aus. Julian fuhr herum.

»Die Sonde …!«, stieß Lorran hervor. »Wir haben etwas gefunden.«

Die Bewegung der beiden Gabeln war zum Stillstand gekommen. An dem Schaltkasten brannte ein rotes Warnlicht.

»Können Sie es herausholen?«, fragte Julian.

Lorran nickte hastig. Er nahm ein paar Schaltungen an dem Kasten vor. Langsam, unendlich behutsam hoben die Zinken sich aus der Gehirnmasse. Fast zehn Minuten vergingen, bevor die spitzen Enden am Rand der Schädelöffnung sichtbar wurden. Inzwischen war Lorran mit einem kleinen, sterilisierten Glasbehälter zur Stelle.

Julian beugte sich nach vorn, aber so sehr er sich auch anstrengte, er konnte zwischen den beiden Zinken, die sich jetzt eng aneinandergepresst hatten, nichts erkennen.

»Sind Sie sicher …«, begann er Lorran zu fragen.

»Aber ja«, hauchte der Arzt, als hätte er Angst, ein lautes Wort könnte den Erfolg zunichtemachen. »Es ist mikroskopisch klein. Wir müssen es auf einen Objektträger …«

Er sprach nicht weiter. Die beiden Gabelzinken schwenkten über den Glasbehälter und öffneten sich. Lorran schloss den Deckel des Behälters. Dann hob er ihn triumphierend in die Höhe.

»Wir haben es!«, rief er.

Er trug das kleine Kästchen zu einem Tisch, auf den ein Mikroskop montiert war. Dann kehrte er zum Operationstisch zurück und setzte dem Arek das herausgeschnittene Stück Schädelplatte wieder ein. Die Schnittstelle bestrich er mit einer grünen Emulsion, dann legte er einen kleinen Verband an.

»Ich hätte nie gedacht, dass es so einfach ist«, murmelte Julian.

Lorran antwortete nicht. Der unerwartete Fund hatte ihn in Aufregung versetzt. Er schob den kleinen Glasbehälter, der dank seiner optischen Beschaffenheit gleichzeitig als Objektträger diente, unter das Mikroskop. Er drückte einen Schalter, und an der Wand hinter dem Tisch leuchtete eine Projektionsfläche auf.

Lorran bewegte den Behälter unter dem Objektiv hin und her,

indem er vorsichtig mit dem Zeigefinger dagegenklopfte. Lange Zeit blieb das Bild leer, aber plötzlich erschien am Rand der Projektionsfläche ein blasses, kugelförmiges Gebilde. Die Mikroskopeinstellung korrigierte sich selbsttätig. Die Umrisse der Kugel wurden scharf.

»Aah …«, machte Lorran, und in seiner Stimme schwang Enttäuschung.

Das Ding sah aus wie ein Wassertropfen. Es hatte deutliche Konturen, aber in seinem Inneren war nichts zu erkennen.

»Ist es das, wonach Sie suchten, Sir?«, fragte Lorran.

»Wie ich schon sagte – ich weiß es nicht«, brummte Julian.

Er hatte eine Idee.

»Wie lange wird der Arek brauchen, bis er aufwacht?«, erkundigte er sich.

Lorran zuckte mit den Schultern. »Zwei, drei Stunden, wohl kaum länger.«

»Gut. Da wir nicht wissen, ob wir wirklich gefunden haben, wonach wir suchen, werden wir einfach warten, bis der Arek wieder zu sich kommt. Benimmt er sich normal, dann ist diese Kugel hier für seine Krankheit verantwortlich. Spielt er weiterhin verrückt – nun, dann haben wir keinen Erfolg gehabt.«

»Ausgezeichnete Idee«, stimmte Lorran zu. »Aber inzwischen …«

»Wie groß ist das Ding eigentlich?«, unterbrach ihn Julian.

Die Projektionsfläche war mit einer Skaleneinteilung versehen. Lorran las sie ab. »Dreieinhalb tausendstel Millimeter.«

»Dreieinhalb Mikron«, murmelte Julian und fügte voller Überzeugung hinzu: »Das ist verdammt klein.«

Lorran wurde plötzlich nachdenklich.

»Was ist?«, wollte Julian wissen.

»Das – das Ding«, stotterte Lorran, »muss über eine Art Ausstrahlung verfügen. Als inerter Fremdkörper allein ist es viel zu winzig, um in einem gesunden Gehirn eine nennenswerte Störung hervorzurufen.«

»O ja«, gab Julian zu. »Schließlich wissen wir, dass es kein inerter Fremdkörper ist. Es wurde von den Humdinger-Leuten auf Filchner abgesetzt.«

Lorran sah ihn misstrauisch an. »Glauben Sie das wirklich, Sir?«

Julian horchte auf. War da noch einer, der die Gefahr nicht sehen wollte?

»Ja, das glaube ich«, antwortete er mit Nachdruck. »Und wenn sich meine Ansicht als falsch herausstellen sollte, dann wird niemand glücklicher darüber sein als ich. Aber im Augenblick können wir es uns einfach nicht leisten, etwas anderes zu glauben. Verstehen Sie das?«

Lorrans Antwort bekam Julian nie zu hören. Der Mikrokom an seinem Handgelenk gab ein surrendes Geräusch von sich. Julian hob die Hand in Gesichtshöhe.

»Empfangsbereit«, sagte er. »Komm rein, Meech!«

»Ich registriere hyperenergetische Streufelder, Sir«, meldete der Robot. »Jemand ist dabei, den Hypersender in Betrieb zu nehmen.«

Julian erinnerte sich plötzlich an die Begegnung mit Pete Baerman. Pete hatte ihm gedroht. War er jetzt dabei, seine Drohung wahr zu machen?

»Auf dem schnellsten Weg zum Sendegebäude, Meech!«, befahl er. »Wir sehen uns dort. Ende.«

Lorran starrte ihn an.

»Jemand hat den Hypersender in Betrieb genommen«, erklärte Julian. »Pete drohte mir vergangene Nacht damit, dass er die nötigen Schritte unternehmen würde, um mich von Filchner zu entfernen. Ich fürchte, das war kein leeres Geschwätz. Kommen Sie!«

Lorran hielt ihn am Ärmel fest, als er sich zum Ausgang wandte.

»Aber das macht doch nichts«, rief er. »Pete wird sich höchstens lächerlich machen, das ist alles.«

Julian sah ihn scharf an.

»Sie haben regelmäßige Sendezeiten, nicht wahr? Wir müssen von der Annahme ausgehen, dass die Humdinger-Leute diese Zeiten kennen – wenn sie nicht gar in der Lage sind, die Sendung selbst zu verstehen. Nehmen Sie das als gegeben an. Was, glauben Sie, wird geschehen, wenn Pete in alle Welt hinausposaunt, dass sich hier auf Filchner ein offizieller Beauftragter der Regierung befindet, den er gerne loswerden möchte?«

Lorran wiegte den Kopf.

»Nun – die Humdinger-Leute werden vielleicht in Panik geraten und umkehren, weil sie merken, dass ihre List durchschaut ist.«

»Das ist *eine* Möglichkeit«, schnappte Julian. »Die andere ist, dass sie den Angriff beschleunigen und anstatt in neun Tagen schon in vier über Filchner auftauchen.«

Lorran wurde blass. »Sie haben recht, Sir«, keuchte er. »Ich komme sofort mit!«

Von Doc Lorrans Haus bis zum Sendegebäude waren es nur zweihundert Meter. Sie bewegten sich im Laufschritt, aber noch bevor sie den Eingang erreichten, kam etwas die Straße entlanggefegt, eine Staubwolke hinter sich herziehend und so schnell, dass seine Umrisse kaum zu erkennen waren. Vor dem Portal, das ins Innere des Gebäudes führte, verfiel es in einen etwas gemächlicheren Trab. Die Staubwolke verzog sich, und Meech Hannigan kam zum Vorschein, mit einem freundlichen Lächeln auf dem Gesicht.

»Ich habe mich beeilt, Sir, wie befohlen«, erklärte er.

Julian nickte ihm zu. Dann warf er einen Blick auf Lorran. Außer Doreen Baerman war Lorran der Einzige, der noch nichts von Meechs wahrer Natur wusste. An Lorrans Miene war deutlich zu erkennen, wie viel Mühe es dem Arzt machte, das soeben beobachtete Phänomen geistig zu verarbeiten. Meech hatte sich mit einer Geschwindigkeit bewegt, die ihm alle Kurz- und Langstreckenrekorde einbringen musste, wenn er sich je zum Wettkampf stellte.

An dem verdutzten Lorran vorbei schritt Julian durch das offene Portal. Drinnen umfing ihn das geschäftige Summen der Generatoren, die die gewaltigen Energien für die Hypersendung erzeugten. Die Sendehalle enthielt mehrere Schaltpulte, die unregelmäßig und mit weiten Zwischenräumen über den ganzen Raum verteilt waren.

An einem davon saß Pete Baerman und war mit seinen Schaltungen so beschäftigt, dass er die Eintretenden nicht bemerkte. Julian sah zu seiner Befriedigung, dass er mit der Sendung noch nicht begonnen hatte. Er ließ Meech und Lorran hinter sich zurück und schritt auf das Pult zu. Pete Baerman machte den Eindruck eines Mannes, der genau wusste, was er tat, und dabei Befriedigung empfand.

Er hörte Julian, als er bis auf drei Schritte heran war. Er drehte sich um und erstarrte mitten in der Bewegung, als er sah, wer da kam. Einer der Generatoren heulte auf, als die Schaltung, die Pete gerade hatte vornehmen wollen, nicht erfolgte.

Julian reichte an ihm vorbei und drückte den Schalter. Der Generator beruhigte sich. Pete saß mittlerweile auf der Kante des Sessels, als wartete er auf eine günstige Gelegenheit zum Ausreißen – das Gesicht eine Grimasse aus Angst und Zorn.

»Stehen Sie auf!«, befahl ihm Julian.

Pete gehorchte mechanisch.

»Sie kennen die Situation«, sagte Julian mit gefährlicher Ruhe. »Sie wussten, welchen Schaden Sie anrichten konnten, wenn Sie den Sender in Betrieb nahmen.«

Pete antwortete nicht.

»Ich hab die Nase von Ihnen voll«, sagte Julian. »Und damit wir uns von jetzt an richtig verstehen …«

Seine Faust schoss nach vorn und traf Pete am Kinn. Pete kippte nach hinten und fiel bewusstlos zu Boden.

Julian drehte sich um.

»Das war meine letzte Handlung als Privatmann«, erklärte er mit lauter Stimme. »Von jetzt an liegt die Leitung der Kolonie offiziell in meiner Hand. Sektion fünfzehn, Abschnitt einhundertundelf des Siedlungsgesetzes, falls jemand an meiner Berechtigung zweifeln sollte.«

»War das nötig?«, fragte ihn Doc Lorran auf dem Rückweg zu seinem Haus. »Jedermann weiß, dass Pete nicht der Zuverlässigste ist, sobald die Lage kritisch wird. Aber mussten Sie ihn so behandeln, Sir?«

»Wie hätten Sie ihn behandelt, Doc?«, wollte Julian wissen.

Lorran wackelte mit dem Kopf. »Nun, ich hätte ihm zugeredet …«

»Das habe ich vergangene Nacht getan«, unterbrach ihn Julian. »Es half nichts. Er hatte eine vorgefasste Meinung und hörte mir nicht einmal zu. Vielleicht könnte ich ihn im Laufe eines Monats dazu bringen, dass er mir glaubt. Aber wir haben keinen Monat Zeit. Das ist unser Problem.«

Lorran nickte zögernd. »Ja, ich verstehe«, murmelte er.

Sie schwiegen, bis sie Lorrans Haus erreichten.

Als er die Tür öffnete, sagte der Arzt: »Jetzt bin ich wirklich gespannt, was wir unter dem Mikroskop zu sehen bekommen. Ich meine, bei wirksameren Vergrößerungen, wenn nötig unter dem Elektronen-Mikroskop.«

Julian spürte, dass er es nur sagte, um überhaupt etwas zu sagen. Er war froh, dass sich eine Gelegenheit zum Wechseln des Themas ergab.

Sie betraten die Ordination. Lorran schritt hinüber zum Mikroskoptisch. Etwa zwei Meter davor blieb er stehen, als wäre er gegen eine unsichtbare Wand gerannt. Julian hörte ihn ein überraschtes Brummen ausstoßen. Er schob Lorran beiseite und trat auf den Tisch zu.

Etwas knirschte unter seiner Sohle. Vorsichtig wich er einen Schritt zurück. Der Boden war mit Glassplittern übersät. Irritiert warf er einen Blick auf das Mikroskop. Der Behälter, in dem sich die merkwürdige Kugel befunden hatte, war verschwunden. Nur noch Splitter lagen umher. Die meisten davon waren auf den Boden gefallen.

Julian wandte sich um. Sein Gesicht war bitter ernst.

»Ich möchte gerne allen, die an der Existenz einer Gefahr zweifeln, diesen Anblick hier vorführen können«, sagte er, und seine Worte fielen schwer und hart wie Hammerschläge.

Lorran war aschfahl.

Aus großen Augen, aus denen Panik und Unglaube schimmerten, starrte er Julian an.

»Das fremde Objekt muss sich mit der Wucht einer Explosion befreit haben«, stellte Julian sachlich fest. »Der Behälter war so groß, dass hunderttausend seiner Art hineingepasst hätten. Trotzdem hat es die Wände gesprengt, als wären sie aus Seidenpapier. Sehen Sie …«, er bückte sich und hob einen Splitter auf, der wenigstens sechs Meter vom Mikroskoptisch entfernt lag, »… bis *hierher* wurde das Zeug geschleudert.«

Lorran rührte sich noch immer nicht. Julian nützte die Zeit, um sich in der Ordination umzusehen. Nichts schien sich verändert zu haben, seit er den Raum vor zwanzig Minuten verlassen hatte. Die kleine, fremde Kugel hatte außer den Splittern des Behälters keine Spur zurückgelassen.

Der Arek lag immer noch reglos auf dem Operationstisch.

Julian packte Lorran an der Schulter und schüttelte ihn. »Kommen Sie zu sich«, herrschte er ihn an. »Ich brauche Ihre Hilfe.«

Lorran starrte ihn an, als wäre er eben vor ihm aus dem Nichts entstanden.

»Bevor wir etwas unternehmen«, erklärte ihm Julian, »muss ich wissen, was mit dem Arek los ist. Sie können ihn vorzeitig aus der Narkose befreien, nicht wahr?«

Lorran nickte hastig. »Ja – ja, natürlich«, stieß er hervor.

Im nächsten Augenblick lief er zu einem der Medikamentenschränke, die in der Nähe der Tür aufgestellt waren.

»Bedeutet die Prozedur ein Risiko für den Kranken?«, erkundigte sich Julian.

Lorran entnahm dem Schrank eine fertig aufgezogene Spritze.

»Nein, nein – natürlich nicht«, murmelte er.

Er gab dem Bewusstlosen eine Injektion.

»Wie lange?«, fragte Julian knapp.

»Eine Minute.«

Der Arek begann sich zu regen. Er drehte den Kopf von einer Seite zur anderen, und die Hände zuckten unruhig. Schließlich öffnete er die Augen. Eine Zeit lang wusste er offenbar nicht, wo er sich befand. Dann sah er die beiden Fremden sich über ihn beugen und wollte in die Höhe fahren. Die Anschnallgurte hielten ihn fest.

»Wer bist du?«, fragte Julian in dem Dialekt, den Loggallans Leute sprachen.

Der Arek kniff die Augen zu schmalen Schlitzen zusammen. Er sah aus wie einer, der sich krampfhaft bemüht, seine Erinnerung wiederzugewinnen.

»Nicht verstehen gut … Sprache«, antwortete er in demselben Idiom, unbeholfen und mit schwer verständlicher Aussprache. Offensichtlich kannte er nur ein paar Worte von Loggallans Dialekt.

Julian wandte sich um.

»Laufen Sie und holen Sie Kalep oder Sifter«, befahl er Lorran.

Lorran stürmte davon. Zehn Minuten später war er mit Sifter zurück. Der Lange beugte sich über den Operationstisch und sprach ruhig und freundlich auf den Arek ein. Der Arek entspannte sich und begann zu antworten. Er sprach fließend und zusammenhängend.

Sifter richtete sich schließlich auf. Er wirkte ratlos.

»Er behauptet, er wüsste nicht, wie er hierherkäme. Er weiß nicht, wer wir sind, und glaubt an irgendeinen mächtigen Zauber, der ihn hierher verschleppt hat. Bitte, Sir, ich verstehe …«

Julian winkte ab. Sifter schwieg sofort.

»Lorran – ich möchte, dass Sie ab sofort von jedem Bewohner der Siedlung in Abständen von sechs Stunden ein Enzephalogramm anfertigen. Schließen Sie mich ein. Wir sind insgesamt sechs Leute. Sie nehmen sich also pro Stunde einen vor. Und zeigen Sie mir, wie das Gerät bedient wird, sodass ich *Sie* verarzten kann.«

»Ich …, ich begreife nicht«, stotterte Lorran.

»Der Arek ist völlig gesund«, fuhr Julian ihn an. »Die kleine Kugel, die wir unter dem Mikroskop sahen, ist der Erreger. Jetzt, in diesem Augenblick, bewegt er sich irgendwo frei herum. Jede Sekunde kann einer von uns befallen werden. Begreifen Sie jetzt?«

Julian ging nach Hause und gönnte sich eine halbe Stunde Nachdenken, um mit sich selbst ins reine zu kommen. Die Dinge entwickelten sich schneller, als er erwartet hatte. Er musste aufpassen, dass er den Anschluss nicht verlor.

Zunächst verfasste er einen kurzen Kodebericht, den Meech mithilfe des großen Hypersenders auf einer besonders vereinbarten Frequenz an die Flotte übermitteln würde.

Während Meech mit der Botschaft unterwegs war, unternahm Julian einen wenig erfolgreichen Versuch, sich in die Lage des unbekannten Gegners zu versetzen und die Logik, die sich hinter seiner Vorgehensweise verbarg, zu enträtseln. Eines schien sicher. Es kam den Humdinger-Wesen darauf an, die Bewohner von Filchner zu paralysieren, bevor der eigentliche Angriff erfolgte. Dazu bedienten sie sich mikroskopisch kleiner, kugelförmiger Gebilde, die in der Lage waren, Denk- und Verhaltensweise eines intelligenten Wesens völlig umzustülpen – nachdem sie sich im Gehirn des Wesens niedergelassen hatten.

Es war anzunehmen, dass die Humdinger-Leute über Filchner Bescheid wussten. Es musste ihnen klar sein, dass es hier zwei verschiedene Rassen gab – die Areks und die Terraner – und dass die Terraner diejenigen waren, von denen sie Widerstand zu erwarten hatten. Die logische Vorgehensweise wäre also gewesen, die fünf Siedler mit den merkwürdigen Mikrokugeln zu infizieren.

Stattdessen gab es bis jetzt nur kranke Areks. Er selbst hatte drei gesehen, aber der Himmel mochte wissen, wie viel mehr sich auf dem Marsch nach Rivertown befanden. Es schien einfach so zu sein, dass die Humdinger-Wesen die Kugeln nicht ausreichend genau zu steuern verstanden, als dass sie ein bestimmtes Ziel damit hätten treffen können. Sie verstreuten die Mikrogebilde wahllos über Filchner. Weitaus die meisten landeten harmlos in unbesiedeltem Gelände. Aber ein paar fanden ein Arek-Gehirn, in dem sie mit ihrer zerstörerischen Tätigkeit beginnen konnten. Die Wahrscheinlichkeit, dass eine der Kugeln direkt auf einem der wenigen Siedler landete, war denkbar gering.

Es schienen also statistische Erwägungen zu sein, die die Vorgehensweise des Gegners in diesem Stadium bestimmten. Julian war so gut wie überzeugt, dass die Humdinger-Leute die Reaktion der Areks auf die kugelförmigen Mikroorganismen nicht hatten vorausberechnen können. Der Arek-Verstand reagierte auf die Beeinflussung durch den Fremdkörper so heftig, dass eine akute Geistesstörung eintrat. Diejenigen Areks, in deren Schädel sich eine Mikrokugel eingenistet hatte, waren also leicht zu erkennen – und die unheimliche Waffe, die der Feind gegen Filchner einsetzte, verlor dadurch den größten Teil ihrer Schlagkraft.

Mit wachsender Zuversicht machte Julian sich klar, dass er weiter nichts zu tun brauchte, als die Grenzen der Siedlung dauernd unter Beobachtung zu halten, um die Gefahr der Infizierung der Siedler auszuschalten. Diejenigen Areks, die sich unter dem Einfluss eines fremden Willens auf den Weg nach Rivertown gemacht hatten, würden an den Grenzen der Stadt zurückgewiesen werden.

Das war alles.

Julian war so erfreut von dem Resultat seiner Überlegungen,

dass er sich einen Drink genehmigte. Er mixte ihn mit viel Sorgfalt und hatte das Glas kaum geleert, als Meech von der Sendestation zurückkehrte. Auf seinem Gesicht aus semibiologischer Plastik lag ein Ausdruck ernster Besorgnis. Meech Hannigan war der vollkommenste Roboter seiner Zeit. Er besaß Gesichtsmuskeln, mit denen er jede Grimasse zu schneiden und jede Miene aufzusetzen vermochte.

Julian sah ihm misstrauisch entgegen, das leere Glas immer noch in der Hand.

»Was gibt's?«, fragte er knapp.

»Der Spruch wurde befehlsgemäß aufgegeben, Sir«, antwortete Meech. »Bestätigung des Empfangs erfolgte sofort.«

»Na und? Das ist kein Grund, ein griesgrämiges Gesicht zu machen!«

»Nein, Sir«, bestätigte Meech.

Julian war verblüfft. »Na – was denn sonst?«

»Sir«, sagte Meech, »etwa dreitausend verrückte Areks befinden sich im Anmarsch auf Rivertown. Sie sind noch rund fünfzehn Kilometer entfernt.«

7.

Das war's, dachte Julian.

Die Besessenen mochten leicht zu erkennen sein, aber wenn sie in zu großen Zahlen anrückten, dann half auch das nichts mehr.

»Woher weißt du das?«, fragte er den Robot.

»Sifter war mit seiner Maschine unterwegs«, antwortete Meech. »Er kehrte sofort um, als er die Areks sah.«

»Haben sie sich organisiert, oder kommen sie ungeordnet?«

»Sie bilden eine Art Marschkolonne. Sifter sagt, sie singen unaufhörlich. Daran merkte er, dass sie verrückt waren.«

»Gut. Wo steckt Sifter jetzt?«

»Er ist wieder unterwegs. Er meinte, dass hinter den Dreitausend noch mehr kommen könnten und wollte sich ein wenig umsehen.«

Julian lächelte vor sich hin. Wenn Sifter noch hier gewesen wäre, hätte er ihm eben diesen Auftrag gegeben.

Die Areks mussten aufgehalten werden. Auf keinen Fall durften sie in die Stadt gelangen. Julian wusste, dass es in Rivertown Vorrichtungen zur Erstellung eines Schirmfelds gab, das die Siedlung wie eine Glocke bedeckte. Aber er brauchte Hilfe, um sie zu bedienen.

Er wandte sich an den Robot. »Finde Lorran und Kalep und bringe sie auf dem schnellsten Weg hierher!«

Meech schoss davon. Julian war sich darüber im Klaren, dass die Errichtung eines Schirmfelds keine dauernde Lösung des Problems bedeutete. Die Areks würden sich rings um das Feld herum niederlassen. Der Schirm musste von Zeit zu Zeit geöffnet werden, denn die Siedlung war auf die Verbindung mit der Außenwelt angewiesen. Jedes Mal, wenn das Feld abgeschaltet wurde, würden ein paar Areks in die Stadt eindringen. Zusätzliche Sicherheitsmaßnahmen mussten also innerhalb der Siedlung getroffen werden. Um sie so wirksam wie möglich zu gestalten, musste ermittelt werden, wie die Mikrokugeln sich von einem Gehirn zum anderen übertrugen.

Julian stand plötzlich der Schweiß auf der Stirn. Vor ein paar Minuten noch hatte er geglaubt, fast alle Probleme gelöst zu haben. Jetzt auf einmal schien es, als gäbe es mehr Fragen, als eine Kompanie von Experten in einem Jahr beantworten konnte. Er hatte keine Kompanie von Experten, und anstelle eines Jahres standen ihm nur noch neuneinhalb Filchner-Tage zur Verfügung.

Meech kehrte mit Kalep und Doc Lorran zurück. Lorran wirkte unsicher und ein wenig eingeschüchtert. Er sah aus, als entwickelten sich die Dinge viel zu rasch für ihn.

Julian berichtete von Sifters Beobachtung. Kalep wusste schon Bescheid, aber Lorran war wie vor den Kopf geschlagen.

»Wir werden einstweilen einen Schutzschirm rings um die Siedlung errichten«, erklärte Julian. »Ich weiß, dass es die nötigen Vorrichtungen gibt, aber ich brauche Ihre Hilfe. Sobald der Schirm steht, werden wir uns andere Mittel einfallen lassen müssen. Ich möchte, dass jeder sein Gehirn anstrengt und mir jeden Plan mitteilt, den er für durchführbar und wirkungsvoll hält. Der Augenblick ist gekommen, in dem einer alleine nicht mehr viel ausrichten kann.«

Lorran hatte Fragen, aber Julian schnitt ihm das Wort ab. Sie hatten keine Zeit zu verlieren. Die Arek-Kolonne bewegte sich mit erstaunlicher Geschwindigkeit. Meech hatte einen Gleitwagen organisiert. Mit halsbrecherischer Geschwindigkeit fuhren sie zu einer kleinen, aber soliden Baracke dicht neben dem Sendegebäude. Hier war Kalep der Fachmann. Mit hastigen Worten erklärte er die Funktionen der einzelnen Aggregate, die im Innern des kleinen Gebäudes untergebracht waren.

Dann schaltete er den Schirmfeldprojektor ein und wartete, bis er sich aufgewärmt hatte und genügend Leistung aus dem Kraftwerk bezog. Mit einem Ruck legte er den großen Hauptbebel um. Der Projektor war seit seiner Installation nie benutzt worden, aber man hatte ihn vorsichtshalber so justiert, dass er ein halbkugeliges Feld von einem Kilometer Durchmesser und fünfhundert Metern Höhe erzeugte, das die Siedlung von allen Seiten umgab.

Ein helles Summen ging von dem gedrungenen Gerät aus. Kalep wandte sich um und machte ein Gesicht, als hätte er soeben eine historische Tat begangen.

»Schirmfeld liegt an, Sir«, meldete er militärisch exakt.

Julian zwang sich zu einem Lächeln. »Danke, Joe. Das verschafft uns eine Atempause.«

»Jawohl, Sir«, antwortete Kalep mit seiner hohen Stimme, »aber jetzt ist natürlich Sifter mit der Maschine draußen und hat keine Ahnung, dass das Feld steht. Wenn er zurückkommt, dann ...«

Julian winkte ab.

»Meech, du kümmerst dich darum«, wies er den Robot an. »Sifter erhält über Hyperfunk alle notwendigen Anweisungen. Wenn er zurückkehrt, wird das Feld eine Zeit lang ausgeblendet.«

Lorran hatte sich bis jetzt im Hintergrund gehalten. Als Julian sich an ihn wandte, zuckte er zusammen.

»Doktor, Sie haben eine neue Aufgabe. Wir müssen ein paar Areks gefangen nehmen und die Mikrokugeln aus ihrem Gehirn entfernen. Wir müssen erfahren, was es mit den Kugeln auf sich hat und wie sie sich übertragen. Erst wenn wir das wissen, lassen sich wirkungsvolle Abwehrmaßnahmen treffen.«

Lorran nickte.

»Heißt das, dass das regelmäßige Anfertigen der Enzephalogramme im Augenblick nicht mehr so vordringlich ist?«, erkundigte er sich.

»Auf gar keinen Fall«, antwortete Julian schärfer, als er beabsichtigt hatte. »*Alle* unsere Vorsichtsmaßnahmen sind umsonst, wenn es dem einen Mikrogebilde, das sich im Augenblick im Innern der Siedlung befindet, gelingt, sich in eines unserer Gehirne einzunisten. Die Untersuchungen müssen unbedingt fortgeführt werden.«

»Dann möchte ich mich sofort entfernen«, erwiderte Lorran. »Als Sergeant Hannigan mich rief, hatte ich gerade Doreen Baerman unter der Haube.«

Er wandte sich um und eilte hinaus, noch bevor Julian seine Zustimmung geben konnte.

Kalep sah ihm nach und lachte ärgerlich. »Da geht er hin. Meine Maschinen haben ihm noch nie besonders gefallen.«

Julian ging nicht darauf ein. Meech war es inzwischen gelungen, mit Sifter Verbindung aufzunehmen. Zu der umfangreichen Innenausstattung des Roboters gehörte ein Mikrokom. Die Unterhaltung war unhörbar, da Meech die Modulation der Hyperwellen auf nicht-akustischem Wege besorgte und Sifters Antworten auf ähnliche Art verarbeitete.

»Die Maschine befindet sich im Augenblick einhundertfünfzig Kilometer südwestlich von Rivertown, Sir«, berichtete der Robot, nachdem die Sendung abgeschlossen war. »Weitere Arek-Trupps sind im Anmarsch auf die Siedlung, insgesamt etwa zehntausend Eingeborene. Sifter wird vor seiner Rückkehr frühzeitig signalisieren, sodass das Schirmfeld aufgehoben werden kann.«

Julian fühlte Erleichterung in sich aufsteigen. Wenigstens für den Augenblick schien die Gefahr gebannt. Sifter würde noch ein paar Stunden lang draußen bleiben und die Umgebung von Rivertown beobachten. Bis er zurückkehrte, musste die zweite Phase des Abwehrplans ausgearbeitet sein.

Joe Kalep blieb in der kleinen Baracke zurück, um den Projektor zu überwachen. Julian händigte ihm ein Armband-Funkgerät aus, sodass er jederzeit mit ihm in Verbindung treten konnte. Dann fuhr er mit Meech zusammen nach Hause.

Die zwei Minuten Fahrt genügten ihm, um einen Plan wenigstens in groben Umrissen zu entwerfen. Die Siedlung besaß einen Vorrat an Nervengas, der zur Standardausrüstung jeder terranischen Siedlergruppe gehörte und eine wirksame Waffe für den Fall darstellte, dass die Eingeborenen des zur Besiedlung freigegebenen Planeten nicht so friedfertig waren, wie die Leute des Experimentalkommandos vorausgesagt hatten.

Meech erhielt den Auftrag, die Nervengasbehälter in der Nähe des Schirmfeldrands zu postieren und Gasmasken an die Siedler auszuteilen. Sollten in dem Augenblick, in dem wegen Sifters Rückkehr das Schirmfeld ein paar Augenblicke lang ausgeschaltet wurde, eine Handvoll Areks in die Siedlung eindringen, würde man ihrer mithilfe des Gases schnell Herr werden.

Meech machte sich sofort an die Ausführung des Auftrags. Julian hatte das Haus noch nicht betreten, da raste der Robot schon wieder die staubige Straße entlang – auf dem Weg zum Lagerhaus am östlichen Ende der Siedlung.

Julian ging ins Haus und traf einige Vorbereitungen, die er für notwendig hielt. Er vergewisserte sich, dass die Handwaffe, die er ständig bei sich trug, voll geladen war. Er überprüfte seinen Mikrokom und das kleine UKW-Funkgerät, dessen Gegenstück er Joe Kalep gegeben hatte. Einer plötzlichen Eingebung folgend, nahm er eine stecknadelkopfgroße Mikrokapsel mit Antimnesin-D an sich. Er schob die Kapsel in den Mund und passte sie in eine Lücke zwischen zwei Backenzähnen, wo er sie bei Bedarf mit der Zunge wieder hervorholen und zerbeißen konnte. Gab die Kapsel ihren Inhalt frei, begann das Medikament sofort zu wirken.

Antimnesin-D erzeugte sofortige Bewusstlosigkeit, zusammen mit einem zeitweiligen Verlust der Erinnerung. Die Bewusstlosigkeit hielt eine Stunde lang an, die Amnesie ebbte erst im Laufe einiger Tage allmählich ab, falls kein Gegenmittel gegeben wurde.

Julian war überzeugt, dass er die Kapsel brauchen würde, wenn es den verrückten Areks wider Erwarten doch gelingen sollte, in die Siedlung einzudringen. Sein Bewusstseinsinhalt durfte dem Gegner auf keinen Fall bekannt werden.

Er erinnerte sich, dass er eine Verabredung mit Doc Lorran hatte, und machte sich auf den Weg, ohne auf Meechs Rückkehr zu warten. Er war so in Gedanken versunken, dass er Doreen Baerman nicht bemerkte, die am Rand der Straße stand und ihm entgegensah.

Als er vorübergehen wollte, rief sie ihn an. »Hallo, Marschall – so bedrückt?«

Er sah auf. Doreen lächelte ihr freundlichstes Lächeln und kam auf ihn zu.

Julian war verwirrt. »Nein, nur nachdenklich«, antwortete er hastig.

»Das glaube ich«, lachte Doreen. »Auf Ihren Schultern liegt die ganze Verantwortung.«

Als ob du dir was daraus machst, dachte Julian grimmig.

»Was macht Pete?«, fragte er, um das Thema zu wechseln.

Doreen machte eine wegwerfende Handbewegung. »Sitzt zu Hause und schmollt. Sie haben ihm ganz schön eine gepflastert.«

Julian schluckte. Er hatte ein wenig mehr Mitgefühl erwartet.

»Es war nicht ernst gemeint«, brummte er und schüttelte den Kopf. »Aber in dem Augenblick, in dem er sie bekam, verdiente er die Lektion. Er hätte unseren Plan im Handumdrehen auf den Kopf gestellt.« Er sah Doreen bittend an. »Wenn Sie nach Hause kommen, machen Sie ihm bitte klar, dass ich so handeln musste. Ich trage ihm nichts nach, und wenn er genau darüber nachdenkt, dann hat er auch keinen Grund, mir etwas übel zu nehmen. Wir brauchen jeden Mann. Je eher er zu sich selbst zurückfindet, desto besser für uns.«

Doreen lachte spöttisch. »Schön, ich werd's ihm ausrichten. Aber glauben Sie nicht, dass es Zweck hat. Pete ändert sich nie.«

Sie wandte sich ab und ging mit wiegenden Schritten die Straße hinunter. Julian sah ihr eine Zeit lang nach und ärgerte sich, als sie sich plötzlich umdrehte und ihn dabei erwischte.

In Gedanken war er immer noch bei ihr, als er Lorrans Haus betrat. Lorran wirkte müde und erschöpft. Die Ereignisse der letzten Tage schienen ihm an die Nerven zu gehen. Für Krisensituationen war er nicht geschaffen.

Er schien überrascht, Julian zu sehen.

»Sie sollten ein Enzephalogramm von mir anfertigen, erinnern Sie sich?«, sagte Julian.

»Ah – richtig!«, rief Lorran und lief davon, um seine Geräte betriebsfertig zu machen.

»Wen haben Sie bisher untersucht?«, erkundigte sich Julian.

»Doreen«, antwortete der Arzt. »Es ist erst zwei Stunden her, seit Sie mir den Auftrag gaben.«

»Richtig. Doreen war in Ordnung?«

»Ja. Wie erwartet.«

»Wieso erwartet?«, fragte Julian.

Lorran warf ihm einen überraschten Blick zu. »Sie sind Doreen auf der Straße begegnet. Haben Sie irgendetwas Unnatürliches an ihr wahrgenommen?«

»Nein. Wer sagt, dass man ihr etwas anmerken muss?«

»Ich. Erinnern Sie sich an den Arek …«

Julian unterbrach ihn.

»Sie übersehen etwas, Doktor. Doreen ist kein Arek-Mädchen. Die innere Struktur eines Arek-Gehirns ist anders als die eines menschlichen. Wenn wir sichergehen wollen, dann müssen wir annehmen, dass die Mikrokugel in einem Arek-Gehirn ganz andere Reaktionen hervorruft als in unserem.«

Lorran nickte zerstreut.

»Ja – da haben Sie ganz recht«, gab er zu. »Das habe ich völlig übersehen.«

»Sie haben trotzdem ein Enzephalogramm von Doreen Baerman angefertigt?«, erkundigte sich Julian.

Lorran wurde rot. Einen Augenblick lang sah er aus, als wollte er aufbrausen. Und aus irgendeinem Grund wünschte sich Julian, er hätte es getan. Aber schließlich beugte er sich wieder über seine Geräte und murmelte:

»Selbstverständlich. Ich weiß, was auf dem Spiel steht und lasse mir keine Pflichtverletzung zuschulden kommen. Der Messstreifen liegt drüben auf dem Tisch, falls Sie sich ihn ansehen wollen.«

Julian sah ihn sich an. Er wusste, dass er sich Lorran damit zum Feind machte. Der Arzt mochte wenig Rückgrat haben, aber Julians Misstrauen hatte ihn gekränkt.

Doreens Enzephalogramm war völlig normal. Nicht die Spur einer fremden Beeinflussung war zu erkennen.

»Ich frage mich, wo das Ding geblieben ist«, sagte er mehr zu sich selbst, nachdem er den Streifen zur Seite gelegt hatte.

Lorran war mit seinen Instrumenten fertig. »Welches Ding, Sir?«, erkundigte er sich.

»Die Mikrokugel.«

»Nun, es gibt ein paar Tausend Wege, auf denen sie sich aus dem Haus entfernen konnte.«

»Zugegeben. Aber ihre Aufgabe ist, sich in einem unserer Gehirne einzunisten, nicht wahr? Warum hat sie es nicht versucht, als der kranke Arek hier auf dem Tisch lag und wir uns beide über ihn beugten?«

Lorran zuckte mit den Schultern, als hielte er das Problem nicht für besonders wichtig.

»Der Himmel mag's wissen«, antwortete er. »Der Übergang von einem Gehirn ins andere erfordert vielleicht einen bestimmten Mechanismus – eine Berührung der beiden Körper oder so was. Ich habe den Arek nur mit den Fingerspitzen angefasst, und die Finger steckten in Gummihandschuhen.«

»Das schon. Aber Sifter hatte keine Gummihandschuhe – und er hatte den Kerl dauernd um sich, seitdem er ihn von der Algier-Ebene auflas.«

Lorran gab keine Antwort. Erst nach einer Weile fragte er: »Fertig zur Untersuchung, Sir?«

Julian ließ sich die Haube aufsetzen. Während Lorran sein Enzephalogramm aufnahm, dachte er über die Frage nach, die er selbst aufgeworfen hatte. Wenn die Humdinger-Wesen die kleinen Kugeln losgeschickt hatten, damit sie sich in den Gehirnen der Siedler niederließen und ihnen einen fremden Willen aufzwangen, warum hatte sich die Kugel im Gehirn des kranken Arek die Möglichkeit entgehen lassen, zu Darrel Sifter überzusiedeln?

Ein Fehler in der Programmierung? Oder behinderte der Zustand der Geistesgestörtheit, mit dem das Arek-Gehirn auf den fremden Zwang reagiert hatte, die Bewegung der Mikrokugel?

Fragen über Fragen – und nicht die Spur einer Antwort. Von Sekunde zu Sekunde wurde Julian klarer, dass sie noch ein großes Pensum zu lernen hatten, bevor sie auch nur hoffen konnten, Filchner gegen alle Gefahren zu schützen.

»Fertig, Sir«, sagte Lorran plötzlich. »Alles in Ordnung.«

Er reichte Julian den Messstreifen. Die übliche Zackenlinie war darauf zu sehen. Julian fuhr sich mit der Hand über die Stirn und lächelte erleichtert.

»Scheint noch alles beim Alten zu sein hier oben«, meinte er leichthin.

Lorran lachte pflichtschuldig.

»Wer ist als Nächster dran?«, erkundigte sich Julian.

»Pete Baerman, Sir.«

»Gut. Reden Sie ihm zu. Bringen Sie ihn wieder auf die Beine. Ich habe Doreen schon darum gebeten, aber anscheinend hält sie nicht viel davon.«

»Ich werde mein Bestes tun, Sir«, antwortete Lorran.

Julian ging. Er schritt langsam die Straße hinunter. Es war noch heißer geworden, und vom Fluss her zog ein stickiger, fauler Geruch in die Siedlung. Julian achtete nicht darauf. Er war in Gedanken versunken.

Meech war inzwischen zurückgekehrt. Die Behälter mit Nervengas, insgesamt ein Dutzend, waren an strategisch wichtigen Punkten aufgestellt worden. Der Öffnungsmechanismus konnte mithilfe eines Ultrakurzwellensenders im Notfall fernbetätigt werden. Gasmasken waren an die Siedler verteilt worden. Eine davon lag auf dem Landefeld in der Nähe der Stelle, an der Sifter gewöhnlich aufsetzte.

Meech hatte Pete Baerman nicht zu Gesicht bekommen. Doreen hatte ihm die Maske abgenommen.

Darrel Sifter kreiste nach wie vor draußen herum und hatte inzwischen keine weiteren Arek-Kolonnen ausmachen können. Er war über das Gebiet Loggallans, Hellimans und Tiggurrans hinweggeflogen und hatte dort alles normal gefunden. Der Marschrichtung der Kolonnen nach zu urteilen, waren sie aus dem tiefen Süden gekommen und hatten die Länder der drei Stämme umgangen.

Joe Kalep bewachte weiterhin den Feldschirmprojektor. Er hatte sich von Meech etwas zu essen und trinken bringen lassen.

Im Augenblick schien alles ruhig. Julian empfand Hunger. Seit seinem ersten Imbiss waren vier Stunden verstrichen. Der Tag schien stillzustehen. Die Straße, die Häuser, der Himmel – alles schien ständig gleich auszusehen. Die Sonne bewegte sich kaum. Das Verstreichen der Zeit drang nicht ins Bewusstsein. Nur der Magen war von Filchners langsamer Rotation nicht beeindruckt.

Meech bereitete ein reichhaltiges zweites Frühstück. Julian aß, was er konnte. Er wusste nicht, wann sich wieder Gelegenheit zum Essen bieten würde.

Als er sich gesättigt und befriedigt zurücklehnte, um langsam und mit Genuss eine Zigarette zu rauchen, wurde die Tür aufgerissen.

Lorran stolperte herein, aschfahl im Gesicht und völlig außer Fassung.

»Pete Baerman ist spurlos verschwunden«, stieß er hervor.

Er hatte sich nicht sang- und klanglos davongemacht, sondern eine Nachricht hinterlassen. Lorran hatte sie mitgebracht.

Sie hieß: »Sucht nicht nach mir! Ich gehe, um zu tun, was um unser aller willen getan werden muss!«

Julian sah Lorran scharf an. »Wissen Sie, was er damit meint?«

Der Arzt schüttelte den Kopf.

»Nein«, stieß er hervor. »Keine Ahnung.«

Aus irgendeinem Grund glaubte Julian nicht, dass er die Wahrheit sagte. Aber er hatte keine Zeit, sich darum zu kümmern. Es war kaum abzusehen, wie viel Unheil Baerman anrichten konnte, wenn er es wirklich darauf abgesehen hatte.

Meech erhielt den Auftrag, nach dem Verschwundenen zu suchen. In solchen Dingen war der Robot geschickter und erfolgreicher als eine ganze Polizeikompanie. Er verband große Beweglichkeit mit einem auf den Regeln der Logik gegründeten Spürsinn. Es war nur eine Frage der Zeit, wann er Baerman einfing – zumal Baerman die Siedlung wegen des geschlossenen Schirmfelds nicht verlassen konnte.

Das Problem war, dass selbst die kürzeste Zeitspanne Baerman genügen mochte, schweren Schaden anzurichten.

Lorran schien erleichtert, als er sah, dass er sein Anliegen richtig an den Mann gebracht hatte.

»Damit fällt einer meiner Patienten aus«, sagte er mit einem mageren Lächeln auf dem immer noch blassen Gesicht. »Kalep ist unabkömmlich, Sifter ist draußen. Was soll …«

»Bleiben immer noch Sie selbst«, unterbrach ihn Julian. »Sie wollten mir erklären, wie der Enzephalograf funktioniert, damit ich Sie untersuchen kann.«

Lorran war einverstanden, obwohl ihm der Gedanke nicht zu behagen schien. Sie gingen nebeneinander die Straße hinauf, ohne ein Wort zu sprechen. Lorran schien seinen eigenen Gedanken nachzuhängen, und Julian wartete ungeduldig darauf, dass Meech irgendwo auftauchte und ihm mitteilte, er hätte Pete Baerman gefunden.

Aber der Robot war nirgendwo zu sehen. Pete Baerman erwies sich als geschickter, als man von ihm erwartet hatte.

Lorran weihte Julian in die Geheimnisse des Enzephalografen ein. Dann setzte er sich selbst die Haube auf. Das Enzephalogramm, das Julian aufnahm, war einwandfrei. Lorran war noch immer Herr seines eigenen Verstands. Die Mikrokugel – wo auch immer sie sich herumtreiben mochte – hatte kein weiteres Opfer gefunden.

Vorsichtshalber unterzog Julian auch den Arek, den Lorran in einem seiner Privaträume untergebracht hatte, einer Untersuchung. Das Muster, das der Enzephalograf aufzeichnete, entsprach dem Grundmuster. Der Arek war geistig gesund – auch wenn er sich während der Untersuchung gebärdete, als sollte er aufgespießt werden. Lorran brachte ihn zurück in sein Quartier, wo er sich nach einer Weile beruhigte.

Währenddessen setzte sich Julian auf dem Funkweg mit Meech in Verbindung und erfuhr, dass die Suche nach Pete Baerman noch keinen Erfolg gezeitigt hatte. Pete musste irgendwo ein Versteck kennen, das so gut wie unauffindbar war, oder er hielt sich an einem Platz auf, an dem er nach allen Regeln der Logik nicht hätte sein dürfen. Nur auf diese Weise konnte Meech an der Nase herumgeführt werden.

Lorran kam zurück.

»Wir machen jetzt einen kleinen Spaziergang«, erklärte ihm Julian. »Erinnern Sie sich? Ich sprach von einer neuen Aufgabe.«

Lorran erinnerte sich.

Es schien ihm keinen Spaß zu machen.

»Wie wollen Sie ein paar Areks fangen«, fragte er, »ohne dass dabei die anderen ebenfalls in die Siedlung eindringen?«

Julian lächelte.

»Schnelligkeit, das ist alles. Kommen Sie, ich zeig's Ihnen. Nehmen Sie einen kleinen Vorrat an Betäubungsspritzen mit.«

Lorran packte die Spritzen ein, dann machten sie sich auf den Weg. Die Siedlung lag wie ausgestorben. Julian ertappte sich dabei, wie er nach allen Seiten Ausschau hielt – in der schwachen Hoffnung, Pete Baerman durch Zufall zu finden, nachdem Meechs Systematik bisher nichts eingebracht hatte.

Plötzlich fragte Lorran: »Haben Sie inzwischen irgendeine Vorstellung davon, was der merkwürdige Nebel darstellt?«

Julian schüttelte zögernd den Kopf.

»Nein, nicht die geringste. Ich weiß nur, dass der Nebel in den Angriffsplänen der Humdinger-Wesen eine Rolle spielt, mehr nicht.«

»Hm«, brummte Lorran, und nach einer Weile fügte er hinzu: »Mir kam gerade der Gedanke, es könnte sich vielleicht um Millionen oder Milliarden der Mikrokugeln handeln, die da auf uns zuschweben.«

Julian hatte ein paar Stunden zuvor den gleichen Verdacht gehabt und ihn verworfen. Er erklärte dem Arzt: »Zugegeben – wir wissen nicht, was die Mikrokugeln eigentlich sind. Aber da einige tausend davon hierhergelangten, ohne dass wir ihre Annäherung bemerkten, ergäbe es keinen Sinn, dass der Gegner ein paar Millionen davon auf so engem Raum zusammenpfercht, dass man sie über Lichtjahre hinweg sehen kann.«

Lorran antwortete nicht.

Nach einer kurzen Pause fuhr Julian fort: »Außerdem konnte im Inneren des Nebels keinerlei Materie festgestellt werden. Alles, was unsere Instrumente sahen, war ein energetisches Feld von merkwürdiger Struktur.«

»Aber was, zum Teufel, verbirgt sich dann hinter dem Nebel?«, brach es aus Lorran hervor.

»Ihre Vermutung ist so gut wie meine, Doc. Auf jeden Fall müssen wir darauf gefasst sein, dass das Theater losgeht, sobald der Nebel uns erreicht.«

Sie waren inzwischen um das Sendegebäude herumgebogen und standen im grotesken Gewirr der Schattenlinien, die die große Hyperantenne warf. Etwa zweihundert Meter zur rechten Hand stand die Baracke, in der Joe Kalep den Feldprojektor bewachte. Zur Linken schob sich ein langer, flacher Anbau des Sendegebäudes in nördlicher Richtung. Der Anbau war fensterlos, aber an seinem nördlichen Ende gab es eine Anzahl von Eingängen mit schweren Metalltüren. Das langgestreckte Bauwerk beherbergte den Teil des Kraftwerks, der zur Energieversorgung des Senders gebraucht wurde. In der stillen, heißen Luft war das leise Summen der schweren Fusionsgeneratoren deutlich zu hören.

»Das Schirmfeld stößt dort vorn irgendwo gegen den Boden«, erklärte Julian. »Joe Kalep behauptet, die Stelle läge nicht mehr als zehn Meter vom Ende des Anbaus entfernt.«

»Das ist richtig«, bestätigte Lorran. »Mit fünf Kilometern Durchmesser muss das Feld sehr genau zentriert werden, um die ganze Siedlung zu bedecken. Der Anbau ist einer der kritischen Punkte. Ein anderer sind die leer stehenden Häuser am Westende der Stadt – obwohl wir die natürlich außerhalb des Schirms lassen könnten.«

»Es trifft sich gerade so«, bemerkte Julian mit einem vergnügten Grinsen, »dass das vorzüglich in unsere Pläne passt.«

»Ich glaube, ich verstehe, Sir. Sie wollen …«

Julian packte ihn an der Schulter. Lorran schwieg sofort.

»Hören Sie!«, zischte Julian.

Ein neues Geräusch schwang in der Luft. Es klang wie das Heulen einer weit entfernten Sirene, unregelmäßig an- und abschwellend und die Tonlage wechselnd. Julian konnte nicht feststellen, aus welcher Richtung es kam, auf jeden Fall aber lag sein Ursprung jenseits des Feldschirms.

»Kommen Sie«, sagte Julian.

Sie liefen am Rand des Anbaus entlang, bis sie das nördliche Ende erreichten. Julian befahl Lorran, sich in einer der Türnischen zu verbergen.

Vorsichtig ging er ein paar Schritte weiter und spähte am Ende des Anbaus vorbei nach Westen. Seine Vermutung hatte ihn nicht getrogen. Eine unübersehbare Kolonne von Areks näherte sich dem Rand der Siedlung. Sie bewegten sich ziemlich schnell und zogen sich auseinander, je näher sie der Stadt kamen. Anscheinend beabsichtigten sie, von allen Seiten zugleich einzudringen. Auch das passte in Julians Plan.

Während sie hüpften und sprangen, sangen sie vor sich hin. Es war ein stumpfsinniger, einfallsloser Gesang. Für den, der nicht genau hinhörte, klang er wie das Heulen einer Sirene.

Julian zwängte sich neben Lorran in die Nische.

»Noch zehn oder fünfzehn Minuten, dann sind sie hier«, sagte er ruhig.

Er nahm einen kleinen Stein vom Boden auf und warf ihn fort. Etwa acht Meter entfernt, dicht neben der Kante, mit der der Anbau abschloss, prallte er gegen ein unsichtbares Hindernis und fiel zu Boden. Das Schirmfeld hatte ihn aufgehalten. Das Feld war selektiv. Es übertrug akustische Schwingungen, indem seine Oberfläche die von draußen kommenden Schallwellen wie eine Membran aufnahm und sie an die Luft im Innern des Schirms weitergab. Es war durchlässig für das ultrarote, sichtbare und ultraviolette Spektrum der elektromagnetischen Wellen. Aber es war undurchdringbar für alle Arten von Materie, bis herab zu einzelnen Atomkernen, für lang- und kurzwellige elektromagnetische Strahlung und für den größten Teil des Hyperwellenspektrums.

»Wie haben Sie sich das Unternehmen im einzelnen vorgestellt?«, erkundigte sich Lorran. Er war nervös. Seine Stimme flatterte.

»Wir verlassen uns auf den Augenblick«, antwortete Julian leise. »Sie kreisen die Stadt von allen Seiten ein und werden dabei auf den Feldschirm stoßen. Wahrscheinlich lassen sie sich am Rand des Schirms nieder, ein paar von ihnen gewiss in unserer Nähe. Sobald sich ein günstiger Augenblick ergibt, erhält Kalep das Signal zum Abschalten des Schirms. Die Areks werden in den ersten Sekunden nichts davon bemerken. In dieser Zeit schnappe ich mir einen oder zwei von ihnen. Ich bringe sie hierher, und sie verabreichen ihnen eine Spritze. Klar?«

Lorran seufzte erleichtert.

»Gut. Ich dachte schon, Sie hätten mir eine tragende Rolle zugedacht.« Dann, als täte es ihm leid um die Bemerkung, die er soeben gemacht hatte, fügte er rasch hinzu: »Wissen Sie, ich bin nicht in Wirklichkeit feige. Es war eben so lange ruhig um mich herum, dass ich …«

Julian unterbrach ihn mit einer Handbewegung.

»Schon gut«, flüsterte er ihm zu. »Jetzt Mund halten! Sie kommen!«

Der heulende Gesang war jetzt ganz nahe. Das Rascheln von Schritten im Gras jenseits des Schirmfeldes war zu hören. Vor der Kante des Anbaus wurde ein schlanker Schatten sichtbar.

Dann trat der erste Arek ins Blickfeld.

Julian musterte ihn. Der Arek war spärlich bekleidet. Außer einem Lendenschurz trug er ein kurzes, boleroähnliches Jäckchen. In der Hand schwang er einen Stock, der ihm entweder als Waffe oder als Wanderstab diente. Das war seine ganze Ausrüstung. Langes, dunkelbraunes Haar hing ihm wirr ins Gesicht. In den Augen leuchtete das Feuer der Besessenheit.

Andere Areks tauchten auf. Sie gingen weiter draußen, zehn bis zwanzig Meter jenseits des Schirms, auf dem Weg zum Nordende der Siedlung. Sie sangen. Der einzelne Arek, der dicht an den Schirm herangetreten war, schwieg.

Er schien von der Existenz des Schirms zu wissen, denn er bewegte sich äußerst vorsichtig. Wahrscheinlich waren die Areks schon im Westen und Süden gegen das Schirmfeld gestoßen. Wenn sie sich auch nichts darunter vorstellen konnten, so wussten sie doch, dass es schmerzhaft war, allzu heftig damit in Berührung zu kommen.

Ein zweiter Arek bog um die Kante des Anbaus und gesellte sich zu dem ersten. Der erste hatte inzwischen die Arme nach vorn ausgestreckt. Er machte zwei zögernde Schritte und stieß gegen das Feld. Julian sah, wie die Finger sich bogen.

Der Arek stieß einen wütenden Schrei aus und warf sich vor dem Schirmfeld auf den Boden. Den Stock hatte er achtlos fallen gelassen. Mit den bloßen Händen begann er in der Erde zu wühlen. Zehn Minuten später gab er auf. So tief er auch grub, der Widerstand des Feldschirms hörte nicht auf. Er ging in die

Hocke, griff nach seinem Stock und drückte ihn mit einem Ende gegen das Feld. Ohne dass er es wollte, bewunderte Julian die Umsicht, mit der er zu Werke ging. Sobald das Feld abgeschaltet würde, musste der Stock dem Druck nachgeben, den die Hand des Arek auf ihn ausübte. Noch nicht einmal eine halbe Sekunde würde vergehen, bis der Arek merkte, dass der Feldschirm nicht mehr existierte.

Der zweite Arek hockte sich ebenfalls auf den Boden. Er drehte sich halb zur Seite und rief ein paar unverständliche Worte, woraufhin acht weitere Eingeborene hinter dem Anbau hervorkamen und sich neben den ersten beiden niederließen. Ein paar Minuten lang saßen sie in stoischer Ruhe und sahen stumpfsinnig vor sich hin auf den Boden, während weiter draußen eine Horde nach der anderen vorüberzog und sich dem Ostende der Siedlung zuwandte.

Lorran zitterte vor Aufregung. Julian ließ eine halbe Stunde verstreichen, bis er sicher war, dass die zehn Areks vor ihm keine weitere Verstärkung erwarteten. Dann zog er langsam und vorsichtig, sodass keine Bewegung ihn verriet, das kleine UKW-Funkgerät aus der Tasche und machte es sendebereit.

Joe Kalep meldete sich fast augenblicklich.

»Tifflor hier«, flüsterte Julian. »Lorran und ich liegen dicht hinter dem Schirm. Wir haben zehn Areks vor uns und möchten uns gern einen schnappen. Schalten Sie den Schirm für zehn Sekunden aus – nicht länger!«

Kalep begriff sofort.

»Wird gemacht, Sir«, antwortete er. »Bitte geben Sie mir die Zeit an.«

Julian sah auf die Uhr.

»Sagen wir, genau um …«

Aus dem Empfänger kam ein kratzendes Geräusch.

»Kalep? Was ist los?!«

Kalep antwortete nicht. Julian presste das kleine Gerät ans Ohr und hörte das Scharren von Füßen. Jemand stöhnte. Ein dumpfer, trockener Knall wie von einem gut gezielten Faustschlag dröhnte auf.

»Kalep, melden Sie sich!«, zischte Julian.

Kalep meldete sich nicht mehr. Doch seine Stimme war zu hören, wild vor Zorn und wie aus weiter Ferne:

»Du verdammter Narr, du weißt nicht, was du …«

Ein zweiter Knall, danach war von Kalep nichts mehr zu hören.

Dafür klang eine andere Stimme auf. »Du wirst mir nicht im Weg stehen, Joe. Ich weiß, was ich zu tun habe!«

Julian erstarrte das Blut in den Adern. Er brauchte die Worte nicht zu verstehen, um zu wissen, wer da sprach. Er kannte den hysterischen Klang der Stimme.

Pete Baerman!

Julian rief ihn an – in der Hoffnung, er hielte sich nahe genug beim Funkgerät auf, um ihn zu hören. Pete antwortete nicht. Julian hörte ihn in der kleinen Baracke rumoren und unterdrückt vor sich hinfluchen. Er versuchte, sich vorzustellen, was er dort tat.

Ein wilder Schrei ließ ihn in die Höhe fahren. Der Schrei kam nicht aus dem Empfänger. Einer der Areks hatte ihn ausgestoßen. Der Stock, den einer von ihnen gegen das Feld gestemmt hatte, war zu Boden gefallen.

Blitzschnell war die ganze Horde auf den Beinen. Pete Baerman hatte das Schirmfeld ausgeschaltet! Die Areks hatten das Verschwinden des Feldes sofort bemerkt. Ihr wilder Schrei pflanzte sich fort. In Windeseile lief er an den Grenzen der Siedlung entlang und teilte allen mit, dass die Zeit zum Angriff gekommen war.

Nur einen Atemzug lang zögerte Julian. Dann packte er Lorran hart an der Schulter und zog ihn in die Höhe. Er gab ihm einen kräftigen Stoß und schrie ihm nach: »Verschwinden Sie! Laufen Sie, so schnell Sie können! Zu Ihrem Haus!«

Lorran rannte davon. Den Beutel mit den Spritzen ließ er achtlos zurück. Julian riss den Strahler hervor. Wenn es den Eingeborenen gelang, Rivertown zu überschwemmen, war Filchner verloren.

Er feuerte, als die zehn Areks bis auf wenige Schritte an ihn herangekommen waren. Die ersten vier brachen zusammen. Brüllend vor Zorn wichen die anderen aus. Julian benutzte den kurzen Aufschub, um sich weiter zurückzuziehen.

Mit zwei Schüssen schaltete er zwei weitere Areks aus. Er hatte gehofft, sie einschüchtern zu können, aber was es auch immer war, das sich in ihren Gehirnen eingenistet hatte – es trieb sie unaufhaltsam vorwärts.

Er kniete nieder, um ein sichereres Ziel zu haben. Ein breit gefächerter Strahl schoss den blindwütenden Angreifern entgegen und machte ihrem Leben ein Ende. Julian rannte am Anbau entlang, bis er die Rückwand des eigentlichen Sendegebäudes erreichte. Dort bog er nach links ab. Er blieb einen Augenblick lang stehen, um sich Überblick zu verschaffen. Weiter im Osten drangen die Areks in breiter Front in die Siedlung ein. Ihr johlendes Geschrei erfüllte die Luft. Die Baracke, in der Joe Kalep bis vor Kurzem den Schirmfeldprojektor bewacht hatte, lag ruhig im Sonnenglast. Die Tür stand offen. Kein Arek war in der Nähe.

Julian lief hinüber. Joe Kalep lag reglos am Boden. Ein Sessel war halb über ihn gefallen. Die Spuren eines heftigen Kampfes waren überall zu sehen. Pete Baerman allerdings war verschwunden.

Julian warf einen Blick auf die Hauptschalttafel und erstarrte. Der große Schalthebel befand sich noch in derselben Stellung, in der er ihn zuletzt gesehen hatte. Nach der Position des Hebels zu urteilen, musste das Schirmfeld noch bestehen.

Julian ging um den Projektor herum und fand die Lösung des Rätsels. Pete Baerman hatte ganze Arbeit geleistet. Er wusste, dass das Feld jederzeit wieder eingeschaltet werden konnte, wenn er nur den Hebel herunterzog. Das lag nicht in seiner Absicht. Er wollte Rivertown für alle Zeit des wirksamsten Schutzes berauben.

In der Rückwand des Projektors klaffte ein halbmeterweites Loch mit halbgeschmolzenen Rändern. Pete hatte sich irgendwo eine Waffe beschafft und den Projektor damit so beschädigt, dass niemand ihn jemals wieder reparieren konnte.

Julian spürte, wie der Zorn gegen Pete in ihm emporstieg und ihm die Beherrschung raubte. Er riss sich zusammen. Er brauchte seinen kühlen Verstand jetzt nötiger als jemals zuvor. Das Schicksal von Filchner stand auf dem Spiel.

Pete Baerman war plötzlich nebensächlich geworden. Er hatte allen Schaden angerichtet, den er anrichten konnte. Jetzt ging es nur noch um die anderen vier, um Joe Kalep, um Doc Lorran, um Darrel Sifter und um Doreen. Sifter war vorläufig in Sicherheit. Lorran hatte sich hoffentlich in Sicherheit gebracht. Der Himmel mochte wissen, wo Doreen steckte. Aber wenigstens Joe Kalep konnte er helfen.

Er nahm den Bewusstlosen auf und legte ihn sich über die Schulter. Wenn er Glück hatte, konnte er Doc Lorrans Haus erreichen, ohne dass die Areks ihn einfingen. Er brauchte nur eine Hand, um Kalep festzuhalten. Mit der anderen konnte er den Strahler bedienen.

Mit der schweren Last auf dem Rücken schob er sich durch die Tür. Er war kaum draußen, da hörte er schräg hinter sich ein Geräusch. Er fuhr herum, die Waffe schussbereit in der Hand.

An die Wand der Baracke gelehnt, stand ein hochgewachsener, junger Arek. Er hatte die Arme vor der Brust verschränkt und lächelte freundlich. Julians Strahler schien ihn nicht im mindesten zu beeindrucken.

»Ich wünsche dir Frieden«, sagte er in dem leicht verständlichen Dialekt, den Loggallans Stamm sprach.

Julian war verblüfft. Unschlüssig ließ er die Waffe sinken. Der Arek benahm sich völlig normal. Er hatte nichts von jenem verzehrenden Feuer in seinem Blick, das den Besessenen kennzeichnete. Julian war ratlos. Seine Gedanken tanzten einen wilden Reigen. Wo kam der Arek her? Wie war er nach Rivertown gelangt, wenn der Wille des Fremden, das in seinem Gehirn saß, ihn nicht getrieben hatte?

Es gab nur eine einzige Erklärung. Die Mikrokugel hatte das Arek-Gehirn verlassen.

Die Erkenntnis der Gefahr traf ihn wie ein Schock. Eine Sekunde lang war er gelähmt vor Schreck. Eine Sekunde war genug für den unsichtbaren Gegner.

Unter dem Aufprall des fremden Bewusstseins zuckte Julian zusammen. Mit aller Kraft stemmte er sich gegen den feindlichen Willen, der sich ihm aufzuzwängen versuchte – nur um festzustellen, dass seine Willensenergie der des Gegners weit unterlegen war.

Ohne dass er es wollte, lockerte sich der Griff um den Kolben des Strahlers. Die Waffe entglitt ihm. Joe Kalep rutschte ihm von der Schulter und fiel zu Boden.

Fremde Gedanken zogen Julian durch den Kopf. Das Bild vor seinen Augen begann zu verschwimmen. Er spürte, wie sein eigenes Bewusstsein zurückgedrängt wurde.

Im letzten Augenblick noch besann er sich seiner Pflicht. Mit einer raschen Bewegung der Zunge holte er die Antimnesin-D-Kapsel aus ihrem Versteck hervor. Die Backenmuskeln wollten ihm kaum mehr gehorchen. Es kostete ihn unvorstellbare Mühe, die Kapsel zu zerbeißen.

Das Medikament wirkte sofort. Wie ein schwarzer, undurchsichtiger Vorhang fiel die Bewusstlosigkeit über Julian.

8.

Als er zu sich kam, sah er eine lindgrüne Zimmerdecke hoch über sich. Leergepumpt und hilflos klammerte sich sein Bewusstsein an diesen Anhaltspunkt. Die Erinnerung kehrte zurück.

In Doc Lorrans Praxis gab es einen Raum, der eine lindgrüne Decke hatte.

Julian fuhr in die Höhe. Seltsamerweise bereitete ihm die rasche Bewegung keinerlei Schwierigkeiten. Er hatte erwartet, sich schlapp und zerschlagen zu fühlen.

Warum eigentlich?

Plötzlich stand ihm das Bild wieder vor den Augen – der junge Arek, lässig gegen die Wand der Baracke gelehnt, der Druck des schlaffen Körpers auf der Schulter, das schockartige Erkennen der Gefahr …

Er erschrak. Nach allem, was er wusste, trug er eine der teuflischen Mikrokugeln im Schädel. Wie kam es, dass er trotzdem seine eigenen Gedanken dachte? Unwillkürlich fuhr er mit der Hand zum Kopf.

Julian erhielt Antwort auf seine Frage. Er trug einen Verband. Er empfand keine Schmerzen, aber der Verband bewies, dass er operiert worden war. Er schauderte, als er sich in Erinnerung zurückrief, wie Doc Lorran die Schädelplatte des Arek aufgeschnitten und wie die Sonde in den bloß liegenden Gehirnfurchen herumgesucht hatte. Dasselbe war ihm widerfahren. Jemand hatte die Mikrokugel aus seinem Gehirn entfernt.

Er sprang auf. Der kleine Raum lag in dämmrigem Halbdunkel. Julian eilte zum Fenster und riss die Vorhänge beiseite. Verblüfft sah er, dass auch draußen nicht viel mehr Helligkeit herrschte. Die Sonne war am Untergehen. Er war den größten Teil des Tages bewusstlos gewesen!

Er erkannte das Zimmer, in dem er sich befand. Hier hatte Doc Lorran den Arek untergebracht, nachdem die Mikrokugel aus seinem Gehirn entfernt worden war. Julian hörte gedämpfte

Stimmen von irgendwoher. Er schaute an sich hinab und stellte fest, dass man ihn nur am Oberkörper entkleidet hatte. Er trug immer noch die Hose seiner Allwetter-Kombination.

Ungestüm lief er zur Tür und riss sie auf. Die Stimmen wurden deutlicher. Er hörte Darrel Sifter sagen: »Ich weiß nicht, wie er das schafft, aber …«

»He!«, schrie Julian. »Was ist los?«

Das Scharren von Stühlen antwortete. Sifter streckte seinen hageren Schädel durch den Eingang zum Ordinationszimmer und sah Julian auf dem Gang stehen.

»Um Himmels willen, Sir …!«

Mit großer Hast schob er seine unendlich lange Gestalt durch die Türöffnung. Julian winkte lachend ab.

»Keine Sorge. Ich bin völlig in Ordnung!«

Joe Kalep erschien neben ihm.

Weiter hinten kreischte eine weibliche Stimme: »Mein Gott, der Marschall!«

»Das ist zu früh!«, dröhnte Doc Lorrans Bass. »Er sollte noch nicht aufwachen.«

Sifter und Kalep wurden zur Seite gestoßen. Doc Lorrans zweihundertsiebzig Pfund erschienen im Gang. Hinter ihm erklang eine Stimme mit leicht arrogantem Tonfall: »An Ihrer Stelle würde ich mir keine Sorgen machen, Doktor. Marschall Tifflor ist nicht so leicht außer Gefecht zu setzen.«

Meech Hannigan! Lorran, Doreen, Kalep und Sifter – sie waren alle beisammen. Die Erleichterung übermannte Julian. Er fing an zu lachen. Er lachte lauthals, bis ihm die Tränen über die Wangen liefen und bis ihm jemand ziemlich unsanft auf die Schultern klopfte und Meechs schnarrende Stimme sagte:

»Nehmen Sie sich zusammen, Sir. Auch Heiterkeit kann Schaden verursachen, wenn sie übertrieben wird.«

Da erst wusste Julian, dass die Lage längst nicht so hoffnungslos war, wie er noch vor ein paar Minuten geglaubt hatte.

Sie gaben ihm den Rest seiner Montur, und er kleidete sich an, damit er sich unter Doreens aufmerksamen Blicken nicht mehr so unbehaglich zu fühlen brauchte. Während er sich anzog, ließ er sich Bericht erstatten.

Meech Hannigan war der Held des Tages. Es war ihm zwar nicht gelungen, Pete Baerman aufzuspüren, bevor er den Feldschirm ausschalten konnte, aber dieses Versagen hatte er doppelt und dreifach wieder wettgemacht. Er hatte Doc Lorran in sein Haus flüchten sehen und sofort begriffen, dass Lorrans Praxis mit ihren unersetzlichen Medikamenten und Geräten unbedingt vor dem Ansturm der Areks geschützt werden müsse. Er hatte Zeit genug gehabt, Doreen aus dem Baerman-Haus zu holen, wo sie gerade in Unkenntnis der Lage ein Nickerchen hielt, und sie bei Lorran in Sicherheit zu bringen. Dann kamen die Areks. Sie hatten sich bei den technischen Anlagen am Ostrand der Siedlung nur lange genug aufgehalten, um festzustellen, dass keiner der Siedler sich dort befand. Auch die leeren Gebäude am Westrand hatten ihre Aufmerksamkeit nicht länger als ein paar Minuten beansprucht. Jetzt kamen sie von beiden Seiten her die Straße entlang. Sie hatten Lorran gesehen, wie er in sein Haus flüchtete, und auch Meechs Rettungsaktion war ihnen nicht entgangen.

Der Robot empfing sie mit einem solch mörderischen Feuerhagel, dass selbst den Dingen, die sich in ihren Gehirnen eingenistet hatten, die Lust zu weiterem Vordringen bald verging. Die Areks flüchteten in die leer stehenden Gebäude und bewarfen von dort aus Meech mit Steinen, sobald er sich auf der Straße sehen ließ.

Inzwischen hatte Meech längst die Notwendigkeit erkannt, Doc Lorrans Haus einen wirksameren Schutz zu verschaffen. Er brachte Lorran und Doreen in eine kleine Kammer, die für Höhenbehandlung eingerichtet und daher mit luftdicht schließenden Türen versehen war. Dann machte er sich auf den Weg zu Kaleps Baracke.

Vor dem Eingang zur Baracke fand er Julian und Kalep, beide bewusstlos. Er schleppte sie zu Lorrans Haus und brachte sie ebenfalls in der luftdichten Kammer unter. Dann kehrte er zur Baracke zurück und demontierte ein kleines Gerät, das ursprünglich zur Steuerung des Projektor-Energieflusses gedient hatte. Mit seiner Kenntnis der Positronik war es ihm ein leichtes, den Steuerregler in eine Art Mikroprojektor zu verwandeln. Er brachte ihn zu Lorrans Praxis und schloss ihn an die Energieversorgung des Hauses an. Seitdem bestand rings um Lorrans Grundstück ein kleines Schirmfeld, das zwar nicht einmal den lahmsten Strahlenschuss abgehalten hätte, für Areks und Mikrokugeln jedoch völlig undurchdringlich war.

Sifter war zurückgerufen worden und sicher gelandet. Meech selbst geleitete ihn vom Landefeld zu Doc Lorrans Haus, das sich so plötzlich in eine Festung verwandelt hatte. Meech war auch derjenige, der Doc Lorran empfahl, sowohl Julian als auch Kalep einer Gehirnoperation zu unterziehen. Lorran fertigte stattdessen von beiden ein Enzephalogramm an und stellte fest, dass in Kaleps Fall alle Sorge unnötig war. Julians Gehirn dagegen strahlte ein Muster aus, das die Anwesenheit einer Mikrokugel nur allzu deutlich verriet.

Diese Erkenntnis hätte der Kampfmoral der vier Siedler um ein Haar den letzten Stoß versetzt. Eine Kugel in Julian Tifflors Gehirn! Das war die endgültige Katastrophe. Meech allein behielt die Ruhe. Er sorgte dafür, dass Julian in ein Sauerstoffzelt gebracht wurde. Er benötigte den Sauerstoff nicht, aber das Zelt schloss luftdicht – und die Mikrokugel, falls es ihr einfallen sollte, das von Bewusstlosigkeit geschlagene Gehirn zu verlassen, konnte nicht aus dem Zelt entkommen.

Meech selbst führte die Operation aus und bekam die Mikrokugel mit der Sonde zu fassen. Er bewahrte sie in einem luftdicht verschließenden Glasbehälter auf und schaffte Julian, dessen Ohnmacht sich infolge der angewandten Anästhesiemittel vertieft hatte, in die Höhenbehandlungskammer zurück. Dann durchsuchte er das Haus und überraschte die Siedler eine Stunde später mit der Feststellung, dass sich keine weiteren Mikrokugeln im Haus aufhielten. Sie konnten die Kammer verlassen. Julian, immer noch bewusstlos, wurde in dem Raum untergebracht, den bisher der kranke Arek innegehabt hatte. Den Arek hatte Meech aus dem Haus entlassen, damit er sich draußen seinen Rassegenossen anschlösse.

Das war der Stand der Dinge. Die Areks draußen in den leeren Gebäuden und auf der Straße hatten keine Anzeichen von Kampfeslust mehr erkennen lassen. Das Spiel stand remis.

Es war Darrel Sifter, zeitweise unterstützt von Doc Lorran und Joe Kalep, der den Bericht über Meech Hannigans erstaunliche Leistungen abgab. Meech stand derweilen in einer Ecke und ließ die Lobrede ungerührt über sich ergehen.

Während Sifter sprach, hatte Julian sich seine eigenen Gedanken gemacht. Er wandte sich an Lorran.

»Haben Sie das Mikroding schon untersucht?«

Lorran lachte auf. »Ich wollte – weiß der Himmel, ich wollte. Aber Ihr Mann hier«, er wies mit weit ausholender Geste auf Meech, »ließ mich nicht. Er bestand darauf, dass wir bis zu Ihrem Erwachen die Finger davon ließen.«

Julian sah den Roboter an. Da war einiges in Sifters Bericht gewesen, das Lorran und Sifter selbst wohl ohne Weiteres hingenommen hatten, während es in Julian den Verdacht erweckte, dass Meech inzwischen einige Erkenntnisse gesammelt hatte, von denen die anderen nichts wussten.

»Meech …?«

»Jawohl, Sir?«

»Raus mit der Sprache!«

Meech machte ein ernstes Gesicht.

»Erlauben Sie, Sir, dass ich Ihnen die Kugel zuvor zeige?«

»Erlaubt«, antwortete Julian. »Wo bewahrst du sie auf?«

Meech ging zum Mikroskoptisch. Er schob einen kleinen Glasbehälter auf die Objektplatte. Julian erkannte den Behälter.

Er war von der gleichen Art wie der, in der Lorran die dem Gehirn des Arek entnommene Mikrokugel aufbewahrt hatte. Der Robot schaltete das Mikroskop ein. Auf der Projektionsfläche erschien ein hell erleuchteter Kreis von etwa anderthalb Metern Durchmesser.

In der Mitte des Kreises schwebten zwei verschwommene Gebilde, undeutlich in ihren Umrissen, aber ohne Zweifel kugelförmig.

Jemand stieß pfeifend den Atem zwischen den Zähnen hindurch.

»Ich wusste nicht, dass wir *zwei* von der Sorte hatten!«

Das war Sifter. Kalep und Julian waren ebenso erstaunt, nur Lorran bewahrte die Ruhe.

»Woher kommt die zweite, Meech?«, fragte Julian scharf.

»Das war so, Sir«, begann der Robot in vollendeter Imitation eines Mannes, der etwas zu sagen hatte und nicht so recht damit herauswollte. »Als ich Sie und Joe Kalep vor der Baracke auflas, da spürte ich plötzlich etwas, das …«

»Was?«, unterbrach ihn Julian ungeduldig.

Meech sah ihn offen an.

»Nun, Sir, eine der Mikrokugeln versuchte, sich in *meinem* Gehirn einzunisten!«

Nur einen Augenblick lang war Julian sprachlos. Dann fing er an zu lachen. Lorran, Kalep und Sifter stimmten ein, nur Doreen wusste nicht, was sie von der Sache halten sollte.

»Wunderbar«, stieß Julian schließlich hervor. »Du bemerktest den Eindringling?«

»Sofort, Sir. Er besaß eine eigentümliche Ausstrahlung, die meinen alpha-numerischen Sektor durcheinanderbrachte. Ich isolierte den Fremdkörper, indem ich ihn mit einem Mikro-Sperrfeld umgab. Er war daraufhin unbeweglich. Ich brachte ihn hierher, und Doc Lorran war mir behilflich, ihn zu entfernen.«

Julian warf dem Arzt einen überraschten Blick zu. Lorran nickte gemächlich.

»Ganz richtig. War meine erste Operation an …«, er warf einen Seitenblick auf Doreen, »… an einem Wesen dieses Typs. Mit Mister Hannigans Hilfe klappte es ganz vorzüglich.«

Julian hatte den Blick, den er Doreen zuwarf, nicht übersehen. Er fragte sich, was er zu bedeuten hatte. Aber im Augenblick war keine Zeit, darauf einzugehen.

»Wie sind diese beiden Exemplare geschützt?«, fragte er den Arzt. »Ich meine, können sie uns jederzeit genauso durch die Lappen gehen wie …«

Lorran unterbrach ihn mit einer abwehrenden Handbewegung.

»Nein, auf keinen Fall, Sir. Aber über Einzelheiten müssen Sie Ihren Mann dort befragen.«

Er deutete auf den Robot.

»Meech?«

»Jawohl, Sir. Das Innere des Glasbehälters ist durch ein Sperrfeld von der Außenwelt abgetrennt. Mit den Instrumenten, die Doktor Lorran mir zur Verfügung stellte, konnte ich einen kleinen Feldprojektor bauen. Er befindet sich an der Außenwand des Behälters.« Er deutete auf eine Stelle, an der Julian beim besten Willen nichts anderes als sauberes Glas erkennen konnte. »Er misst nur ein hundertstel Millimeter im Durchmesser«, fuhr Meech fort, »also können Sie ihn wahrscheinlich nicht wahrnehmen.«

»Richtig«, knurrte Julian. »Wie funktioniert er?«

»Er erhält die nötige Energie von mir direkt, Sir, durch drahtlose Übertragung. Er strahlt ein Feld aus, dessen energetische Struktur der Streustrahlung verwandt ist, die die Mikrokugeln von sich geben. Es ist ein überaus glücklicher Zufall, Sir, dass die Kugeln gerade diese Art von Strahlung produzieren. Ihre Struktur ließ sich leicht analysieren. Sperrfeld und Streustrahlung zusammen erzeugen einen Interferenzeffekt, der so stark ist, dass die Kugeln mit sehr hoher Wahrscheinlichkeit keine Möglichkeit haben, den Behälter zu verlassen.«

Julian war beeindruckt. Meech hatte vorzügliche Arbeit geleistet.

Er wandte sich an Lorran. »Ich möchte auf eine wichtige Beobachtung hinweisen, die ich machte. Als wir Sifters kranken Arek hier untersuchten, unternahm die Kugel, die in seinem Gehirn saß, nicht den geringsten Versuch, ihr Versteck zu verlassen und etwa in Ihren oder meinen Schädel überzusiedeln. Als ich jedoch Joe Kalep aus der Baracke holte, sah ich einen Arek, der völlig normal wirkte und seine Mikrokugel anscheinend wenige Sekunden zuvor losgeworden war. Die Kugel bewegte sich durch die Luft und gelangte in mein Gehirn, wo sie sofort begann, meine Gedankentätigkeit zu beeinflussen. Wie erklären Sie sich diesen Unterschied in der Verhaltensweise?«

Lorran schien sich darüber Gedanken gemacht zu haben.

»Ziehen Sie den Zeitunterschied zwischen beiden Beobachtungen in Betracht«, antwortete er ohne Zögern, »und nennen Sie es Adaption.«

»Sie glauben, dass die Mikrokugel im Gehirn von Sifters Arek sich nicht aus eigener Kraft befreien konnte?«

»Das ist die einzige Erklärung, die mir einfiel, Sir. Der Aufenthalt in einem fremden Gehirn war für die Mikrokugeln, als sie zum ersten Mal auf Filchner landeten, etwas völlig Neues. Sie benahmen sich wie Mikroben, die am Ort der Krankheit, die sie erzeugten, gefesselt waren. Erst mit der Zeit lernten sie, sich in dem befallenen Gehirn frei zu bewegen und es unter Umständen auch wieder zu verlassen.«

Julians Gesicht war todernst.

»Sie sind sich darüber im Klaren, dass von der Untersuchung des kranken Arek bis zu dem Augenblick, in dem eine der Kugeln in mein Gehirn eindrang, kaum sechs Stunden verstrichen?« Lorran nickte nur.

»Sie halten die Kugeln also für äußerst anpassungsfähig, nicht wahr? Mit anderen Worten: Sie lernen schnell.«

»Ganz richtig, Sir«, antwortete Lorran mit gepresster Stimme.

Julian warf einen Blick auf den kleinen Glasbehälter.

»Dann wollen wir mit der Untersuchung anfangen. Ich habe einen ganz scheußlichen Verdacht.«

Doc Lorrans Geräte erwiesen sich als unzureichend, dem Geheimnis der Mikrokugeln beizukommen. Selbst unter dem Elektronenmikroskop zeigten sie sich als durchsichtige, leere Gebilde mit verschwommenen Umrissen.

Draußen war die Sonne inzwischen untergegangen. Finsternis lag über der Siedlung. Julian befand sich mit Meech und Lorran in dessen mikroskopischem Labor. Kalep, Sifter und Doreen saßen draußen in der Ordination. Sifter und Kalep wechselten sich dabei ab, in regelmäßigen Abständen innerhalb des Schirmfelds einen Rundgang um das Haus zu machen. Von den Areks war nichts zu hören. Entweder hatten sie sich zurückgezogen, oder sie warteten auf eine günstige Gelegenheit zum Angriff. Julian war sicher, dass die Luft draußen von Mikrokugeln erfüllt war.

Doreen hatte aus Lorrans Vorräten inzwischen etwas zu essen bereitet. Julian und der Arzt machten eine Pause, während Meech weiterhin unermüdlich an dem großen Mikroskop arbeitete.

Während er an seinem Sandwich kaute, kam Julian ein Gedanke.

»Was ist eigentlich mit Pete Baerman?«, fragte er Lorran. »Hat jemand ihn gesehen oder etwas von ihm gehört?«

Lorran schüttelte den Kopf. »Nicht das geringste. Er ist wie vom Erdboden verschwunden.«

Er machte ein Gesicht, als sei es seine Schuld. Julian biss ein Stück Sandwich ab.

»Warum umschrieben Sie Meech so vorsichtig als ›Wesen dieses Typs‹, als wir über die Entfernung der Mikrokugel aus Meechs Gehirn sprachen?«, erkundigte er sich.

Die Frage schien Lorran unangenehm.

»Jedermann weiß, dass Doreen gestern Nacht versucht hat, mit Meech – na, sagen wir in engeren Kontakt zu kommen. Man mag über sie denken, was man will, aber wer wollte ihr die Blamage antun, vor allen Leuten darüber aufgeklärt zu werden, dass der Mann ihrer plötzlich erwachten Wünsche ein Roboter ist?«

Julian lächelte. Der Grund war plausibel. Was ihn wunderte, war Lorrans halb besorgter, halb verärgerter Tonfall, in dem er die Antwort gab.

»Doreen weiß also nichts von Meechs wahrer Natur?«

Lorran antwortete nicht. Erst nach einer Weile meldete er sich wieder zu Wort.

»Weil wir gerade darüber sprechen, Sir – da ist etwas, worüber ich gerne mit Ihnen reden möchte.«

Julian sah ihn erstaunt an.

»Nur zu!«, forderte er ihn auf. »Was ist es?«

Die Entwicklung schien Lorran zu rasch zu kommen. Er betrachtete sein Sandwich von allen Seiten, während er sich die Worte zurechtlegte, die er sagen wollte.

Dann kam etwas dazwischen. Die Tür wurde plötzlich aufgerissen, und Sifter stürmte herein.

»Da draußen schießt irgendjemand mit einem Strahler um sich«, stieß er hervor.

Sie waren im Nu auf den Beinen. Sifter hatte recht. Von Zeit zu Zeit erhellte schwacher Lichtschein die Nacht, wie von einem weit entfernten Wetterleuchten, und regelmäßig ein paar Sekunden danach war das typische Fauchen einer Strahlerentladung zu hören.

»Pete!«, rief Kaleps hohe Stimme. »Das ist Pete!«

Julian gab ihm recht. Es musste Pete Baerman sein – es sei denn, die Mikrokugeln hatten den Areks inzwischen beigebracht, wie man Strahler benutzte; das aber war eine äußerst unwahrscheinliche Annahme.

Pete Baerman war also irgendwo dort draußen in der Nacht und schoss mit einem Strahler um sich. Der Gedanke lag nahe, dass er den Verstand verloren hatte und das Feuer veranstaltete, weil es ihm Spaß machte. Es bestand jedoch auch die Möglichkeit, dass er im Auftrag einer der Mikrokugeln handelte.

Julian hatte plötzlich eine Idee. Wenn Pete Baerman unter dem Einfluss einer Mikrokugel stand – welch bessere Möglichkeit gab es dann, über die rätselhaften Gebilde Aufschluss zu erhalten, als Pete hierher zu bringen und ihn auszufragen? Wahrscheinlich würde die Kugel, die sein Gehirn beherrschte, keine der Fragen beantworten. Aber allein aus seinem Verhalten konnten unzählige wichtige Schlüsse gezogen werden.

Es gab nur einen, der für dieses Unternehmen in Betracht kam. Meech Hannigan.

Julian gab dem Robot den entsprechenden Auftrag. Auf die erstaunten Fragen der anderen ging er nicht ein. Plötzlich war er von dem Gedanken besessen, dass jede Minute kostbar sei. Er beobachtete Meech, wie er eine schützende Feldblase um sich legte und unter dem Schirmfeld, das das Haus umgab, hindurchschritt, ohne dass die geringste Feldlücke auftrat. Er sah ihm nach, als er in die Nacht verschwand.

Diesmal würde es ihm keine Schwierigkeiten bereiten, Pete Baerman zu finden. Pete verriet seinen Standort zu deutlich. Es würde nur ein paar Minuten dauern, bis er ihn gefunden und hierher gebracht hatte.

Meechs breitschultrige Gestalt verschmolz mit der Finsternis. Das Geräusch seiner Schritte war noch zu hören – bis irgendwo im Westen der Himmel kurz aufflackerte und Augenblicke später das Fauchen eines Strahlschusses herüberdrang.

Julian hatte plötzlich eine albtraumhafte Vision. Meech entfernte sich, wie er es ihm aufgetragen hatte. Meech war derjenige, der das Sperrfeld im Innern des kleinen Glasbehälters mit Energie versorgte. Während er sich entfernte, würde er die Energiezufuhr erhöhen, damit das Feld in seiner ursprünglichen Stärke bestehen blieb. Aber wie weit konnte er sich entfernen, bevor er einfach nicht mehr in der Lage war, dem Projektor die nötige Energie zuzuführen?

Julian wandte sich um und lief ins Haus zurück. In wilder Hast durchquerte er den Hausflur. Er hatte den Griff der Tür zum mikroskopischen Labor schon fast in der Hand, da hörte er von drinnen einen dumpfen Knall.

Er wich zurück und zog den Strahler aus dem Gürtel. Vorsichtig, ohne ein Geräusch zu machen, drückte er den Griff nach unten und öffnete die Tür.

Er erstarrte, als er sah, was sich inzwischen getan hatte.

Die beiden Fremden waren ebenso überrascht wie er. Er besaß die schnellere Reaktionsfähigkeit. Das rettete ihm das Leben. Er sah, wie eines der beiden Wesen sich vornüberbeugte und mit einem langen, rohrähnlichen Ding wieder in die Höhe kam. Die Mündung des Rohrs richtete sich auf ihn. Er sah das gefährliche rote Glimmen im Innern der Waffe.

Mit einem Ruck warf er sich zur Seite. Noch bevor er wieder Halt fand, begann er zu schießen. Das Wesen mit dem Rohr verschwand in einer Flammensäule. Das andere war bis zur Wand zurückgewichen. Die vier Arme waren in zuckender, schlangengleicher Bewegung. Vier vielfingrige Hände zerrten an einem Instrument, das ebenfalls nichts anderes als eine Waffe sein konnte.

Julian ging kein Risiko ein. Eine halbe Sekunde genügte ihm, um den Strahler auf schärfste Bündelung einzustellen. Er zielte sorgfältig und traf den Fremden hoch in der linken Schulter. Das Wesen gab ein gurgelndes Geräusch von sich. Alle vier Arme fuhren gleichzeitig in die Höhe.

Der Fremde brach zusammen und rührte sich nicht mehr.

Die Rückwand des Labors war von Julians erster Salve entzündet worden. Kleine Flammen leckten über den Wandbelag und liefen zur Decke hinauf. Julian entdeckte einen kleinen Eimer, füllte ihn über dem Handwaschbecken mit Wasser und löschte das Feuer. Dampf und Qualm zogen durch den kleinen Raum. Von dem ersten der beiden Fremden war nichts übrig geblieben. Aber der zweite hatte nur eine kleine Brandwunde.

Julian stellte sich vor ihn und betrachtete ihn.

Er war höchstens einen Meter sechzig groß. Die beiden Beine waren kurz und äußerst stämmig, etwa dreißig Zentimeter lang und fünfzehn im Durchmesser. Sie wuchsen aus einem Leib, der keinerlei Gliederung aufwies und wie ein ungefüger, viereckiger Kasten aussah. Der Fremde besaß zwei Paar Arme. Das obere wuchs seitlich aus den Schultern des kastenförmigen Körpers, das untere aus der Körpermitte. Das untere Armpaar wirkte beträchtlich stärker und länger als das obere.

Einen Hals schien der Fremde nicht zu besitzen. Ein kleiner Kopf, wie eine Halbkugel geformt, saß unmittelbar auf den Schultern. Zwei kreisrunde, große Augen saßen weit auseinander im oberen Drittel des Schädels. Eine Nasenöffnung war nicht zu sehen. Die Ohren waren eine formlose, knorpelige Masse ziemlich dicht am unteren Rand des Kopfes und merkwürdig weit nach hinten gerückt. Der Mund war ein feiner, schmaler Strich etwa halbwegs zwischen den Augen und der Schulter.

Die Hautfarbe des Fremden war ein glänzendes Schwarzblau. Er trug eine Montur, die den Kopf, die vier Arme und die untere Hälfte der Beine freiließ. Sie bestand aus einem mattschimmernden, dunkelgrauen Material. Die Füße steckten in Schuhen, deren Form den Schluss zuließ, dass die Zehenpartie des Fußes weitaus breiter war als die Ferse.

Auf dem Rücken trug der Unbekannte eine Reihe von Instrumenten, deren Funktion Julian vorerst noch verborgen blieb. Sie wirkten unbeholfen, als wären sie in aller Eile aus schlecht passenden Einzelteilen zusammengesetzt worden. Julian ließ sie einstweilen unbeachtet. Meech konnte sich um die Geräte kümmern, wenn er zurückkam.

Julian beugte sich über den Reglosen und beobachtete sein Gesicht. Er entdeckte eine winzige Hautfalte zwischen den weit auseinanderstehenden Augen, die sich rhythmisch hob und senkte. Sie gehörte zur Atemöffnung des Fremden. Er atmete, also war er nur bewusstlos.

Jemand kam den Gang entlanggepoltert.

Die Tür flog auf.

»Ich dachte, ich hätte was gehört«, sagte Doc Lorrans besorgte Stimme. »Ich – ach du meine Güte!«

Er hatte die Verwüstungen wahrgenommen, die Julians Strahlschuss angerichtet hatte, und den bewusstlosen Fremden entdeckt. Sprachlos vor Überraschung kam er näher.

»Was – was ist das?«, stieß er schließlich hervor.

Julian stand auf. Ohne den Blick von dem Bewusstlosen zu wenden, antwortete er:

»Das ist einer von den Humdinger-Menschen – wenn mich nicht alles trügt.«

Von draußen war Lärm zu hören. Eine laute, klare Stimme, die Julian zunächst nicht erkannte, rief: »Ich möchte mit dem Marschall sprechen!«

»Das ist Pete«, stieß Lorran überrascht hervor.

Julian drückte ihm seinen Strahler in die Hand.

»Passen Sie auf den Fremden auf«, befahl er ihm. »Wenn er zu sich kommt und zu entfliehen versucht, schießen Sie. Aber nach Möglichkeit so, dass er nur verwundet wird.«

Lorran nickte stumm. Julian lief hinaus. Pete Baerman stand im Lichtkegel einer Lampe, die Meech auf ihn gerichtet hielt, auf der anderen Seite des Feldschirms. Er unterhielt sich mit Sifter und Kalep, die dicht am Innenrand des Feldes standen. Doreen saß auf der Stufe, die zu Lorrans Haustür führte, als ginge sie das alles nichts an.

Kalep und Sifter wichen zur Seite, als Julian auf die Gruppe zutrat. Meech, der drei Meter von Pete entfernt ebenfalls noch außerhalb des Schirms stand, erstattete Bericht.

»Ich fand ihn leicht, Sir. Er schlich um die Häuser herum und machte Jagd auf die Areks.«

Julian musterte Pete.

Er schien sich verändert zu haben. Er wirkte aufrecht und

selbstbewusst. Als er zu sprechen begann, klangen seine Worte ruhig und überlegt.

»Ich bin Ihnen Rechenschaft schuldig, Sir, obwohl ich nicht weiß, wie ich über alles, was bis vor zehn oder fünfzehn Stunden geschah, Rechenschaft ablegen kann. Ich glaube, ich war nicht mehr ganz richtig im Kopf. Die Dinge stürzten auf mich ein, und ich wusste nicht, was ich tat. Ich dachte, ich könnte Ihre Theorie über den Haufen werfen, indem ich die Areks in die Stadt ließ und bewies, dass sie uns keinen Schaden zufügen konnten. Nun«, er zuckte mit den Schultern, »mir sind in der Zwischenzeit eine ganze Reihe von Lichtern aufgegangen.«

Julian bemühte sich, seine Verwirrung nicht zu zeigen. Pete Baerman benahm sich völlig normal – normaler, als er ihn je erlebt hatte. Die Mikrokugeln schienen ihm nichts anhaben zu können.

Oder hatten sie eine neue Taktik entwickelt? Verzichteten sie jetzt darauf, die Verhaltensweise ihres Opfers zu beeinflussen, sodass ihre Anwesenheit verborgen blieb?

Für den Augenblick hielt Julian dies für die plausiblere Antwort.

»Wo waren Sie, bevor Sie Joe Kalep niederschlugen und das Schirmfeld außer Betrieb setzten?«, erkundigte er sich.

Pete warf Kalep einen kurzen Blick zu und lächelte.

»Tut mir leid, Joe«, sagte er leise, wandte sich an Julian und fuhr fort: »Ich war mit Kalep in der Baracke, Sir. Zuerst wollte er mich nicht haben und Meech Hannigan herbeirufen, aber irgendwie muss ich wohl Mitleid erregt haben, und er ließ mich bleiben.«

Julian wandte sich an Kalep.

Kalep nickte niedergeschlagen und bestätigte: »Ja, so war es, Sir, ganz genau, wie er sagt. Ich hatte einfach nicht das Herz, ihn wegzuschicken.«

Das war die Erklärung, warum Meech ihn nicht gefunden hatte. Meech musste annehmen, dass jeder der Siedler ihm sofort

Nachricht gab, sobald Pete Baerman gesehen wurde. Weil Joe Kalep sich ununterbrochen in der Baracke aufhielt, gab es für ihn keinen Grund, dort nachzusehen.

»Wie kamen Sie darauf«, fragte Julian, »einen Privatkrieg gegen die Areks zu veranstalten?«

»Weil ich sah, dass Sie recht hatten, Sir. Sie behaupteten, die Areks trügen mikroskopisch kleine Fremdkörper in ihren Gehirnen, die nur darauf warteten, dass sie auf uns Siedler überspringen und uns unter ihren Willen zwingen konnten. Ich lachte darüber – aber dann erlebte ich am eigenen Leib, wie richtig Ihre Hypothese war.«

»Sie?«, fragte Julian überrascht.

»Ja, Sir. Das Schirmfeld war kaum zusammengebrochen – ich war Hals über Kopf aus Joes Baracke geflohen –, da stieß ich mit zwei Areks zusammen. Sie wirkten völlig normal. Ich glaubte schon, den besten Beweis gegen Ihre Theorie vor mir zu haben, da spürte ich, wie sich etwas in meinem Gehirn zu schaffen machte. Es war ein eigenartiges Gefühl, schwer zu beschreiben – ungefähr so, als grübe jemand in meinen Verstand ein Loch, durch das alle Gedanken hinausflossen. Ein paar Augenblicke lang wusste ich nicht mehr, was ich tun wollte, was ich zuletzt getan hatte, wo ich war und selbst *wer* ich war. Der Spuk verschwand so schnell, wie er gekommen war. Aber er jagte mir einen Heidenschreck ein. Seitdem mache ich auf die Areks Jagd. Ich nehme an, wenn ich sie unschädlich mache, dann vernichte ich gleichzeitig auch, was in ihren Gehirnen sitzt.«

Julians Verstand arbeitete fieberhaft. Wenn Petes normales Gehabe nur eine Finte der Mikrokugel war, die in seinem Schädel saß, dann musste man ihr zubilligen, dass sie eine teuflisch kluge Taktik entwickelt hatte.

Oder bestand die Möglichkeit, dass Pete wirklich normal war?

»Sie behaupten also, im Augenblick völlig Herr Ihres Verstands zu sein und aus eigenem Antrieb zu handeln?«, fragte er.

»Ja, Sir«, gab Pete zurück. »Ich verstehe allerdings, dass Sie mir nicht trauen können. Dies alles könnte eine Finte der Mikrokugel sein. Ich bin bereit, hier draußen zu bleiben.«

Julian nickte ihm zu.

»Gut, dass Sie das einsehen. Ich kann keine andere Entscheidung treffen.« Er befahl Meech, sich ins Innere des Schirmfelds einzuschleusen.

»Haben Sie eine Ahnung«, fragte er Pete, »warum sich keine der Mikrokugeln in Ihrem Gehirn für dauernd angesiedelt hat?«

Pete warf ihm einen erstaunten Blick zu.

»Ich dachte, das wäre ganz normal«, antwortete er. »In den Gehirnen der Areks erzeugen sie Verwirrung und Wahnsinn, in unseren können sie auf die Dauer nicht existieren. Ich ...«

»Das ist unrichtig«, unterbrach ihn Julian. »Eine der Kugeln hat sich in meinem Schädel so wohlgefühlt, dass Doc Lorran sie operativ entfernen musste.«

Pete starrte nachdenklich vor sich hin.

»Nein, Sir«, antwortete er schließlich, »dann weiß ich keine Erklärung.«

Meech hatte sich inzwischen durch das Schirmfeld hindurchgearbeitet. Julian wies Pete an, sich in der Nähe von Doc Lorrans Haus aufzuhalten, sodass man ihn ständig erreichen konnte. Dann wandte er sich ab. Meech schritt vor ihm her auf das Haus zu. Doreen stand von der Stufe auf und ging ein paar Schritte zur Seite.

Bevor Julian durch die Tür trat, rief Pete ihn noch einmal an.

»Bitte, Sir, sagen Sie Lorran, dass es keinen Zweck mehr hat, Versteck zu spielen. Sagen Sie ihm, dass ich weiß, dass die Lage hundertmal ernster ist, als wir beide bisher angenommen haben.«

Julian wollte sich erkundigen, was die Botschaft bedeutete, unterließ es dann jedoch. Er nickte Pete zu und trat ins Haus.

Doc Lorran war noch auf seinem Posten. Der blauschwarze Fremde hatte sich noch nicht gerührt. Lorran sah auf, als Meech und Julian eintraten. Mit ratlosem Kopfschütteln wies er auf den reglosen Körper.

»Zuerst ging alles viel zu schnell«, sagte er, »aber inzwischen habe ich angefangen, mir Gedanken zu machen. Zum Beispiel: Wo kommt der Kerl eigentlich her?«

Julian ging um den Bewusstlosen herum und stieß mit der Stiefelspitze gegen ein paar Glasscherben, die auf dem Boden lagen. Er trat auf sie, sodass sie mit knirschendem Geräusch zerbrachen.

»Erinnert Sie das an etwas?«, fragte er Lorran.

»Ja, natürlich. An den Glasbehälter, der zersprungen war, als wir vom Sendegebäude zurückkamen. Wir hatten die Mikrokugel darin aufbewahrt, die die Sonde aus dem Gehirn des Arek entfernt hatte. Der Behälter war zersprungen und die Kugel verschwunden.«

»Genauso wie hier«, ergänzte Julian. »Der Behälter ist zersprungen, und wenn wir nicht so verdammt scharf aufgepasst hätten, wären die beiden Kugeln wiederum verschwunden.«

Doc Lorran starrte ihn an – den Mund weit offen und einen Ausdruck ungläubigen Staunens in den Augen.

»Ganz richtig«, nickte Julian und deutete auf die Wand. »Einen der beiden musste ich aus dem Weg schaffen, weil er gefährlich wurde. Aber der andere ist noch hier. Dieses Wesen, Lorran, war vor einer halben Stunde noch eine Mikrokugel!«

Er hatte ziemlich laut gesprochen. Der Bewusstlose begann sich plötzlich zu regen. In die großen Augen kam Leben. Der Mund öffnete sich und stieß einen Laut aus, der wie »Haach« klang.

9.

Julian hatte keine Zeit, sich um Lorran zu kümmern, den der Schock völlig überwältigt hatte. Das blauschwarze Wesen war zu sich gekommen und richtete sich auf. Die großen Augen sahen sich suchend um, aber der starre Ausdruck des Gesichts änderte sich nicht. Die Wesen aus der Humdinger-Ballung schienen keine Mimik zu besitzen.

Der Fremde fuhr mit einem Schrei in die Höhe. Dafür, dass er bis vor wenigen Sekunden noch bewusstlos gewesen war, entwickelte er eine erstaunliche Zielsicherheit. Julian, von so viel Reaktionsschnelligkeit einen Augenblick lang aus dem Konzept gebracht, wich rasch zur Seite und zog Lorran dabei mit sich. Der Fremde warf sich nach vorn. Seine Absicht war unverkennbar.

Zwei Meter vor ihm lag die rohrförmige Waffe, die er fallengelassen hatte, als Julian ihn verwundete.

Er bekam sie nicht zu fassen. Meech war schneller. Mit einer Geschwindigkeit, der das Auge nicht folgen konnte, stieß seine Hand herab und packte den Fremden am Kragen seiner schimmernden Montur. Meech riss ihn in die Höhe und stellte ihn auf die Füße. Dabei drehte er sich den losen Kragen um die Finger, bis er die untere Schädelpartie des Fremden einzuschnüren begann.

Der Blauschwarze begriff die Situation und rührte sich nicht mehr.

»Meech, du kümmerst dich um ihn«, befahl Julian. »Ich muss wissen, was für Geräte er da mit sich herumträgt. Vorgehensweise Typ Null, ist das klar?«

»Klar, Sir«, antwortete der Robot.

Lorran kam allmählich wieder zu sich.

»Das – das ist unmöglich!«, brach es aus ihm hervor. »Wie kann er – sich so verkleinert haben? Dreieinhalb Mikron …, ich weigere mich, das zu glauben!«

Julian hieb ihm so heftig auf die Schulter, dass er zusammenzuckte.

»Geduld«, mahnte er ihn. »Meech ist schon an der Arbeit. In ein paar Stunden werden wir wissen, wie alles zugeht.«

Meech hatte den Gefangenen auf den Boden gelegt, mit dem Gesicht nach unten. Es war beeindruckend zu sehen, wie er ihn mit der linken Hand niederhielt, sodass der Fremde kaum eine Bewegung machen konnte, während er mit der rechten die Geräte demontierte.

Dabei gebrauchte er seine Finger so geschickt, dass sie je nach Bedarf als Hebel, Schraubenschlüssel oder Keil arbeiteten. Einer der Kästen nach dem anderen löste sich vom Rücken des Fremden und glitt auf den Boden. Der Blauschwarze resignierte. Die strampelnden Bewegungen seiner kurzen Beine wurden matter und hörten schließlich ganz auf. Es sah so aus, als ergäbe sich der Gefangene in sein Schicksal.

Julian wandte sich an den Arzt. »Wir haben hier im Augenblick nichts verloren«, meinte er. »Ich schlage vor, wir gehen nach draußen.«

Lorran nickte geistesabwesend. Sie traten hinaus auf den Gang. Lorran wollte vorausgehen, aber Julian hielt ihn zurück.

»Ich habe mich mit Pete Baerman unterhalten«, sagte er, »und Pete bat mich, Ihnen etwas auszurichten.«

Lorrans massiger Schädel ruckte in die Höhe. In seinen Augen lag ein Ausdruck von Angst und Verzweiflung.

»Ja …?«, fragte er gedehnt.

»Pete meint, das Versteckspiel müsste aufhören. Er weiß jetzt, dass die Gefahr hundertmal größer ist, als er ursprünglich glauben wollte.«

Eine volle Minute lang stand Lorran reglos und starrte ihn an. Dann wandte er sich mit einer entschlossenen Bewegung um und deutete auf die Tür zur Ordination.

»Wenn Sie nichts dagegen haben, Sir, hätte ich gerne etwas mit Ihnen besprochen.«

»Wir haben genug Zeit«, antwortete Julian. »Ich erinnere mich, dass Sie sagten, Sie hätten etwas zu bereden.«

Lorran brachte ein schwaches Lächeln zuwege.

»Das ist gut«, gab er zurück. »Vielleicht zählt das zu meinen Gunsten, wenn die Abrechnung kommt.«

Sie betraten die Ordination. Der Raum sah noch so aus, wie sie ihn vor einer Stunde zurückgelassen hatten. Stühle und sonstige Sitzgelegenheiten standen unordentlich herum. Zigarettenreste lagen auf dem Boden. Ein Hauch von Doreens Parfüm hing noch in der Luft.

Julian setzte sich in den Zahnarztstuhl. Lorran ging ein paar Mal vor ihm auf und ab. Schließlich blieb er stehen und sah ihn an.

»Fünf Menschen, mit allem ausgerüstet, was die terranische Zivilisation zu bieten hat, landen auf einer fremden Welt«, begann er mit fester Stimme. »Um genauer zu sein – vier Männer und eine Frau, vom Siedlungsamt nach modernsten wissenschaftlichen Methoden ausgewählt, aber eben doch nichts weiter als Menschen.

Die ersten Wochen und Monate waren voller Aufregung. Niemand bedauerte es, nach Filchner gekommen zu sein. Wir waren die perfekte Siedlergruppe. Pete Baerman kümmerte sich um die wissenschaftlichen Aspekte, Sifter und Kalep waren Techniker und brachten die Maschinen und vollautomatischen Herstellungsanlagen in Gang, außerdem nahmen sie Kontakt mit den Eingeborenen auf und sorgten dafür, dass sich unsere Siedlung harmonisch in den Alltag der Areks einfügte. Auch ich hatte von Anfang an alle Hände voll zu tun. Ich war nicht nur Arzt, sondern auch Biologe, und es gab vieles, worum das Experimentalkommando sich nicht hatte kümmern können. Zu meiner großen Freude riss sich auch ab und zu einer einen Splitter in die Hand, verstauchte sich einen Knöchel oder tat sonst etwas, sodass er ärztliche Hilfe brauchte.

Im Grunde genommen gab es nur einen, der nie richtig ausgelastet war – Doreen Baerman. Die Psychologen des Siedlungsamtes hatten in ihr eine Art Stabilisierungspunkt gesehen, verstehen Sie? Den Stern des ewig Weiblichen, der uns in der Nacht der Einsamkeit leuchten und uns einen Halt geben sollte.«

Seine Stimme hatte einen sarkastischen Klang angenommen.

»Ich habe noch nie eine schlimmere Fehlkalkulation gesehen«, fuhr er fort. »Doreen war nicht beschäftigt, und auch mir ging die Arbeit aus, nachdem ich die wichtigsten Pflanzen und Tiere untersucht und katalogisiert hatte. Die anderen nahmen sich inzwischen in Acht, und keiner brauchte mehr einen Arzt. Ich fing an, mich um Doreen zu kümmern, von der privaten Seite her. Sie war so gelangweilt, dass sie selbst dem unscheinbarsten, hässlichsten Mann in die Arme geflogen wäre, wenn er ihr nur ein Zeichen dazu gegeben hätte. Ich besuchte sie jeden Tag mindestens einmal, manchmal kam sie auch zu mir. Natürlich gaben wir uns Mühe, dass niemand etwas davon merkte. Das war nicht schwierig. Kalep und Sifter waren meistens irgendwo draußen, und Pete steckte bis über beide Ohren in seiner Arbeit.

Aber schließlich kam er doch dahinter, und damit begann die Katastrophe. Er nahm die Sache so entsetzlich ernst, wie weder Doreen noch ich hatten voraussehen können. Von einem Tag zum anderen war er ein gebrochener Mann. Er betrank sich. Er schrie seinen Jammer in alle Welt hinaus. Sifter und Kalep erfuhren davon.

Pete wurde krank. Ich behandelte ihn und brachte ihn wieder auf die Beine. Aber in der Zwischenzeit hatte er täglich Beruhigungsmittel genommen und war süchtig geworden. Er brauchte täglich zwei oder drei Dosen eines Morphium-Derivats, das er nur von mir bekommen konnte. Ich sah wenig Sinn in einem Heilungsversuch. Wir sind auf alles eingerichtet, was der menschliche Verstand sich ausdenken kann, aber Rauschgiftsucht wurde nie zu den Übeln gezählt, die einer jungen Siedlung gefährlich werden konnten.

Ich gab Pete also, was er brauchte. Als Gegenleistung teilte er

Doreen mit mir. Die Siedlung wurde nie wieder das, was sie zu Anfang war. Sifter und Kalep verachteten uns. Wir spürten innerlich, dass wir die Verachtung verdienten, und ließen in unseren Bemühungen noch mehr nach. Pete vernachlässigte seine Arbeit und trieb sich ziellos irgendwo draußen herum. Ich verbrachte ganze Tage mit Doreen.

Dann kamen Sie. Plötzlich war es mit unserer trügerischen Ruhe vorbei. Kalep oder Sifter hätten Ihnen die Augen über den wahren Stand der Dinge in Rivertown öffnen können. Das Aushändigen von Rauschgiftpräparaten zu anderen als Heilzwecken ist strafbar. Sie würden mich mit zur Erde nehmen und vor Gericht stellen, Pete bekäme sein Morphiat nicht mehr, und Doreen hätte ihren Liebhaber verloren.

Wir hatten nur noch eine Chance – wir mussten Sie dazu bewegen, Filchner so rasch wie möglich wieder zu verlassen. Aber auch das schlug fehl. Und mittlerweile, weiß der Himmel, bin ich froh, dass wir keinen Erfolg hatten. Man kann eine Schuld nur eine bestimmte Zeit mit sich herumtragen, bevor man zusammenbricht. Und außerdem steht das Schicksal der ganzen Siedlung auf dem Spiel und wiegt hundertmal schwerer als unsere privaten Sorgen.«

Er schwieg. Den Blick zu Boden gerichtet, ging er ein paar Schritte quer durch den Raum und ließ sich auf einem der Stühle nieder. Das grelle Deckenlicht ließ sein Gesicht wie eine weiße Maske erscheinen.

Julian sah ihn an. »Das«, sagte er ernst, »ist eine der unappetitlichsten Geschichten, die ich je gehört habe.«

Lorran nickte wortlos.

»Sie waren sich über die Konsequenzen von vornherein im Klaren«, fuhr Julian fort, »und es hat sich selbstverständlich nichts geändert. Sollten wir den Angriff der Fremden überleben, dann kommen Pete und Sie mit mir zur Erde. Pete wird entwöhnt, Sie verantworten sich vor Gericht. Doreen kann frei entscheiden, ob sie hierbleiben oder mitkommen will; ich werde ihr jedoch stärkstens empfehlen, Filchner zu verlassen. Das Siedleramt wird Ersatz für die drei schicken – oder den Siedlungsplan völlig umkrempeln und eine größere Gruppe von Kolonisten hier ansiedeln. Das liegt alles in ferner Zukunft. Wir brauchen uns heute den Kopf noch nicht darüber zu zerbrechen. Ich erwarte von Ihnen und Pete, dass Sie wenigstens einen Teil Ihrer Schuld dadurch abzutragen versuchen, dass Sie mit Kalep, Sifter und mir voll zusammenarbeiten, bis wir die Gefahr überstanden haben, die uns bedroht. Im Übrigen hätten Sie sich um Kalep und Sifter keine Sorgen zu machen brauchen. Ich habe von keinem von beiden auch nur ein einziges abfälliges Wort über Sie, Doreen oder Pete zu hören bekommen.«

Er stand auf und wandte sich zur Tür hin, blieb aber plötzlich wieder stehen, als ihm ein Gedanke kam.

»Warum, in Dreiteufelsnamen«, fragte er ärgerlich, »halten Sie es nicht so wie Kalep und Sifter und suchen sich eine Freundin unter den Areks?«

Lorran machte eine verzweifelte Geste.

»Sie übersehen dabei«, antwortete er niedergeschlagen, »dass die Areks sehr scharf umrissene Vorstellungen von menschlicher Schönheit haben. Schön sind große, schlanke Männer und kleine, dicke Männer. Als hässlich betrachten sie kleine, dünne Männer – aber der wahre Abgrund an Hässlichkeit ist ein großer und dicker Mann.« Er stand auf. »Sehen Sie mich an. Ein einziges Mal getraute ich mich in eine Arek-Siedlung. Die Mädchen liefen vor mir weg und lachten hinter mir drein. Glauben Sie mir, ich hatte nicht die geringste Aussicht.«

Julian empfand einen Lachreiz, den er nur schwer unterdrücken konnte.

»Ich will Ihr – sagen wir: Verdienst am Zustandekommen dieser Lage nicht schmälern«, wandte er sich in versöhnlicherem Tonfall an Lorran, »aber es sieht so aus, als hätten Sie sich von Anfang an in einer Umgebung befunden, die zum Versagen förmlich herausforderte. Ich wäre nicht erstaunt, wenn das Siedlungsamt nach Bekanntwerden dieses Falles die Hypothese von der Wirksamkeit kleiner Siedlergruppen vollständig verwürfe.«

Lorran stand mit hängenden Armen, den Blick zu Boden gerichtet. Julian versuchte ihn sich vorzustellen, wie er früher gewesen war – ein weltgewandter, intelligenter, anziehender Mann, dem alle Wege offenstanden. Was hatte ihn dazu verleitet, nach Filchner zu kommen, als Mitglied einer fünfköpfigen Siedlergruppe? Er würde es nie erfahren. Vielleicht wusste es Lorran selbst nicht. Es gibt Triebkräfte, deren Ursprung selbst dem verborgen bleibt, der sie empfindet.

»So groß das Unglück auch sein mag«, sagte Julian, »ein klein wenig Gutes bringt es doch mit sich.«

Ein paar Sekunden vergingen, bis Lorran begriff, was er gesagt hatte. Er hob den Kopf mit einem Ruck und sah Julian verwundert an.

»Pete Baerman läuft draußen herum, ohne dass die Mikrokugeln ihm etwas anhaben können«, erklärte Julian. »Ich weiß jetzt, warum das so ist. Wo bewahren Sie die Morphiate auf?«

Sifter und Kalep kauerten hinter dem Rand des Schirmfelds und starrten in die Nacht hinaus. Pete Baerman war zur Seite gegangen und lehnte gegen die Seitenwand des Hauses, das Kalep gehörte. Das Licht der Sterne ließ die Umrisse seiner gedrungenen Gestalt erkennen.

Die Nacht war still. Julian fragte sich, was in den Gehirnen der Areks vorging, die dort draußen irgendwo lauerten. Die Mikrokugeln hatten sich ohne Zweifel zum Teil schon selbstständig gemacht und schwirrten in der Luft umher. Da draußen musste es eine ganze Menge Areks geben, die plötzlich wieder Herr ihres Verstandes waren und sich fragten, was sie nach Rivertown gebracht hatte.

Lorran kam mit einem Armvoll kleiner Schachteln. Wortlos verteilte er sie an Sifter, Kalep und Doreen. Die beiden Männer musterten ihn verwundert. Sie wussten, dass etwas vorgefallen war, aber keiner von ihnen stellte eine Frage. Misstrauisch betrachteten sie die kleinen Schachteln, die Lorran ihnen gegeben hatte, und öffneten sie. Jede enthielt eine Ampulle mit zehn grünlichgelben Pillen.

Julian hielt es für an der Zeit, eine Erklärung zu geben. »Während Sie hier draußen Wache hielten«, begann er, »hat sich drinnen allerhand getan.«

Er berichtete von der Entdeckung der beiden fremden Wesen in Lorrans Mikroskoplabor. Sifter und Kalep waren erstaunt, unterbrachen ihn jedoch mit keinem Wort. Er versuchte nicht, ihnen die unwahrscheinliche Verwandlung von einer mikroskopisch kleinen Kugel in ein Gebilde von Menschengröße zu erklären, sondern vertröstete sie darauf, dass Meech dem Geheimnis, das die Fremden mit sich herumtrugen, rasch auf die Schliche kommen würde.

Dann ging er mit ein paar Worten auf Lorrans Geständnis ein. Er sprach laut, sodass auch Pete Baerman außerhalb des Schirmfelds hören konnte, was er sagte.

»So unerfreulich diese Angelegenheit auch immer sein mag«, schloss er, »sie hat uns einen weiten Schritt vorwärtsgebracht. Wir wissen nun, dass die Wirksamkeit der Mikrokugeln sehr stark von der Beschaffenheit des Gehirns abhängt, in dem sie sich niederlassen. Wir haben beobachtet, dass das Arek-Gehirn eine äußerst ungünstige Umgebung für die Kugeln ist. Sie bringen es zwar fertig, den Arek vermittels mechano-hypnotischer Beeinflussung unter ihren Willen zu zwingen, erzeugen dabei jedoch einen Zustand des Irrsinns, den sie nicht völlig unter ihre Kontrolle bringen können. Im menschlichen Gehirn scheinen sie sich wohlzufühlen und vermutlich hätten sie sich in unseren Schädeln ihres Auftrags voll und ganz entledigen können, wenn wir ihnen Gelegenheit dazu gegeben hätten. Ein menschliches Gehirn unter dem Einfluss von Rauschgift dagegen stellt für sie jedoch ein gefährliches Gelände dar. Wir kennen den Grund noch nicht. Wahrscheinlich handelt es sich um Interferenz zwischen den Ausstrahlungen des gestörten Gehirns und denen des mechano-hypnotischen Geräts, das sie benutzen. Ein Mensch, der unter dem Einfluss von Morphiat steht, ist vor ihnen völlig sicher.

Das ist unsere Hypothese. Wir wissen nicht, ob sie richtig ist. Was wir brauchen, ist jemand, der bereit ist, eine von Doc Lorrans Pillen zu schlucken und dort hinauszugehen.«

Joe Kalep riss den Arm in die Höhe und sagte mit seiner schrillen Stimme: »Ich!«

Julian nickte ihm zu. »Nehmen Sie eines von den Dragees. Innerhalb von zwei Minuten wird es ein leichtes Schwindelgefühl erzeugen. Sie werden sich vorkommen, als hätten Sie zuviel getrunken. Lassen Sie sich nicht davon stören. Gehen Sie hinaus, machen Sie eine Runde um den Schirm. Dann kommen Sie wieder zurück. Klar?«

»Klar, Sir.«

Er öffnete die Ampulle und nahm eine der Pillen. Julian schickte Lorran ins Haus zurück und trug ihm auf, auf den Gefangenen aufzupassen, während Meech eine Feldbrücke errichten würde, die Kalep den Durchtritt durch den Feldschirm ermöglichte, ohne das Feld selbst zu unterbrechen. Inzwischen stand Kalep, ein wenig vornübergebeugt und einen misstrauischen Ausdruck im Gesicht, und wartete auf die Wirkung der Droge. Julian sah, wie er den Kopf schüttelte und sich mit der Hand über die Stirn fuhr. Dann ging er ein paar Schritte. Es sah so aus, als hätte er weiche Knie und müsste aufpassen, dass er den rechten Fuß nicht mit dem linken verwechselte. Er sah Julian an und hatte Schwierigkeiten, die Augen zu fokussieren.

»Ziemlich hochprozentiges Zeug«, krächzte er. »Verdammt noch mal, ich kann kaum stehen.«

Meech kam aus dem Haus. Julian gab ihm ein paar Anweisungen. Der Robot führte Kalep zum Rand des Feldes. Was er sonst noch tat, wurde nicht sichtbar. Auf jeden Fall stand Kalep plötzlich auf der anderen Seite des Schirms. Er warf Meech einen verwunderten Blick zu, dann begann er, am Rand des Feldes entlangzugehen.

Julian hielt den Atem an. Kalep bewegte sich zunächst langsam und vorsichtig. Als nichts geschah, gewann er Mut und schritt weiter aus. Er näherte sich der Hausecke, und Julian folgte ihm auf der Innenseite des Schirms, um ihn nicht aus den Augen zu verlieren. Er hatte Meechs Lampe an sich genommen und leuchtete Kalep damit an. Mit jedem Schritt, den Kalep machte, wuchs seine Verwunderung. Er hatte erwartet, dass sich die Mikrokugeln schon während der ersten Sekunden auf ihr Opfer stürzten. War es möglich, dass sie inzwischen alle Reißaus genommen hatten?

Da blieb Kalep plötzlich stehen. Es sah aus, als sei er gegen eine unsichtbare Wand gestoßen. Julian sah, wie er sich an den Kopf griff und taumelnd eine halbe Drehung ausführte. Es schien, als wollte er stürzen. Erst im letzten Augenblick raffte er sich wieder auf. Er drehte sich vollends um und warf einen erstaunten Blick in den grellen Lichtkegel der Lampe.

»Ich glaube, das war's«, rief er aufgeregt. »Wie Pete sagte. Es fühlt sich an, als grüben sie einem ein Loch in den Verstand, durch das alles ausfließt.«

»Sind Sie sicher, dass alles wieder in Ordnung ist?«, fragte Julian.

Kalep zögerte eine Weile. Er schien in sich hineinzuhorchen. Dann nickte er mit Nachdruck.

»Kann keinen Unterschied feststellen, Sir«, antwortete er.

Julian ließ ihn die Runde ums Haus vollenden. Es erfolgte kein zweiter Vorstoß. Die Mikrokugeln mussten ein System besitzen, mit dem sie sich untereinander verständigen konnten. Sie wussten, dass Joe Kalep immun war.

Kalep kehrte ins Innere des Schirms zurück. Schweiß stand ihm auf der Stirn. Julian reichte ihm die Hand. Ein dankbarer Händedruck brachte deutlicher als alles andere zum Ausdruck, wie er über Kaleps mutige Tat empfand.

Er wandte sich an die anderen, die dem Vorgang mit ebensolcher Spannung gefolgt waren wie er selbst.

»Wir besitzen also ein Mittel gegen die Kugeln. Von jetzt an sind wir nicht mehr im Innern des Feldschirms gefangen. Das Mittel ist allerdings nicht völlig unschädlich. Wir werden uns daher weiterhin hier aufhalten und das Feld nur im Notfall verlassen. Derjenige, der hinausgeht, nimmt vorher eine Morphiat-Pille zu sich. Doc Lorran wird uns auseinandersetzen, wie lange die Wirkung einer einzelnen Dosis anhält und zu welchem Zeitpunkt eine zweite eingenommen werden muss, für den Fall, dass jemand gezwungen ist, sich länger als ein paar Minuten draußen aufzuhalten.«

Er sah zu Pete Baerman hinüber und rief ihm zu: »Wie steht's mit Ihrem Vorrat?«

Pete lächelte schwach und zog eine kleine Ampulle aus der Tasche. »Ich bin selbst der beste Indikator«, rief er zurück. »Ich merke, wenn ich eine neue brauche.«

Julian kehrte mit Meech ins Haus zurück. Im Vorbeigehen bemerkte er Doreen, die seitwärts der Tür auf dem Boden hockte und mit leerem Blick vor sich hinstarrte. Er machte sich Sorgen um sie. Sie sah aus, als wäre all das, was sich im Laufe des letzten Tages zugetragen hatte, zuviel für sie gewesen. Er nahm sich vor, Doc Lorran zu bitten, dass er sich um sie kümmere. Aber als sie das Mikroskoplabor erreichten, wo Lorran auf den Gefangenen aufpasste, hatte er den Kopf längst schon wieder so voll mit anderen Gedanken, dass er es vergaß.

Er schickte Lorran nach draußen. Der Gefangene lag auf dem Boden. Meech hatte ihn sorgfältig gefesselt, sodass er sich kaum rühren konnte. Seine großen Augen folgten ausdruckslos den Bewegungen um ihn herum.

Meech hatte die Geräte, die der Fremde getragen hatte, auf einem Tisch sortiert. Sie waren auseinandergenommen, sodass Julian ihr Inneres sehen konnte. Er hatte immer noch keine Ahnung, welchem Zweck sie dienten – aber ein Eindruck, den er zuvor schon gehabt hatte, verstärkte sich, während er das Durcheinander betrachtete. Die Wesen aus dem Humdinger-Nebel mochten hervorragende Techniker sein; aber auf merkwürdige Art und Weise wirkte das, was sie bauten, provisorisch und in aller Hast zusammengebastelt.

Er sah Meech an.

Der Robot verstand die Aufforderung und begann zu erklären: »Es gibt prinzipiell drei verschiedene Arten von Geräten, Sir. Eine davon«, er deutete auf einen kleinen würfelförmigen Kasten von zehn Zentimetern Kantenlänge, »dient der Fortbewegung. Ein Generator erzeugt ein Feld, dessen Struktur gravitatorisch ist. Der dazugehörige Projektor ist äußerst flexibel, sodass der Träger des Apparates sich mühelos und mit jeder gewünschten Geschwindigkeit in alle Richtungen bewegen kann. Die zweite Sorte von Gerät dient der Verständigung. Es handelt sich um eine Sende- und Empfangsanlage, die unserem Mikrokom nicht unähnlich ist. Allerdings gibt es eine Reihe von kleinen Zusatzgeräten, deren Funktion ich bislang erst annähernd ermitteln konnte. Sie scheinen dem Zweck zu dienen, eine Funksendung selbst durch den höchsten Störpegel hindurch zu übermitteln. Ich verstehe ...«

Julian unterbrach ihn mit einem Nicken.

»Das ist verständlich«, sagte er. »Die Fremden kommen aus einer Gegend, in der äußerst geringe Werte des Signal-zu-Geräusch-Verhältnisses an der Tagesordnung sind. Sie konnten nicht mit Sicherheit wissen, dass sie außerhalb der Humdinger-Ballung wesentlich andere Verhältnisse vorfinden würden, und sahen sich deshalb vor. Ich wette, mit diesen Geräten kann man geradewegs durch den Kern einer blauweißen Sonne übertragen, ohne dass der Spruch dadurch gestört wird.«

»Ungefähr so sieht es aus, Sir«, antwortete Meech voller Ernst. »Ich glaube, Sie würden Ihre Wette gewinnen.«

»Schön«, lachte Julian. »Weiter!«

»Die dritte Sorte von Gerät, Sir, dient der Erstellung eines übergeordneten Feldes von etwa derselben Struktur wie der des Kalupfeldes, in dem sich ein Raumschiff während des Linearfluges befindet. Das Innere des Feldes stellt einen Mikrokosmos dar, der von seiner Umgebung in gewissem Sinne abgeschnitten ist. Die Feldhülle ist transparent in dem Sinne, dass sie von Materie beliebiger Art durchdrungen werden kann, und zwar in beiden Richtungen. Für einen Beobachter außerhalb des Feldes ändert jedoch ein materielles Objekt, das die Hülle durchdringt, seine Dimensionen. Der Verzerrungsfaktor beträgt rund sechshunderttausend. Die Verzerrung wirkt in beiden Richtungen. Einem Beobachter innerhalb des Feldes erscheint ein Gegenstand außerhalb des Feldes sechshunderttausendmal größer, als wenn er sich ebenfalls im Feldinnern befände. Ein Beobachter außerhalb des Feldes sieht den Gegenstand, sobald er sich im Innern des Feldes befindet, sechshunderttausendmal kleiner.«

Julian schloss die Augen, um sich besser konzentrieren zu können, und machte eine blitzschnelle Kopfrechnung.

»Eine Mikrokugel von dreieinhalb Mikron Durchmesser«, sagte er leise vor sich hin, »wäre in Wirklichkeit also ein wenig mehr als zwei Meter groß, richtig?«

»Vollständig«, versicherte Meech.

Julian verschränkte die Arme auf dem Rücken. Mit gesenktem Kopf ging er ein paar Schritte auf und ab. Sein Verstand arbeitete auf Hochtouren. Das Mikrofeld war also das Geheimnis der Humdinger-Wesen. Um das Sechshunderttausendfache verkleinert, hatten sich Tausende von ihnen nach Filchner eingeschlichen. Wer mochte wissen, wie lange sie diese Welt schon unter Beobachtung hatten!

Mit einem Ruck blieb er stehen und wandte sich an Meech. »Wie viel verstehst du vom Prinzip des Feldgenerators?«

»Alles, Sir«, antwortete Meech mit der Unbescheidenheit des Roboters. »Es unterscheidet sich nur in unwesentlichen Einzelheiten vom Prinzip des Kalupgenerators.«

»Vorzüglich. Ich brauche einen Generator, der ein Kugelfeld

von hundert Metern Durchmesser erzeugen kann. Bringt das dieser da fertig?«

Er deutete auf den Kasten, der auf dem Tisch lag.

»Nein, Sir«, antwortete Meech. »Nicht mit der Energieversorgung, die ihm im Augenblick zur Verfügung steht.«

»Der Projektor reicht jedoch aus?«

»Ganz gewiss, Sir. Er kann auf jeden beliebigen Felddurchmesser eingestellt werden.«

Julian schlug sich mit der Faust in die Hand.

»Ganz großartig!«, rief er aus. »Das Problem ist so gut wie gelöst!«

Er sah den Robot auffordernd an.

»Sie haben vor«, antwortete Meech, »den Generator in ein Beiboot Ihres Schiffes einzubauen.«

»Ganz richtig«, stimmte Julian zu. »Und was dann?«

Der Robot lächelte ein wenig. Er verstand, dass er auf die Probe gestellt wurde, und sein Programm befahl ihm, die Gesichtsmuskeln zu verziehen – als Zeichen dafür, dass er die Absicht seines Gegenübers durchschaut hatte.

»Die Hauptmacht des Gegners befindet sich noch rund drei Lichtjahre entfernt«, antwortete er. »Um mit Ihren eigenen Worten zu sprechen, Sir: Die Fremden, die sich jetzt schon auf Filchner befinden, müssen schließlich *irgendwoher* gekommen sein.«

Julian zog die Brauen in die Höhe. »Manchmal«, knurrte er, »bist du mir ein wenig zu schlau.«

Meech nahm den Mikrofeldgenerator an sich. Er lud sich ebenso den Gefangenen auf, um ihn nach draußen zu bringen. Der Anblick des Fremden brachte sogar Darrel Sifter aus seiner beinahe schon sprichwörtlichen Ruhe. Er betrachtete die blauschwarze Gestalt in ihrer schimmernden Uniform mit aller Aufmerksamkeit, kratzte sich am Kopf und stieß schließlich voller Überzeugung hervor:

»Der Teufel soll's holen – aber ich habe schon hübschere gesehen!«

Lorran stand wortlos dabei.

»Sie besitzen Geräte«, fragte ihn Julian, »mit deren Hilfe wir versuchen können, uns mit ihm zu verständigen?«

»Ja, natürlich«, antwortete der Arzt. »Wann wollen Sie damit anfangen?«

»Sofort. Es hängt einiges davon ab, ob wir uns mit dem Mann unterhalten können oder nicht.«

»Mann«, murmelte Lorran missbilligend und ging ins Haus.

Julian sah sich nach Meech um. Bevor er ihn fand, berührte ihn etwas an der Schulter. Er drehte sich um und sah Doreen.

»Ich möchte hinausgehen und mit Pete sprechen«, sagte sie leise. »So, dass keiner uns hört.«

Julian empfand Mitleid mit ihr. Er sträubte sich dagegen und versuchte, sich einzureden, sie sei es nicht wert. Aber der traurige Blick ihrer großen Augen machte ihn weichherzig.

»Haben Sie eine Tablette genommen?«, fragte er.

»Nein, noch nicht. Ich wollte warten, ob Sie die Erlaubnis geben.«

Julian dachte einen Augenblick lang nach.

»In Ordnung«, entschied er. »Sie haben eine Stunde lang Zeit. Meech wird für Sie eine Feldbrücke bauen.«

»Danke«, antwortete Doreen einfach. Nichts von der Koketterie, mit der sie sich noch vor einem Tag zu geben pflegte, war mehr übrig.

Julian sah, wie sie die Ampulle aus der Tasche zog, den Verschluss öffnete und eine Pille in die hohle Hand schüttete. Sie schluckte mit deutlich erkennbarem Widerwillen. Er rief nach Meech, und der Robot erschien aus der Dunkelheit hinter dem Haus.

»Was tust du da?«, erkundigte Julian sich überrascht.

»Ich stelle Beobachtungen an, Sir«, antwortete der Robot.

»Was für Beobachtungen?«

»Die Mikrokugeln, Sir, müssen einen gewissen Betrag energetischer Streustrahlung von sich geben. Ich versuche, diese Streustrahlung zu orten.«

Julian fand die Initiative des Roboters bewundernswert.

»Erfolg gehabt?«, wollte er wissen.

»Negativ, Sir; aber es lassen sich Ansätze erkennen.«

»Gut. Ich möchte, dass du für Doreen eine Brücke erstellst. Bei dieser Gelegenheit werde ich ebenfalls den Schirm verlassen. Danach kannst du dich wieder deinen Experimenten widmen. Klar?«

»Klar, Sir.«

Julian nahm eine der Tabletten. Er glaubte zu spüren, wie sie sich im Magen auflöste und wohlige, anheimelnde Wärme verbreitete. Er merkte, dass er plötzlich nicht mehr so klar denken konnte wie zuvor. Die Gedanken gerieten durcheinander, wenn er sich nicht mit aller Aufmerksamkeit auf sie konzentrierte. Er ging zwei Schritte und hatte Schwierigkeiten, die Bewegungen der Beine zu koordinieren. Dabei empfand er ein Gefühl der Leichtigkeit und Unbeschwertheit, als hätte er drei Gläser Sekt zu rasch hintereinander getrunken.

»Okay, Blechmensch«, rief er Meech zu und wunderte sich selbst über seine Ausdrucksweise, »ich bin so weit!«

Einer der komplizierten Mechanismen im Innern des Robots begann zu arbeiten und erzeugte ein Feld, das sich wie eine Art Schleuse vor die schützende Hülle des Feldschirms setzte. Einmal im Innern des Zusatzfeldes, stand der Weg nach draußen offen, ohne dass in der Feldschirmglocke auch nur die geringste Lücke entstanden wäre.

Als er den Schirm hinter sich gelassen hatte, blieb Julian stehen. Der Gedanke, dass in einem der nächsten Augenblicke ein mikroskopischer Fremdkörper, der in Wirklichkeit ein intelligentes Wesen war, in sein Gehirn eindringen würde, erfüllte ihn mit Furcht. Er wollte aber den Augenblick nicht verpassen. Er wollte genau spüren, wie es vor sich ging.

Doreen hatte keinerlei solche Bedenken. Sie wandte sich nach links und ging auf Pete zu. Pete kam ihr ein Stück entgegen. Er breitete die Arme aus und zog Doreen an sich.

Im selben Augenblick spürte Julian, wie sich etwas in seinem Gehirn zu schaffen machte. Er empfand einen zuckenden, stechenden Schmerz und im gleichen Augenblick maßlose Verwunderung. Er wandte sich zur Seite und sah Joe Kalep und Darrel Sifter in der Nähe der Haustür stehen. Sie starrten ihn an, und er wunderte sich, warum er so weit von ihnen entfernt war. Er musste den Schutzschirm verlassen haben …

Der Gedanke verwirrte sich. Was war ein Schutzschirm? Wo befand er sich? *Was tue ich hier?* Und schließlich: *Wer bin ich?*

So rasch, wie er gekommen war, wich der Druck von ihm. Er erinnerte sich plötzlich wieder, warum er das Schirmfeld verlassen hatte. Er wusste, wohin er unterwegs war und welchen Plan er verfolgte. Sein Verstand funktionierte wieder einwandfrei.

Verblüfft sah er sich um, als könnte er noch einen Blick von dem winzig kleinen Gebilde erhaschen, das sich rasch von ihm entfernte, nachdem es sein Gehirn für unbewohnbar befunden hatte. Dann winkte er Sifter und Kalep freundlich zu und machte sich auf den Weg.

Die Mikrokugeln ließen ihn in Ruhe, wie er erwartet hatte. Unangefochten erreichte er das Observatorium und fand das Teleskop immer noch eingeschaltet. Er betrat den kleinen Seitenraum, in dem das Teleskopbild auf eine Bildfläche projiziert wurde. Eine Minute lang suchte er das Bild ab, Zentimeter für Zentimeter. Dann wusste er, dass seine Ahnung ihn nicht getrogen hatte.

Der Nebel war nicht mehr zu sehen. Meech hatte in der vorvergangenen Nacht das Teleskop so eingerichtet, dass es dem Nebel automatisch folgte. Dabei war er von den Geschwindigkeitswerten ausgegangen, die Pete Baerman kurz zuvor errechnet hatte. Dass der Nebel jetzt nicht mehr zu sehen war, konnte nur daran liegen, dass er entweder seine Richtung oder seine Geschwindigkeit – oder beides – geändert hatte.

Julian eilte zum Teleskop zurück. Hastig begann er an den Kontrollen zu hantieren. Der gewaltige Tubus schwenkte zur

Seite, entlang der Linie, auf der der Nebel sich bewegen musste, wenn er seine ursprüngliche Richtung beibehalten hatte. Knapp vier Minuten vergingen, dann hatte Julian gefunden, was er suchte. Der Nebel hatte seinen Kurs nicht geändert, nur seine Geschwindigkeit. Er war schneller geworden.

In aller Eile nahm Julian die nötigen Messungen vor. Das Ergebnis war beeindruckend. Der Nebel hatte seine Geschwindigkeit nahezu verdoppelt. Zu diesem Zeitpunkt hätte er von Filchner noch acht Tage weit entfernt sein sollen. Stattdessen befand er sich in einer Position, von der aus er den Siedlerplaneten in weniger als fünf Tagen erreichen konnte, gleichbleibende Geschwindigkeit vorausgesetzt.

Julian verließ das Observatorium. Er hatte mit einer ähnlichen Entwicklung gerechnet, die Energiereserven des Gegners jedoch weit unterschätzt. Fünf Filchner-Tage waren eine gefährlich kurze Zeitspanne. Seitdem er den ersten Blick auf den blauschwarzen Fremden geworfen hatte, verfolgte er einen ganz bestimmten Plan. Er war davon ausgegangen, dass er zu dessen Durchführung wenigstens noch sechs oder sieben Tage Zeit hatte. Die Frist hatte sich verkürzt. Es blieb ihm keine Zeit mehr, umfangreiche Vorbereitungen zu treffen. Er musste handeln.

Auf dem kürzesten Weg begab er sich zum Sendegebäude. Unterwegs fand er die reglosen Gestalten zweier Arek-Krieger. Sie hatten hässliche Brandwunden am Körper. Pete Baerman hatte sie erschossen.

Aus dem Kraftwerk drang das dumpfe Grollen der schweren Fusionsgeneratoren, als Julian die Energiezufuhr zum Sender einschaltete. Es war merkwürdig, dass der Gegner bislang noch keinen Versuch unternommen hatte, die Generatoren zu vernichten und die Energieversorgung der Siedlung auszuschalten. Es war merkwürdig, solange man bereit war zu glauben, dass die Technologie des Feindes auf etwa der gleichen Grundlage aufbaute wie die terranische. Das war nicht der Fall, dessen war Julian völlig sicher, und auf dieser Erkenntnis basierte ein Teil seines Plans.

Die Fremden hatten die Generatoren ungeschoren gelassen, weil sie nicht wussten, was sie waren. Sie wollten alles, was es auf Filchner gab, unbeschädigt in ihren Besitz bringen. Nur aus diesem einen Grund schwirrten noch immer Tausende von Mikrokugeln unsichtbar in der Luft herum, anstatt dass ihre Insassen die Mikrofelder abgeschaltet und sich mit ihrer erdrückenden Übermacht auf die Handvoll Siedler geworfen hätten. Für die Humdinger-Wesen war das Unternehmen nur dann ein Erfolg, wenn sie Filchner unversehrt eroberten.

Darauf beruhte Julians Plan. Dem Gegner musste klargemacht werden, dass er den Planeten nicht widerstandslos besetzen konnte. Die Überlegenheit der terranischen Technologie musste ihm klar vor Augen gestellt werden.

Julian schaltete den Sender ein. Er regulierte die Fokussierung des Richtstrahls und wählte eine Frequenz. Der große Bildschirm über dem Schaltpult leuchtete auf. Ein Mann in der Uniform eines Captains erkannte seinen Gesprächspartner und salutierte ehrerbietig.

»Relais Nummer eins-acht-vierundsiebzig, Sir. Captain Hammond am Empfang.«

Julian nickte. Die Wirkung der Droge hinderte ihn daran, die Situation so ernst zu nehmen, wie sie es verdiente. Er grinste.

»Kode Null-A«, antwortete er leichthin. »Verbinden Sie mich mit dem Großadministrator.«

10.

Als er zurückkehrte, standen nur Sifter und Kalep am inneren Rand des Schirmfelds. Lorran und Meech waren im Haus. Von Pete und Doreen hatte während der vergangenen halben Stunde keiner eine Spur gesehen. Julian rief den Robot mithilfe eines Suchimpulses. Meech erschien wenige Sekunden später und errichtete das Brückenfeld, das Julian den Durchtritt durch die Feldschirmhülle ermöglichte.

Er begab sich auf dem kürzesten Wege zu Lorran. Der Arzt befand sich in der Ordination. Der Gefangene lag auf dem Untersuchungstisch, Beine und alle vier Arme sorgfältig festgeschnallt. In der Nähe des Tisches stand ein kastenförmiges Gerät, das sich auf Rollen bewegte. Lorran hielt dem Blauschwarzen ein Mikrofon vor den Mund, das durch ein Kabel mit dem Kasten verbunden war.

Als Julian den Raum betrat, hörte er den Gefangenen ein paar krächzende, zischende Laute ausstoßen. Sekunden später drang aus dem Kasten eine blecherne Stimme und sagte in Interkosmo: »Ich verstehe …!«

Lorran richtete sich auf. Das Mikrofon glitt in seine Halterung zurück. Der Arzt wischte sich den Schweiß von der Stirn. Zum ersten Mal seit langer Zeit machte er einen heiteren Eindruck.

»Geschafft«, stöhnte er in gespielter Verzweiflung. »Puh – ich habe noch nie in meinem Leben so geschwitzt.«

»Der Translator hat die Sprache aufgezeichnet?«, erkundigte sich Julian.

»Wenigstens die Grundbegriffe. Solange wir und der Kerl dort keine allzu komplizierten Sätze bilden, können wir einander verstehen.«

»Sehr gut.« Julian sah sich um. »Wo steckt Meech?«

»Fragen Sie mich? Er hat Sie doch gerade reingelassen.«

Als hätte er sein Stichwort gehört, erschien der Robot unter der Tür.

»Die Versuchsserie ist abgeschlossen, Sir«, erklärte er würdevoll. »Das Streufeld der Mikrokugeln kann geortet werden.«

Julian fühlte unsägliche Erleichterung. Hatte sich das Blatt endlich gewendet? Befanden sie sich nach Tagen der Ungewissheit und des ständigen Rückzugs wieder auf dem Vormarsch?

»Es dreht sich mir nicht so sehr um die Mikrokugeln, Meech …«, begann er, aber der Robot unterbrach ihn.

»Bitte um Verzeihung, Sir, aber *das* ist auch schon geortet. Die Streustrahlung ist unverkennbar, trotz der scheinbaren Kleinheit des Objekts.«

Julian trat auf ihn zu und schlug ihm auf die Schulter.

»Das verstehst du zwar nicht«, sagte er leutselig, »aber ich fühle mich danach. Du hast erstklassige Arbeit geleistet, Meech.«

»Danke, Sir«, antwortete der Robot ungerührt.

Er wandte sich an Lorran. Der Arzt stand wie vom Donner gerührt und hatte von der ganzen Unterhaltung offenbar kein Wort verstanden.

»Ich brauche Ihre Hilfe, Lorran«, erklärte ihm Julian. »Sie kommen mit uns.«

»Mit uns – wohin?«, stieß Lorran hervor. »Was heißt das alles? Ich begreife kein Wort.«

Meech war inzwischen hinausgegangen. Julian wusste, was er vorhatte, und ließ ihn gewähren.

Er wies auf den Gefangenen. »Sehen Sie sich ihn an!«, forderte er Lorran auf. »Trägt er irgendwelche Schutzkleidung?«

Lorran schüttelte den Kopf. »Nein, er ist ein vollblütiger Sauerstoffatmer und braucht keine.«

»Gut. Wie viel von diesen Wesen, glauben Sie, sind heute Nachmittag nach Rivertown eingedrungen?«

Lorran dachte nach.

»Ebenso viele, wie wir Areks sahen, denke ich. Also rund dreitausend.«

»Und weitere zehntausend befanden sich auf dem Weg, wie Sifter berichtete. Also haben wir es mit insgesamt dreizehntausend Fremden zu tun, die sich in Form von Mikrokugeln auf Filchner befinden. Sie tragen keinerlei Schutzkleidung. Das Mikrofeld kann nicht als Schutz betrachtet werden, denn es ist materiedurchlässig. Ich frage Sie: Wie sind die Fremden nach Filchner gekommen?«

Lorran setzte zu einer hastigen Antwort an. Bevor er das erste Wort jedoch aussprechen konnte, schien ihm ein Gedanke zu kommen. Er hielt die Luft an und ließ sie dann zischend zwischen den Zähnen hindurch entweichen.

»Also *so* ist das!«, brummte er.

»Ganz richtig«, stimmte Julian zu. »Irgendwo auf Filchner, hinter einem Mikrofeld versteckt, liegt ein riesiges Humdinger-Raumschiff, das vor geraumer Zeit dreizehntausend Humdinger-Wesen oder mehr auf dieser Welt abgesetzt hat.«

Das Gelände unter ihnen war hügelig und mit dichtem, hohem Gras bestanden. Einzelne Busch- und Baumgruppen hoben sich deutlich ab. Sie flogen in fünfhundert Metern Höhe und mit mäßiger Geschwindigkeit. Rivertown lag mehr als siebenhundert Kilometer weit hinter ihnen.

Die Sonne war vor Kurzem aufgegangen. Hinter den drei Mann an Bord des kleinen Raumfahrzeugs lag eine lange Nacht voll hektischer Tätigkeit. Julian Tifflor saß am Steuer. Joe Kalep hatte sich in einem der in den Boden eingelassenen Sessel lang ausgestreckt und versuchte, ein Auge voll Schlaf zu bekommen. An der Rückwand des halbkreisförmigen Raums stand Meech Hannigan, den Blick in die Ferne gerichtet, als könnte er durch die metallene Wandung schauen. Vor ihm, an einen Sessel festgebunden, saß der Gefangene.

Sein Name war Kauuch – oder so ähnlich. Zehn Stunden lang hatte er Fragen und Antworten ohne Zahl über sich ergehen lassen müssen. Zunächst war er störrisch gewesen. Aber Julians Verhörmethode basierte auf der Erkenntnis, dass keine Zeit verloren werden durfte. Er war mit dem Gefangenen alles andere als sanft umgesprungen. Und schließlich hatte er die ersten Antworten erhalten. Was die Pläne des Gegners waren, wie er sie verwirklichen wollte, welches die Motive waren und wie der feindliche Generalstab die Erfolgschancen sah.

Nachdem Kauuch alles Wissenswerte preisgegeben hatte, begann Julian von sich aus zu reden. Er machte Kauuch klar, wie falsch die Vorstellungen des Generalstabs waren. Er zeigte ihm ein paar von den Dingen, die die terranische Technologie erzeugt hatte. Er schleppte ihn zum Sendegebäude hinüber und verbrachte eine Stunde damit, Kauuch auf den Bildschirm starren und den Flottenverband sehen zu lassen, der sich infolge Julians letztem Bericht im Anflug auf Filchner befand. Der Kommandeur des Verbands begriff die Wichtigkeit der Demonstration und setzte Sonden ein, die den gesamten Verband, einzelne Teile davon oder gar einzelne Schiffe aus dem eindrucksvollsten Blickwinkel zeigten.

Darauf folgten zwei Stunden angeregter Unterhaltung – und schließlich war Kauuch überzeugt, dass seine Rassegenossen den Krieg um Filchner nicht gewinnen konnten. Er erklärte sich mit Julians Plänen einverstanden.

Inzwischen hatte Meech Hannigan das Raumfahrzeug, mit dem er und Julian zwei Tage zuvor auf Filchner gelandet waren, durch ein Kodesignal, das den Autopiloten aktivierte, nach Rivertown gebracht. Ebenfalls in der Zwischenzeit hatte Doc Lorran bemerkt, dass Pete und Doreen Baerman sich im Laufe der vergangenen acht Stunden nirgendwo mehr hatten sehen lassen. Er war darüber nicht allzu besorgt, denn Pete trug einen handlichen Vorrat an Morphiat-Tabletten bei sich und konnte Doreen damit versorgen. Aber es erschien merkwürdig, dass sie sich so lange draußen in der Dunkelheit herumtreiben sollten.

Meech hatte den Mikrofeldgenerator des Gefangenen an Bord des Raumfahrzeugs, einer besonders für Julian Tifflors Gebrauch hergerichteten Space-Jet, installiert und mit dem Fusionskraftwerk des Kleinraumschiffs verbunden. Er hatte außerdem mehrere an Bord befindliche Raumschutzanzüge in Doc Lorrans Haus gebracht. Im Innern eines Raumanzugs konnte jeder den Feldschirm ungefährdet verlassen, ohne dass er Morphiat-Tabletten einnehmen musste.

Julians Plan bestand darin, das auf Filchner gelandete feindliche Raumschiff in seine Hand zu bringen, den Mikrofeldgenerator außer Betrieb zu setzen und die auf Filchner befindliche gegnerische Truppe davon zu überzeugen, dass ihr Vorstoß gescheitert war. Er hatte zunächst versucht, Kauuch dazu zu bewegen, dass er mithilfe seines eigenen Sendegeräts seinen Rassegenossen, die in der Form von Mikrokugeln überall in Rivertown umherschwirrten, von seinen Erfahrungen berichtete und sie auf diese Weise davon überzeugte, dass jeder weitere Verfolg ihrer Absichten unnütz sei.

Kauuch hatte sich jedoch nicht überreden lassen. Die Stimme eines Einzelnen, behauptete er, zählte wenig. Ihm allein würde niemand glauben. Es bedurfte einer Demonstration der terranischen Macht, um den dreizehntausend Eindringlingen klarzumachen, dass sie für eine verlorene Sache kämpften. Außerdem befand sich an Bord des gelandeten Raumschiffs der Kommandant des Stoßtruppunternehmens. Wenn er dazu gezwungen werden konnte, seinen Untergebenen den Befehl zum Rückzug zu geben, dann, glaubte Kauuch, würden die Dreizehntausend Rivertown unverzüglich verlassen.

Joe Kalep hatte es sich nicht ausreden lassen, dass er bei dem bevorstehenden Unternehmen von Nutzen sein könne. Julian hatte ihn schließlich mitgenommen. Doc Lorran und Darrel Sifter waren in Rivertown zurückgeblieben. Als die Space-Jet startete, hatten Pete und Doreen sich immer noch nicht blicken lassen.

Das Fahrzeug befand sich jetzt, anderthalb Stunden nach dem Start, etwa einhundert Kilometer von der Stelle entfernt, an der Meech die energetische Streustrahlung des gegnerischen Schiffs geortet hatte. Kauuch bestätigte Meechs Ortung. Das Schiff lag im Hügelland nahe der südlichen Küste des Kontinents. Es war kein Rätsel mehr, warum die meisten der besessenen Areks aus dem tiefen Süden gekommen waren. Kauuch und seine Genossen hatten sich bemüht, so rasch wie möglich in einem intelligenten Gehirn Fuß zu fassen. Sie wussten, dass ihre wahren Opfer noch weit entfernt waren. Aber die Areks, deren Verstand sie beherrschten, boten ihnen eine sichere, wenn auch langsame Transportmöglichkeit.

Obwohl Julian Kauuch vertraute und die Aufrichtigkeit seines Verhaltens kaum bezweifelte, hatte er den Gefangenen fesseln lassen. Kauuch war Angehöriger einer absolut fremden Rasse. Niemand wusste genau zu sagen, was wirklich in seinem Verstand vor sich ging. Seine bereitwillige Mitarbeit mochte Taktik sein, und Julian war nicht gewillt, in diesen Stunden der Entscheidung auch nur das geringste Risiko einzugehen. Kauuch hatte das verstanden. Seine Denkweise schien sich von der der Terraner kaum zu unterscheiden.

Julian starrte auf den Bildschirm. Ein merkwürdiges Gefühl überkam ihn bei der Vorstellung, dass dort unten irgendwo, von Grashalmen verborgen, ein riesiges Raumschiff lag. Kauuchs Beschreibung des Schiffs war spärlich gewesen. Noch hatte der Translator nicht den gesamten Wortschatz der fremden Sprache erfasst, und besonders, wenn es um weniger greifbare Dinge ging, war die Übersetzung nicht einwandfrei. Julian wusste nur, dass das fremde Schiff walzenförmig war und etwa einen Kilometer in der Länge und zweihundert Meter im Durchmesser maß. Das schien ihm überraschend klein für ein Fahrzeug, das mehr als dreizehntausend Mann transportiert hatte. Unter diesen Aspekten wurde plausibel, was Kauuch gesagt hatte. Nämlich, dass er noch nie eine so unbequeme Reise gemacht hätte wie die von seiner Heimatwelt nach Filchner. Wenn seine Beschreibung richtig war, dann waren er und seine Rassegenossen an Bord des Schiffs wie Sardinen in einer Dose zusammengepfercht gewesen.

Meech Hannigans unbeteiligte Stimme schreckte ihn aus dem Nachdenken. »Etwa zweihundert Meter voraus, Sir. Wir fliegen direkt darüber hinweg.«

Julian drosselte die Geschwindigkeit. Von einem Augenblick zum anderen schob er jeden unnützen Gedanken beiseite und konzentrierte sich allein auf die Aufgabe, die vor ihm lag. Dies waren die kritischen Minuten. Die Restbesatzung an Bord des feindlichen Schiffs musste die Space-Jet längst ausgemacht haben. Betrachteten sie das Erscheinen des terranischen Fahrzeugs als Gefahr – oder nahmen sie an, dass es sich um einen Routineflug handelte, der nur zufällig über ihren Landeplatz hinwegführte?

Julian wartete, bis das fremde Schiff etwa zehn Kilometer hinter ihm lag. Dann drückte er die Space-Jet nach unten. In einer Furche zwischen zwei Hügelketten zog er eine enge Schleife und nahm wieder Kurs auf den Gegner. Er warf Meech einen fragenden Blick zu.

Der Robot antwortete: »Genau ausgemacht, Sir. Wir können nicht fehlgehen.«

Julian spannte die Hand um den Fahrthebel, bis die Knöchel weiß hervortraten.

»Gut«, knurrte er. »Dann geht's los.«

Er hatte lauter gesprochen, als er wollte.

Joe Kalep fuhr in die Höhe. »Wo – was geht los?«, stieß er hervor.

»Wir sind da!«, rief Julian ihm zu. »Noch ein paar Augenblicke, dann …«

Er sprach den Satz nicht zu Ende. Er wusste selbst nicht, was »dann« sein würde. Er hatte versucht, es sich vorzustellen; aber es ging über die Grenzen des menschlichen Verstands, sich eine Situation wie die, die ihnen kurz bevorstand, im Vorhinein auszumalen.

Die Space-Jet glitt mit mäßiger Geschwindigkeit das flache Tal entlang. Kilometer um Kilometer blieb hinter ihr zurück. Das feindliche Schiff lag jenseits der linken Hügelkette, im nächsten Tal nach Westen. Im Augenblick war die Space-Jet von den gegnerischen Ortungsgeräten nicht auszumachen.

»Einen Kilometer, Sir«, sagte Meech.

Julian setzte die Geschwindigkeit herab. Seine Hand zitterte, als er nach dem Hebel griff, der die Energiezufuhr zum Mikrofeldgenerator einschaltete.

»Noch fünfhundert Meter, Sir«, meldete der Robot, »und genau Nordwest!«

Der Hebel bewegte sich. Zögernd glitt er aus der Raste. Eine endlose, verzweifelte Sekunde lang wünschte sich Julian, er hätte nie von Filchner gehört. Die Angst vor dem Unbekannten packte ihn.

Schweiß trat ihm auf die Stirn.

»Jetzt!«, schrie er, und die ganze ungeheure Spannung, die ihn erfüllte, lag in dem einen Wort, das wie ein wütender Aufschrei durch die kleine Kabine gellte.

Klickend schnappte der Hebel nach unten.

Geräuschlos, ohne jeden Übergang, verwandelte sich das sonnenbeschienene Tal in einen höllischen, albtraumhaften Abgrund.

Das Fahrzeug kam zum Stillstand. Fassungslos starrte Julian auf den Bildschirm. Vor ihm, endlos weit entfernt, erhob sich eine kompakte Masse von Grau, Braun und Grün so unendlich hoch, dass er das obere Ende nicht mehr sehen konnte.

Die Hügelreihe im Westen.

Unter ihm, Tausende von Kilometern weit, erstreckte sich zerrissenes, zerklüftetes Gelände, das aus unregelmäßigen, bunten Flecken zusammengesetzt war, jeder einzelne Fleck so groß wie eine riesige Stadt.

Das Gras auf dem Boden des Tals.

Ungeheuere, schwarze Schatten glitten mit atemberaubender Geschwindigkeit durch die Luft, manchmal gefährlich nahe an dem wartenden Fahrzeug vorbei, sodass Julian in Erwartung des Aufpralls die Muskeln verkrampfte.

Insekten, die sich in der Luft über dem Gras herumtrieben.

Joe Kalep stöhnte auf. Der unwirkliche, angsterfüllte Laut schreckte Julian aus seiner Benommenheit. Er setzte das Fahrzeug wieder in Bewegung. Mit Höchstgeschwindigkeit glitt es auf die zyklopische Wand der westlichen Hügel zu.

Meech nahm seine Arbeit wieder auf und gab in regelmäßigen Abständen Entfernung und Richtung des feindlichen Schiffs an. Julian arbeitete wie eine Maschine. Die Gedanken hatte er abgeschaltet. Sie konnten ohnehin nicht verarbeiten, was er sah.

Über der Kuppe des Hügels begann er die Flughöhe zu verringern. Irgendwo im Gras des nächsten Tals versteckt, lag das feindliche Raumschiff. Wenn er offen anflog, bot er dem gegnerischen Abwehrfeuer ein lächerlich leichtes Ziel. Nur das Gras bot Schutz.

In halsbrecherischem Steilflug raste er auf die Landschaft der gigantischen, bunten Flecken zu. Das Bild wurde deutlicher. Die Oberfläche, die zunächst wie eine riesige Ebene gewirkt hatte, löste sich in Einzelheiten auf und ließ ihre Gliederung erkennen. Türme aller Arten, schief und gerade, rund, kantig, glatt oder von ungeheuren Längsfurchen durchzogen, ragten in die Höhe. Ihr Durchmesser verringerte sich, je höher sie wuchsen. Aus ihren Seiten ragten andere Türme, schwangen sich zur Seite und beugten sich unter dem Gewicht riesiger, faseriger Gebilde, die an ihren Enden hingen.

Und das Ganze befand sich in atemberaubender, wiegender Bewegung. Welch eine grandiose Architektur, die Türme von solch gewaltiger Größe schaffen konnte, so elastisch, dass sie sich nach jeder Schwankung wieder aufrichteten, und so stabil, dass sie Tausende von Kilometern in die Höhe ragten, schief und mit horizontalen Auswüchsen, ohne unter ihrem eigenen Gewicht zusammenzubrechen.

Grashalme, vom Wind bewegt. Julian versuchte, sich einzureden, dass es nichts weiter war – Halme und Rispen von einfachem Gras, durch die Wirkung des Mikrofelds um ein Sechshunderttausendfaches vergrößert. Aber das Bild war wirksamer. Würgende Furcht verscheuchte den beruhigenden Gedanken. Julian tauchte weiter nach unten, und als er schließlich zwischen das Gewirr der Halme eingetaucht war, verlor die Umgebung ihren albtraumhaften, angsteinflößenden Charakter, weil die Vernunft sie einfach nicht mehr zu begreifen vermochte.

Halbdunkel herrschte hier unten. Ein ununterbrochenes Gewirr von dunkelgrünen Wänden hemmte die Bewegungen der Space-Jet – Wände von Türmen, die so riesig waren, dass sie als Ganzes nicht gesehen werden konnten, Wände von Grashalmen, jeder einzelne tausend Kilometer dick.

Es dauerte Minuten, bis Julian sich zurechtfand. Die Zwischenräume zwischen zwei Turmwänden waren meistens größer als die Wände selbst. Er konnte zwar keinen geraden Kurs halten, aber er fand überall Lücken, durch die er weiter vordringen konnte. Tief unter sich sah er gigantische Kreaturen sich bewegen, Käfer, die fast so schnell vorwärtskamen wie die Space-Jet selbst und manchmal die Turmwände in bedrohliche Schwankung versetzten.

Meech Hannigan und seine kühle, ruhige Stimme waren der ruhende Pol in diesem Hexenkessel aus grotesken, unbegreiflichen Bildern und dumpfer, lähmender Angst.

»Noch einhunderttausend Kilometer, Sir«, meldete er. »Kurs zwo-einundachtzig.«

Die Entfernungen waren im selben Maß gewachsen wie die Dimensionen der Landschaft. In ihrer kugelförmigen Mikrowelt bewegte sich die Space-Jet mit einer Geschwindigkeit von Mach 31 – der höchsten Geschwindigkeit, die Julian noch ein gezieltes Manövrieren zwischen den grünen Wänden der Grastürme erlaubte. Es würde zweieinhalb Stunden dauern, bis sie das feindliche Schiff zu Gesicht bekamen.

Julian hatte sich an die neue Umgebung gewöhnt. Sie flößte

ihm keine Angst mehr ein. Zielsicher handhabte er die Steuerung. Die Space-Jet zog einen glühenden Strom ionisierter Luftpartikel hinter sich her – zu dünn, als dass ihn selbst die Augen der Käfer hätten bemerken können, obwohl es vom Pilotenstand her aussah, als müsste er die ganze Welt mit Feuer erfüllen.

Die Stunden verstrichen. Unbehelligt zog das winzige Fahrzeug seinen Weg durch die Schluchten der Graswelt. Meech nannte eine Distanz von neunhundert Kilometern. In jeder Sekunde verringerte sich der Abstand um zehneinhalb Kilometer.

Da zuckte ein greller Blitz durch das grüne Dämmerlicht. Er fuhr seitwärts vorbei und schnitt eine glühende Furche durch eine der Turmwände. Der Turm begann sich zu neigen. Mit beängstigender Geschwindigkeit näherte sich die stürzende Wand dem kleinen Fahrzeug. Der Gegner hatte das Feuer eröffnet.

Julian flog ein gewagtes Abwehrmanöver. So steil er konnte, tauchte er nach unten, dem finsteren Boden des Abgrunds entgegen. Ein zweiter Blitz zuckte auf und verfehlte ihn um Hunderte von Kilometern.

Dann sah er das feindliche Schiff. Es lag unten, auf dem Boden, zwischen zwei riesigen Grastürmen, kaum erkennbar in der Finsternis. Es sah so aus, wie Kauuch es beschrieben hatte – walzenförmig und nicht besonders groß, ein winziger Strich in dieser Welt zyklopischer Formen.

Julian stieß darauf zu. Der Gegner löste eine dritte Salve aus, aber die Wendigkeit der Space-Jet setzte seine Zielmechanismen schachmatt. Zehn Sekunden später war Julian schon so dicht am Ziel, dass den feindlichen Geschützen kein Schussfeld mehr blieb.

Die Space-Jet glitt an der mattschimmernden Wandung des Schiffs entlang. Julian hatte die Geschwindigkeit drastisch gedrosselt, seitdem ihm von den Geschützen keine Gefahr mehr drohte. Er konnte jede Einzelheit der sanft gerundeten Wand erkennen, als er dicht neben ihr entlangstrich.

Die Fugen einer großen Schleuse tauchten auf. Die Schotten

waren geschlossen. Julian drosselte das Triebwerk und brachte sein Fahrzeug zum Stillstand. Eine einzige Salve des Thermogeschützes verwandelte die Schleusenöffnung in ein Inferno von Glut und Qualm. Die Space-Jet schoss durch das gezackte Loch hindurch und glitt in einen Schleusenraum von beachtlicher Größe. Der Raum war leer. Julian atmete auf. Der erste Teil seines Plans war geglückt.

Meech nahm den Gefangenen auf. In aller Hast verließen sie das Fahrzeug, nachdem Julian den Mikrofeldgenerator ausgeschaltet hatte. Sie brauchten ihn nicht mehr. Sie befanden sich jetzt im Innern des feindlichen Mikrofelds.

Unter Meechs Führung durchquerten sie den großen Schleusenraum und drangen durch ein Luk in das eigentliche Innere des Schiffes ein. Sie kamen auf einen langen, breiten Gang, der sich vom Luk fort nach beiden Seiten erstreckte. Er war ebenfalls leer. Der blitzschnelle Vorstoß der Space-Jet musste die zwanzig Gegner, die sich nach Kauuchs Aussage an Bord des Schiffes befanden, völlig verstört haben.

Der Robot fand ein Schott in der jenseitigen Gangwand und öffnete es. Sein Orientierungssinn war untrüglich. Er bewegte sich mit einer Geschwindigkeit, der Julian und Kalep kaum zu folgen vermochten, obwohl er den gefesselten Gefangenen auf der Schulter trug.

Sie kamen durch eine rechteckige Halle, etwa zweihundert mal achtzig Meter groß. Spärlich verteilte Lampen an der niedrigen Decke beleuchteten endlose Reihen von Liegegestellen. Dies war einer der Unterkunftsräume, in der die dreizehntausend Mann des Stoßtrupps die Reise von der Humdinger-Ballung nach Filchner überstanden hatten.

Meech schritt zwischen zwei Reihen von Gestellen auf die Rückwand zu. Ohne das Tempo zu verringern, rief er: »Der Generator ist nicht mehr als einhundert Meter entfernt, Sir!«

Die Wand schälte sich aus dem Dämmerlicht. Die dunklen Umrisse eines Schotts wurden sichtbar. Meech hielt darauf zu.

Er war noch zwanzig Meter entfernt, als das Schott sich öffnete. Grelles Licht brach daraus hervor. Unter der hell erleuchteten Öffnung erschienen die Umrisse von vierarmigen Gestalten, rohrähnliche Waffen schwingend.

Der Feind hatte sich vom Schock erholt.

Julian ließ sich flach zu Boden fallen. Ein röhrendes, orgelndes Geräusch klang auf, und eine fahle, fächerförmige Lichtbahn schoss quer durch die Halle. Ein paar Liegegestelle verschwanden in Flammen und Rauch. Julian hob vorsichtig den Kopf.

Meech hatte Kauuch blitzschnell zu Boden gleiten lassen. Mit der unübertrefflichen Reaktionsgeschwindigkeit des Roboters hatte er seine Position gewechselt und nahm das Schott unter Feuer. Der Gegner kam nicht dazu, mehr als einen Schuss abzufeuern. Meechs Salve zog eine glühende Furche quer über die Wand in der Nähe des Schotts. Die drei fremden Gestalten verschwanden in einer Glutwolke. Als der aufsteigende Qualm sich verzog, hatte sich die Schottöffnung um das Doppelte erweitert, und ihre Ränder glühten dunkelrot.

Mit einer Bewegung, der das Auge kaum folgen konnte, nahm Meech Kauuch wieder auf und stürmte auf das Schott zu. Julian und Kalep waren zehn Meter hinter ihm, als er es erreichte. Unter der Öffnung, von der die erhitzte Luft wabernd in die Höhe stieg, hielt er an.

Einen Augenblick später wandte er sich um und rief Julian zu: »Wir sind am Ziel, Sir!«

Julian schloss auf. Die Hitze, die von dem glühenden Metall ausging, nahm ihm fast den Atem. Die Haut brannte unerträglich. Die Augen füllten sich mit Tränen, aber trotzdem erkannte er die Umrisse des riesigen Generators in dem Raum hinter dem Schott.

Hier wurde das Mikrofeld erzeugt, das das große Raumschiff umgab. Im Schutz dieses Mikrofeldes war es vor Wochen auf Filchner gelandet. Von diesem Generator aus wurde die einzigartige Waffe des Gegners mit Energie versorgt.

Meech ließ Kauuch ein zweites Mal zu Boden gleiten. Ohne Julians Befehl abzuwarten, schritt er auf den Generator zu, der in Gestalt eines stufenförmigen Turms vor ihm in die Höhe ragte. Er hielt geradewegs auf eine große Schalttafel zu, von der bunte Kontrolllampen blinkten. *Noch ein paar Sekunden,* dachte Julian, *und das Mikrofeld existiert nicht mehr.*

Da packte Kalep ihn am Arm.

»Dort drüben«, zischte er. »Links am Generator vorbei!«

Julian wandte sich zur Seite. In der rückwärtigen Hälfte des Raums, jenseits des Generators und von Meechs Standort aus unsichtbar, bewegten sich eine Handvoll schattenhafter Gestalten. Die grelle Beleuchtung erfüllte nur den Vordergrund mit Helligkeit. Alles, was hinter dem Generator lag, befand sich in grauem Dämmerlicht. Julian verkrampfte sich der Magen, als ihm klar wurde, dass Kalep und er unter dem starken Licht sich dem Gegner wie Zielscheiben darboten.

»Meech, aufpassen!«, schrie er aus voller Lunge, dann packte er Kalep an der Schulter und riss ihn mit sich.

Der Generator war ihre einzige Deckung. Sie mussten ihn zwischen sich und die Vierarmigen bringen, wenn sie am Leben bleiben wollten. Der Gegner erkannte ihre Absicht. Röhrend und orgelnd entluden sich die feindlichen Waffen. Ein schwach leuchtender Lichtstrahl fuhr dicht an Julian vorbei und versengte ihm die Schulter. Er stürzte, raffte sich wieder auf und rannte weiter.

Inzwischen hatte Meech die Schalttafel erreicht. Zwei der Vierarmigen hatten inzwischen begriffen, was er vorhatte, und kamen um die Ecke des Generatorsockels auf ihn zu. Meech sah sie und setzte sie außer Gefecht, noch bevor sie ihre langrohrigen Waffen heben konnten.

Dann griff er nach dem Haupthebel und riss ihn mit einer kräftigen Bewegung herunter.

Eine Sekunde lang geschah nichts. Dann erklang rollender Donner, dessen Intensität ständig zunahm, bis er mit elementarer Gewalt jeden Kubikzentimeter des Schiffsinnern zu erfüllen schien und die dicken Metallböden zum Vibrieren brachte.

Die Vierarmigen wichen angsterfüllt zurück. Meech erwischte noch zwei von ihnen, bevor sie in der Dunkelheit des Hintergrunds verschwanden. Julian stand still und hielt die Hände gegen die Ohren gepresst.

Langsam ebbte der Donner ab. Der Boden hörte auf zu zittern. Julian nahm die Hände von den Ohren und sah sich benommen um. Neben ihm stand Joe Kalep, ein verlegenes und zugleich erleichtertes Lächeln auf dem Gesicht.

Die Kontrolllampen des Generators waren dunkel. Die Stille ringsum war vollkommen. Der Generator arbeitete nicht mehr.

»Was, zum Teufel, ist passiert?«, knurrte Julian.

Er sah sich um und entdeckte Kauuch, der noch immer in der Nähe des Schotts lag. Er bewegte sich, soweit es ihm die Fesselung gestattete. Also lebte er noch.

»Ein ganz natürlicher Effekt, Sir«, antwortete der Robot im Tonfall dessen, der alles schon längst wusste. »Das Donnern rührte von plötzlich verdrängter Luft her. Nach dem Ausschalten des Mikrofelds entstand das feindliche Raumschiff mit seinen wirklichen Ausmaßen mitten in einem Raum, der bis dahin von Luft unter atmosphärischem Druck erfüllt war. Diese Luft wurde verdrängt. Der Verdrängungsvorgang erzeugte das donnernde Geräusch. Wie etwa bei einem Gewitter, Sir.«

Julian sah ihn lange an.

»Ich wusste schon immer, dass du sehr schlau bist«, sagte er mit gespieltem Ärger.

In Wirklichkeit empfand er so viel Erleichterung, dass ihm die Knie zu zittern begannen.

Sein Plan war gelungen.

11.

Der Rest war ein Kinderspiel. Der Gegner hatte die Überlegenheit ihrer Waffen kennengelernt und wagte sich nicht mehr hervor. Kauuch, der seine Vertrauenswürdigkeit nun voll unter Beweis gestellt hatte, wurde befreit und benutzte den in der Generatorhalle angebrachten Interkom – ein primitives Gerät, das drahtgebunden arbeitete –, um sich mit dem Kommandanten des Schiffes in Verbindung zu setzen. Das gelang ihm zunächst nicht. Wer auch immer am anderen Ende der Leitung saß, er hatte nicht das geringste Interesse zu antworten.

Am frühen Nachmittag trat eine entscheidende Wendung ein. Die Luft über dem Hügelland begann plötzlich von kugelförmigen Raumschiffen aller Größenordnungen zu wimmeln. Der terranische Flottenverband, den Julian um sofortige Hilfe gebeten hatte, war über Filchner angekommen. Ein Geschwader von leichteren Einheiten, angeführt von einem achthundert Meter durchmessenden Schlachtschiff, bezog über den Hügeln Position.

Die Restbesatzung des Schiffes fühlte sich bedroht. Kauuch unternahm einen erneuten Versuch, den Kommandanten zu erreichen; und diesmal hatte er Erfolg. Er berichtete von seinen Erlebnissen. Er schilderte in seinen eigenen Worten, um wie viel die terranische Technik der seiner eigenen Rasse überlegen war – auch wenn diese auf einigen eng begrenzten Gebieten die Technologie des irdischen Gegners um einige Schritte hinter sich zurückgelassen hatte, wie zum Beispiel auf dem Feld der Mikrofeldtechnik.

Der Kommandant nahm Kauuchs Erklärung für bare Münze. Er gab zu, dass er sein Unternehmen für gescheitert hielt, und erklärte sich mit den Bedingungen, die ihm Julian durch Kauuch stellte, ohne Zögern einverstanden. Die Bedingungen lauteten: Dem Walzenschiff und seiner Besatzung würde freier Abzug zugestanden, wenn im Augenblick des Starts alle auf Filchner gelandeten Besatzungsmitglieder sich an Bord befanden – und nachdem der Mikrofeldgenerator demontiert und außerhalb des Schiffes zurückgelassen worden war.

Wenige Minuten später begann die Funkanlage des Schiffes zu arbeiten. Die Mitglieder des Stoßtrupps, die sich in Mikrokugelgestalt in Rivertown und Umgebung, einzelne auch noch in den Gehirnen von Arek-Kriegern aufhielten, wurden über die Entwicklung der Lage in Kenntnis gesetzt und erhielten den Befehl, auf dem schnellsten Wege zum Schiff zurückzukehren. Unter einer Eskorte terranischer Kriegsschiffe erhob sich das Walzenfahrzeug selbst vom Boden und flog nach Nordosten, um in der Nähe von Rivertown zu landen, sodass die Einschiffung rascher vor sich ging.

Der Mikrofeldgenerator wurde demontiert und außerhalb des Schiffes aufgestellt. Das Schleusenschott, das Julian zerschossen hatte, wurde repariert. Am Morgen des nächsten Tages startete das fremde Schiff. Kauuch befand sich an Bord. Julian hatte ihn nicht mehr gesehen, seitdem er mit Meech und Kalep das Walzenschiff am vorigen Nachmittag an Bord seiner Space-Jet verlassen hatte.

Am westlichen Rand der Siedlung landete ein kleineres Kriegsschiff – ein Kreuzer der Städte-Klasse mit dem Namen CANBERRA. Julian war erstaunt, denn er hatte bisher weder einen Landebefehl gegeben, noch eine Bitte um Landeerlaubnis vom Kommandanten des Verbands erhalten. Überdies pflegten Städtekreuzer nicht in Verbänden zu fliegen, sondern waren zumeist einzeln operierende Einheiten.

In dem Geländewagen, in dem er und Meech vor einigen Tagen in Rivertown angekommen waren, fuhr Julian zum Landeplatz des Kreuzers hinaus. Die Landebrücke war inzwischen ausgefahren. Am Fuß der Brücke, von einigen Offizieren in erstaunlich hohem Rang umgeben, erwartete ihn ein mittelgroßer, stämmig gebauter Mann mit eckigen Schultern, einem fröhlichen Gesicht und rostroten Haarborsten, die kampfeslustig zu Berge standen.

Reginald Bull, der zweite Mann im Imperium!

Julian stieg aus und salutierte ehrfurchtsvoll.

Um diese Zeit war der geheimnisvolle Nebel noch dreieinhalb Tage von Filchner entfernt.

Ein halber Tag war seit der Landung des Städtekreuzers vergangen. Reginald Bull gab sich äußerst freundlich und erklärte seine Anwesenheit auf Filchner damit, dass er neugierig genug gewesen sei, um die lange Reise von Terra zu unternehmen.

Inzwischen war die Sonne untergegangen. Julian rechnete damit, dass der Kommandant des auf Filchner gelandeten Feindschiffes sich sofort nach seinem Abflug mit seinen Auftraggebern in Verbindung gesetzt hatte.

Nach der Bauweise seines Triebwerks zu urteilen, die Meech eingehend studiert hatte, musste er sich jetzt in unmittelbarer Nähe des Nebels befinden.

Reginald Bull gab sich geheimnisvoll, als er nach Einbruch der Dunkelheit die Bewohner der Siedlung – das waren Sifter, Kalep und Lorran, denn Doreen und Pete Baerman waren seit jener Nacht spurlos verschwunden – zum Observatorium führte. Julian Tifflor und Meech Hannigan erwarteten sie dort. Meech hatte das Teleskop eingerichtet. Auf dem Bildschirm im Messraum waren die Fülle der Sterne und der Nebel deutlich zu sehen.

Bull begann zu sprechen.

»Mein Hiersein«, sagte er mit ruhiger Stimme, in der nicht die leiseste Spur von Erregung zu bemerken war, »verdanken Sie einem Offizier des Solaren Imperiums, der es vor kurzer Zeit unternahm, die vom Großadministrator selbst empfohlene Strategie gegen einen unerwartet aus den Tiefen des Alls auftauchenden Gegner für unwirksam zu erklären, und es mit Hartnäckigkeit, Konsequenz und unübertroffenem Beobachtungsvermögen verstand, den Administrator schließlich zur Rücknahme seiner Anweisungen zu bewegen.

Wenn Ihnen das alles ein wenig verschwommen klingt, dann

lassen Sie mich Ihnen den Mann vorstellen, von dem ich spreche. Er steht dort drüben – Solarmarschall Julian Tifflor!

Das Imperium hielt die fremden Wesen, die aus den Tiefen der Humdinger-Ballung ein unidentifizierbares, nebelförmiges Objekt in Richtung Filchner auf die Bahn gebracht hatten, für einen gefährlichen Gegner, den man auf keinen Fall unterschätzen durfte und der zunächst einmal geraume Zeit beobachtet werden musste, bis man seine Denkweise, sein Verhalten, seine Schliche und Taktiken gut genug kannte, um etwas gegen ihn unternehmen zu können. Das Imperium war bereit, Filchner widerstandslos zu opfern, falls eine Möglichkeit bestand, dass bei dem Vorstoß gegen Filchner etwas über die Charakteristiken des Gegners gelernt werden konnte.

Marschall Tifflor hat dieses Schicksal von Filchner abgewendet. Sein Argument war, dass eine Rasse, die zeit ihres Lebens in einem engen, von magnetischen Stürmen und anderen turbulenten Erscheinungen erfüllten Raumsektor gefangen war, nicht unbedingt ein technisch überlegener Gegner sein müsse. Sicherlich – auf einigen Gebieten sei ihre Technik der unseren überlegen, aber auf anderen hinke sie hinter der unseren her. Marschall Tifflor gebrauchte einen eindrucksvollen Vergleich: Für den Gegner, der aus einem dichten Nebelgebiet kommt, müsse es ebenso schwer sein, sich im freien Weltall zu bewegen, wie für einen augenlosen Höhlenmolch, sich im Sonnenschein zurechtzufinden.

Diese Argumente, die zunächst auf reiner Vermutung beruhten, erwiesen sich nach eingehender Beobachtung hier auf Filchner als richtig. Wir wissen, dass die feindliche Technologie im Grunde genommen unbeholfen und primitiv ist. Es ist auf gewissen Gebieten, zum Beispiel denen der Regel- und Feldtechnik, zu erstaunlichen Leistungen gekommen. Aber im Großen und Ganzen ist der Gegner uns hoffnungslos unterlegen.

Lassen Sie mich auf das wenige eingehen, was wir über die Rasse der Lookh wissen. Unsere Informationen rühren von Sergeant Hannigan her, der mit einigen Mitgliedern der Besatzung des feindlichen Walzenschiffes sprach.

Die Lookh entwickelten die Raumfahrt erst vor kurzer Zeit. Bemerkenswerterweise, da sie in einem Ein-Planeten-System beheimatet sind, war Raumfahrt für sie identisch mit interstellarer Raumfahrt. Es gab keine Nachbarplaneten, die sie besuchen konnten. Ihr erster Raumflug führte zum nächsten Stern, durch Nebel und Stürme, dreieinhalb Lichtjahre weit entfernt.

Sie drangen bis zum Rand des Nebels vor und sahen zum ersten Mal den freien Kosmos. Sie entschieden – wie ein Kind, das ein schöneres Spielzeug sieht als das, das es gerade besitzt –, dass es ihnen dort draußen besser gefallen würde als im Innern ihres Nebels. Auf diese Weise erfuhren sie, dass es auch außerhalb des Nebels intelligentes Leben gab. Sie beobachteten einige unserer Raumschiffe, als sie sich dem Nebel näherten. Von da an wussten sie, dass es nicht allzu leicht sein würde, in das freie Weltall vorzudringen und sich irgendwo anzusiedeln. Andere Rassen würden ihnen Widerstand leisten.

Mit ihren gebrechlichen Schiffen, von Mikrofeldern umhüllt, drangen sie unbemerkt in die Umgebung des Nebels vor. Eine der ersten Welten, die sie besuchten, war Filchner. Zu jener Zeit war das Experimentalkommando dabei, den Planeten zu untersuchen und für die Besiedlung freizugeben. Kurze Zeit später landeten Sie, meine Herren, mit Ihren unbegrenzten Vorräten an Maschinen, Geräten und Energie. Die Lookh, die um ihre technische Unterlegenheit sehr wohl wussten, kamen auf die Idee, dass sie auf Filchner alles lernen könnten, was sie noch nicht wussten.

In aller Eile bauten sie eine mächtige Flotte von Raumschiffen. Ihre Leistung muss bewundert werden. Natürlich gab es ein Handicap. Um Filchner zu erobern, brauchten sie *alle* Schiffe, die sie besaßen, denn der Gegner, der Filchner unter Umständen verteidigen würde, war ihnen technisch überlegen. Eine große Raumflotte aber kann nicht unbemerkt vom Humdinger-Nebel nach Filchner gelangen. Sie wäre sofort geortet worden, und der Gegner hätte seinen Widerstand organisiert.

In ihrer Verlegenheit griffen die Lookh nach einem Mittel, das nur ihnen alleine plausibel erschien. Sie hüllten ihre gesamte Flotte in ein Mikrofeld, sodass sie von Weitem den Anschein eines kleinen interstellaren Nebels vermittelte. Ein kleiner Nebelfetzen war für die Lookh das Natürlichste auf der Welt. In der Umgebung ihrer Heimatwelt gibt es Tausende solcher Fetzen, um die sich niemand kümmert.

Sie hatten vergessen, die Verschiedenheit der Mentalitäten in Rechnung zu ziehen. Der kleine Nebel fiel uns sofort auf. Wir hielten ihn unter Beobachtung und wussten innerhalb weniger Stunden, dass er kein natürlich entstandenes Gebilde sein konnte.

Was er in Wirklichkeit war, konnten wir erst ahnen, nachdem Marschall Tifflor seine bahnbrechenden Beobachtungen angestellt hatte. Eine Flotte von Raumschiffen, zu nahezu kugelförmiger Formation angeordnet – und von einem Feld umgeben, das die wahren Dimensionen für den außenstehenden Beobachter um das Sechshunderttausendfache schrumpfen lässt.

Die Kugel, die der Flottenverband einnimmt, durchmisst maximal einhunderttausend Kilometer – von uns aus gesehen. Würde das Feld abgeschaltet, dann wüchse dieses Maß auf sechshundert Millionen Kilometer, und in diesem Raum müssen mehr als fünfzig Millionen feindlicher Raumschiffe verborgen sein. Gebrechliche Fahrzeuge, in aller Eile erbaut, um den Lookh den ersten Vorstoß in eine fremde Welt zu ermöglichen.

Im Innern des Verbandes bewegt sich ein riesiges Fahrzeug, das den Mikrofeldgenerator an Bord trägt. Der Generator verbraucht so viel Energie, dass ein direkter Hyperflug nicht möglich ist. Die Flotte bewegt sich wie ein flach geworfener Stein über das Wasser – sie springt zwischen Normal- und Hyperraum hin und her.

Die Denkweise der Lookh ist die unerfahrener Kinder. Ihr

Vorstoß nach Filchner brachte sie zum ersten Mal mit einer anderen Rasse in engen Kontakt. Es gelang uns, den Kommandanten des hier gelandeten Schiffes davon zu überzeugen, dass sein bisheriges Weltbild völlig verzerrt und falsch war. Wir ließen ihn gehen, damit er seinen Rassegenossen von seinen Erlebnissen berichten kann. Sein Rang ist sehr hoch. Seine Worte besitzen Überzeugungskraft und Autorität.

Wir haben den Lookh freigestellt, mit uns freundliche Verbindung aufzunehmen oder sich in ihren Nebel zurückzuziehen. Wie sie sich entscheiden werden, wissen wir nicht. Selbst wenn sie sich jedoch für die Rückkehr entschließen – der Tag wird kommen, an dem …«

Er wurde unterbrochen. Joe Kalep stieß einen spitzen Schrei aus.

»Der Nebel …!«

Aller Augen richteten sich auf die Bildfläche. Der Nebel war verschwunden. Lorran und Sifter sprangen von ihren Stühlen auf und bestarrten das Bild in atemlosem Staunen.

»Damit«, erklärte Reginald Bull nach einer Weile, »findet Marschall Tifflors Feldzug der Gewaltlosigkeit seinen triumphierenden Abschluss. Das Walzenschiff hat die anfliegende Flotte erreicht. Funkverbindung bestand schon einige Zeit zuvor. Es ist dem Kommandanten offenbar gelungen, die Flottenleitung von seinen Ansichten zu überzeugen.«

Er warf einen kurzen Blick auf den Bildschirm. Die Stelle, an der vor wenigen Minuten der Nebel geschwebt hatte, war immer noch leer.

»Was wird jetzt geschehen, Sir?«, fragte Sifters tiefe Stimme.

»Das weiß ich nicht«, antwortete Reginald Bull und zuckte leise mit den Schultern. »Wir müssen abwarten.«

Doc Lorran stand auf.

»Sir«, begann er sichtlich verwirrt, »haben Sie sich bei dieser ganzen Sache wirklich nur auf Vermutungen verlassen? Ich meine – wenn die feindliche Flottenleitung nun *nicht* auf den Kommandanten des Walzenschiffes hört und sich stattdessen entscheidet, den Vorstoß auf Filchner fortzusetzen ..., ich meine, was geschieht dann?«

Reginald Bull lächelte ihn an.

»Sie sollten etwas mehr Zutrauen zu den militärischen Führern des Imperiums haben, Doktor«, wies er Lorran zurecht. »Nein, wir verließen uns nicht nur auf Vermutungen. Jetzt, da die feindliche Flotte zum Stillstand gekommen ist und sich im Normalraum befindet – die einzelnen Schiffe so weit voneinander entfernt, dass sie von hier aus nicht mehr wahrgenommen werden können –, bekommt sie einen beeindruckenden Anblick zu Gesicht.«

Lorran bekam große Augen.

»Und welcher Anblick ist das, Sir?«

»Der Anblick von ungefähr zwanzigtausend angriffsbereiten, strategisch günstig postierten schweren und schwersten Einheiten der terranischen Flotte, Doktor. Denken Sie, das genügt?«

Wenige Stunden später trafen die ersten Nachrichten von den vorgeschobenen Einheiten der Wachflotte ein. Die Lookh hatten sich entschlossen, den Rückzug zur Humdinger-Ballung anzutreten. Sie legten keinen Wert auf die Aufnahme von Kontakten mit dem Imperium.

Eines Tages würde es anders sein. Eines Tages in der Zukunft würden sie wieder aus ihrem Nebel hervorkommen – oder terranische Schiffe in den Nebel vorstoßen. Und niemand vermochte zu sagen, wie die zweite Begegnung sich anlassen würde.

Der kleine Flottenverband, der rings um Filchner Aufstellung genommen hatte, flog wieder ab. Filchner bedurfte seines Schutzes nicht mehr. Julians Space-Jet wurde an Bord des Städtekreuzers CANBERRA gebracht. Ebenso an Bord des Kreuzers ging Doc Lorran, um sich auf der Erde für sein Handeln zu verantworten.

Joe Kalep und Darrel Sifter blieben zurück. Sie behaupteten, sie kämen allein mit der Siedlung zurecht, aber Reginald Bull ließ ihnen noch einen Sergeanten und drei Mann da, bis das Siedlungsamt einen neuen Kolonistentrupp auf den Weg gebracht hatte. Es stand so gut wie fest, dass während der zweiten Etappe die Zahl der Siedler auf Filchner wenigstens um das Hundertfache höher sein würde als während der ersten.

Pete und Doreen Baerman blieben für immer verschollen. Ihr Schicksal wurde nie geklärt. Julian nahm an, dass sie sich den Wäldern im Westen zugewandt hatten – aus Scham über ihre Schuld. Vielleicht lebten sie dort irgendwo, vielleicht waren sie den Gefahren der unerforschten Wälder zum Opfer gefallen.

Das Baerman-Haus wurde durchsucht, bevor die CANBERRA startete. Es bestand die Möglichkeit, dass entweder Pete oder Doreen einen letzten Hinweis hinterlassen hatten.

Kein Hinweis wurde gefunden – nur ein angefangener Brief, der das Datum des Tages trug, an dem Julian und Meech auf Filchner angekommen waren. Die Handschrift war unverkennbar Doreens. Der Brief enthielt außer dem Datum nur eine einzige Zeile:

»Geliebter Meech!«

Kurt Mahr ist einer der Gründungsautoren der PERRY RHODAN-Serie, dabei seit deren Start im Jahre 1961. Sein erster Roman war Band 5, »Atom-Alarm«. Mit der Zeit wurde er zu einem der eifrigsten Beiträger und stieg sogar zum Exposéautor auf, er prägte die Serie also. Seine Vita haben wir in Band 26 unserer Reihe veröffentlicht – einem seiner späteren Werke, als er bereits die Geschicke der Serie steuerte.

Nun drucken wir zwei seiner Frühwerke nach. Es handelt sich nicht um seine ersten Planetenromane (er »debütierte« in dieser Reihe bereits im Jahre 1964 mit Band 2, »Der große Denker von Gol«). Zum Zeitpunkt des Erscheinens von »Die Fremden aus dem Mikronebel« hatte er in zwei Jahren bereits fünf andere Taschenbücher veröffentlicht.

Der »frühe« Mahr war ein großer Freund von Agenteneinsätzen in überschaubaren Umgebungen und mit Handlungen, die er gut im Griff sowie sauber durchdacht hatte und in denen er die zur Verfügung stehende Technik des Perryversums konsequent zum Einsatz brachte. In wenigen seiner Werke zeigte sich dies so gut wie im vorliegenden Roman – mit seinen fünf Nebenhandlungsträgern, mit denen sich seine Helden Julian Tifflor und Meech Hannigan herumschlagen müssen, gelang ihm fast schon ein kleines Kammerspiel. Er konnte alle Figuren umfassend charakterisieren: Jede von ihnen hat ihre Rolle in den dramatischen Geschehnissen, die sich auf Filchner abspielen.

Der zentrale Charakter des Romans ist Julian Tifflor, ein Charakter, der 1962 von Clark Darlton in »Duell der Mutanten« (Band 26) in die Serie eingeführt und von Karl-Herbert Scheer zwei Hefte später in »Der kosmische Lockvogel« in Position gebracht wurde. Zum Zeitpunkt von »Die Fremden aus dem Mikronebel« ist die meist »Tiff« genannte Figur (nur selten wird sie von den Autoren so vertrauensvoll wie hier als »Julian« bezeichnet) auf dem vorläufigen Höhepunkt ihrer Karriere angelangt:

Solarmarschall, Oberbefehlshaber der Solaren Flotte und Zellaktivatorträger.

Für einen Charakter, der gerade bei Scheer als Raumkadett eher wie ein wenig »Comic Relief« wirkte und sich mit Szenen herumschlagen musste, die anfangs stark von Pennälerhumor geprägt waren, ist dies eine erfreuliche Entwicklung. So schmiert in Band 28 der Mitkadett Hifield Tifflor Schokolade auf die Schuhe, damit der bei Rhodan schlecht aussieht; Tifflor hingegen hält Rhodan für einen »kleinen Gott« (Zitat Marshall), lässt seinen Funkhelm vor lauter Aufregung fallen und plappert dann zehn Minuten lang über die Vorzüge des Helms.

Trotzdem war der junge Tifflor, unbeholfen wie er war, für viele von uns »Altlesern« im Kindesalter eine Identifikationsfigur – vermutlich war dies genau so gedacht. Da darf er auch ruhig vor dem großen Perry furchtbar nervös werden – das würden wir doch alle!

Er wird Oberbefehlshaber der Solaren Flotte bleiben, solange es eine Solare Flotte gibt – also bis zur Zerschlagung des Imperiums durch die Laren im Jahre 3459 (ab Band 650). Nach der Abkehr der Serie von ihren frühen militärischen Strukturen ist Tifflors Rolle vielschichtig und wechselhaft: Staatschef (während der Besetzung der Milchstraße durch die Laren), Hanse-Sprecher ab Band 1000 (aber welcher von den Unsterblichen war das nicht …), dazu Erster Terraner, Anführer des Widerstands gegen den Kriegerkult ab Band 1300, später dann wieder Politiker in der Liga Freier Terraner und wieder Regierungschef während der Sternenozean-Krise.

Manchmal wird ihm übel mitgespielt, so zum Beispiel als Träger für den Körper Morkhero Seelenquells, als die Galaxis unter der Herrschaft der negativen Superintelligenz SEELENQUELL steht (einschließlich schwerer Verwundung bei seiner Befreiung vom geistigen Einfluss des Überwesens), oder – vor seiner Zeit als Widerständler gegen die Mächte aus den zwölf Galaxien ESTARTUS – als Ewiger Krieger unter dem Einfluss der Kodexmoleküle, effektiv also als Vorkämpfer für den Feind. Erst als es gegen die Frequenz-Monarchie geht, darf er wieder Flotten führen. Schon bald darauf allerdings wandert er zehn Millionen Jahre durch den Zeitspeer und kommt am Schluss völlig verändert zurück, ein kosmisches Wesen, von der Menschheit, der er entstammt, größtenteils losgelöst.

Im vorliegenden Band aber sehen wir noch einmal den frühen Tifflor, den Militär, der Verantwortung übernimmt und sich gar traut, der militärischen Richtlinienkompetenz seines Großadministrators zu widersprechen.

Ihm zur Seite steht Meech Hannigan, eine typische Mahr-Figur. Der Roboter hatte seinen Erstauftritt 1963 im Handlungsjahr 2103 und Heft 113, »Die Wunderblume von Utik« (eine Autorennennung erspart sich). Er arbeitet für die Abteilung III der Solaren Abwehr und unterstützt seine menschlichen Kollegen Ron Landry, Lofty Patterson und Larry Randall mit all seinen – durchaus beachtlichen – Kräften. Mit der Abteilung III beschäftigen wir uns im zweiten Nachwort dieses Bandes.

Hannigan taucht in sieben weiteren Heftromanen auf (118 mit dem Titel »Der Robot-Sergeant«, dazu 122, 127, 131, 136, 141 und 146), stets in Szene gesetzt von Kurt Mahr. Der Autor spendierte der Abteilung III zudem noch zwei Taschenbücher (Band 6, »Die Tochter des Roboters« von 1965, sowie Band 21, »Das tödliche Paradies« von 1966). Sein Auftritt hier ist der einzige in der Serie belegte, der sich außerhalb der Abteilung III abspielt. Der Grund dafür ist bekannt: Solarmarschall Tifflor höchstselbst hat ihn angefordert.

Was letztlich aus Meech Hannigan geworden ist, wissen wir nicht. Er muss sich aber immerhin fast dreihundert Jahre gehalten haben, da unser Roman im Jahre 2388 spielt. Ganz vergessen ist er aber nicht: In Klaus Fischers »Die schwarze Macht«, vor nicht allzu langer Zeit als Band 48 dieser Reihe erschienen, sieht sich der Roboter Joker als »direkter Nachkomme des berühmten Robotsergeanten der Solaren Flotte, Meech Hannigan.«

In der »SOL«, der Mitgliederzeitschrift der PERRY RHODAN-FanZentrale, gab es vor langer Zeit eine regelmäßige Rubrik mit dem Titel »Langes Info-Center«, mir auf ewig in guter Erinnerung wegen ihrer ausgesprochen umfassenden Darstellung von »Welche Unsterblichen hatten im Laufe der Jahrtausende mal etwas miteinander?« in Heft 9 (1998). Die Einleitung der Rubrik teilte uns stets mit: »Immer wieder werden Fragen zu und um PERRY RHODAN auf der LKS, aber auch in Con-Gesprächen aufgeworfen, die im Rahmen dieser Zusammenkünfte nicht zu beantworten sind. Martin Lange, eher im Verborgenen wirkender PERRY RHODAN-Experte, nimmt sich in SOL dieser Fragen an.«

In Ausgabe 17 aus dem Jahr 2000 nun tauchte die Frage auf: »Was ist eigentlich aus Meech Hannigan geworden?« Leider wusste Martin Lange auch nicht mehr darüber, als ich hier aufgeführt habe, ergänzte aber immerhin noch (S. 9): »Im Jahr 2426 wird der höchst menschenähnliche Roboter Adam nach Hannigans Konstruktionsunterlagen von der Whistler-Kompanie erbaut und liefert das Vorbild für das spätere verbesserte Modell Spinoza (siehe TB 340, ›Fast wie ein Mensch‹, und PR 302ff.).« Das hätte ich so jetzt nicht parat gehabt.

Filchner als Handlungsschauplatz hingegen haben wir in der Serie niemals wieder gesehen. Reginald Bulls Anmerkungen zur voraussichtlichen weiteren Entwicklung der Kolonie sind also alles, was uns an Informationen über Filchners Schicksal bleibt.

Als Alexander Huiskes und ich von 2004 bis 2010 das PERRY RHODAN-Rollenspiel herausgaben, war einer unserer Schwerpunkte die damals noch existierende BASIS in ihrer Casino-Version. Die BASIS war im Beddensystem untergebracht, und von da ist es nicht weit bis ins Tarasystem und nach Filchner (2138 Lichtjahre, um genau zu sein). Also haben wir auf Grundlage des vorliegenden Romans das System bis ins Jahr 1344 NGZ (seinerzeit das aktuelle Handlungsjahr der Serie) weiterentwickelt und uns mit den Lookh und der Humdinger-Ballung beschäftigt. Herausgekommen sind 32 Seiten zusätzlicher Informationen, die man heute noch als PDF-Datei erhalten kann.

Zwei Anmerkungen zum Roman an sich: Wir haben inhaltlich nichts geändert, wenngleich die dem Zeitgeist geschuldete »Charakterisierung« von Doreen Baerman heutzutage doch eher schwer verdaulich ist (»›Pete hat Doreen ins Observatorium geschickt‹, sagte er anstelle einer Begrüßung. ›Ich möchte wissen, was er sich dabei denkt. Das Mädchen weiß nicht einmal, an welchem Ende sie ins Fernrohr gucken soll.‹« Und Doreen kichert auch noch dumm dazu.).

Was wir geändert haben (in beiden Texten), ist die Art und Weise, wie Sonnen, Planeten und Monde geschrieben wurden – nämlich durchgängig in Versalien. Es stört den Lesefluss doch schon, wenn man insgesamt einhundertundsechzehnmal im Fließtext mit dem Wort »FILCHNER« statt »Filchner« konfrontiert wird. Oder mit einhundertfünfundsechzig KARSONS …

Rainer Nagel

Kurt Mahr

Bomben auf Karson

Der Planet ist von Menschen besiedelt – doch unbekannte Einflüsse aus dem Nichts bedrohen ihn

»Die Lage in der Galaxis mag sich einstweilen wieder beruhigt haben, aber das bedeutet nicht, dass wir in unserer Wachsamkeit nachlassen dürfen. Wir haben vor dreißig Jahren die Gefahr beseitigt, die von den Laurins ausging; die Posbis sind unsere Freunde geworden. Das Solare Imperium wächst und gedeiht; wir erschließen Kolonien, die immer weiter weg von der Erde, von dem Kerngebiet des Imperiums liegen.

Dies wird nicht zuletzt auch bedingt durch den technischen Fortschritt, den wir erzielt oder den wir von anderen übernommen haben. Man könnte sagen, dass gerade die Begegnung mit den Posbis zu einer sprunghaften Verbesserung unserer Technologie geführt hat. Unsere Waffentechnik ist einzigartig in der Galaxis, die bekannten Schirmfelder können die Transformbombe nicht aufhalten. Für unsere Gegner mag ein Angriff mit einer solchen Waffe wie ein Wunder wirken. Oder eine Naturkatastrophe, gegen die es keine Abwehr gibt.

Aber je weiter wir in das Universum vordringen, desto eher kann dies auch uns zustoßen. Auch andere Völker schlafen nicht, und wer weiß, was sich noch alles in den Tiefen der Milchstraße verbergen mag?

Eines Tages wird sich die Technik so weit entwickelt haben, dass wir, von einem Unheil befallen, nicht mehr wissen werden, ob es ein willkürliches Naturereignis ist, das uns da getroffen hat, oder der beabsichtigte, gezielte Schlag eines Feindes.

Wenn Sie mir ein wenig Nostalgie gestatten, meine Herren, dann erinnert mich das ein wenig an die Worte eines längst vergessenen Autors einer heute kaum noch bekannten Literaturgattung, die man einst Science Fiction nannte. Der Mann hieß Arthur C. Clarke und schrieb in der Zeit kurz vor der Gründung der Dritten Macht, also noch bevor die Science Fiction von der Realität überholt wurde. Er schrieb damals: ›Jede hinreichend fortschrittliche Technologie ist von Magie nicht zu unterscheiden.‹

›Hinreichend fortschrittlich‹ ist natürlich eine Definitionsfrage. Doch wenn wir unseren technologischen Stand als Grundlage ihrer Beantwortung heranziehen, sollte uns klar sein, dass wir schon häufig Völker oder einzelne Wesen getroffen haben, die über technische Mittel verfügen, von denen wir nur träumen können. Von denen wir nicht auch nur im Ansatz verstehen, wie sie funktionieren.

Und das, meine Herren, kann uns heutzutage da draußen im Weltall passieren. Jeden Tag. Und es liegt an uns, die Unterscheidung zu treffen, ob es sich um ein Naturereignis handelt oder einen Angriff, um jene zu schützen, die sich nicht selbst schützen können.

Darauf müssen wir vorbereitet sein.

Immer.

Vergessen Sie das nie, wenn Sie Ihre Leute in den Einsatz schicken.«

(Aus einer Rede des Solaren Geheimdienstchefs Allan D. Mercant vor seinen Stabsoffizieren, gehalten im Februar 2145 in Terrania)

1.

Pavl Arransch pflügte seinen Acker. Er tat das in der üblichen Weise, indem er, hoch über dem Feld in seinem halbverglasten Gleiter sitzend, von einem Schaltpult aus die Bewegungen des automatischen Pfluges tief unter ihm regulierte. Der Pflug schoss mit beachtlicher Geschwindigkeit auf den nördlichen Feldrand zu, hinter dem sich die kompakte Wand des Rotblattdschungels in die Höhe reckte. Pavl begann zu schalten. Der Pflug schlug eine enge Kurve und begann, dicht neben der Bahn, die er zuletzt gepflügt hatte, wieder nach Süden zu ziehen.

Als Pavl aufsah, war der Dschungel verschwunden.

Er war so maßlos überrascht, dass er die Hand, die eben noch den Schalter bedient hatte, achtlos wieder sinken ließ. Der Schalter kippte nach vorne. Unten machte der automatische Pflug einen wilden Satz und schoss wie von den Furien getrieben quer über das Feld. Er zog eine haushohe Staubfahne hinter sich her. Er überquerte den südlichen Feldrand, pflügte eine mannstiefe Furche durch den angrenzenden Grasboden und verschwand hinter der nächsten Waldecke.

Von alledem bemerkte Pavl Arransch nicht das Geringste. Er starrte auf die Stelle, an der vor Kurzem noch der Rotblattdschungel gestanden hatte.

Der Dschungel war verschwunden. Nicht nur der Rand, sondern auch alles, was dahinter lag. Am nördlichen Rand des Feldes schien die Welt wie abgeschnitten. Jenseits der Grenzlinie, die sich nach rechts und links bis zum Horizont zog, lag milchigblaues Nichts, von der gleichen Konsistenz wie der Himmel über Pavl.

Es dauerte Minuten, bis Pavl den Schock der Überraschung verdaut hatte. Langsam und vorsichtig brachte er den Gleiter nach unten und setzte zehn Meter vor dem Nordrand des Feldes auf. Dann stieg er aus. Einer Eingebung folgend, ergriff er einen faustgroßen Stein aus dem Boden, den der Pflug vor Kurzem umgewühlt hatte, und schleuderte ihn auf die geheimnisvolle Grenzlinie zu. Er konnte den Stein sehen, bis er den Feldrand erreichte. Dann verschwand er plötzlich. Pavl beugte sich vornüber und horchte. Den Aufschlag bekam er nicht zu hören. Der Stein war ebenso spurlos verschwunden wie alles andere, was nördlich des Feldrands lag.

Noch immer war Pavls Neugierde stärker als seine Furcht. Schritt für Schritt ging er auf die Linie zu, an der die Welt aufhörte. Er versuchte zu sehen, was dahinter lag. Er war ziemlich groß, und als er noch zwei Schritte von der Grenze entfernt war, konnte er über die Trennlinie hinweg in die Tiefe sehen. Aber da war auch nichts Neues. Diesiger, hellblauer Himmel wie überall. Keine Konturen. Nirgendwo am Himmel von Karson gab es Konturen. Wolken und Firmament verschmolzen unter ewig gleichbleibenden Temperaturen und monotoner Feuchtigkeit zu einer diesigen Wand, durch die selbst die Strahlen der kräftigen Sonne sich nur mühsam Bahn brachen.

Pavl blieb stehen und dachte nach. Er traute sich nicht, den Arm auszustrecken und über die Grenzlinie hinüberzureichen. Aber er konnte etwas anderes tun, um das Phänomen zu erforschen. Er hatte in seinem Gleiter einen Sondenstab, den er benutzte, um die Lage größerer Felsmassen unter der Ackeroberfläche zu ermitteln, die den Scharen des automatischen Pflugs unter Umständen gefährlich werden konnten.

Er eilte zum Gleiter zurück und holte den Stock. Dicht vor der Grenzlinie stellte er sich auf und achtete darauf, dass die Füße festen Halt hatten. Zur Übung schwang er den fast drei Meter langen Stab ein paar Mal hin und her. Dann holte er weit aus und beschrieb mit dem Arm einen Halbkreis, der die vordere Hälfte des Stocks über die unsichtbare Grenze hinaus vordringen ließ.

Als der Schwung des Arms verbraucht war, betrachtete er den Stab. Er war nur noch anderthalb Meter lang. Die vordere Hälfte mit der scharfen Stahlspitze war verschwunden – zurückgeblieben in der unheimlichen Welt, die jenseits der Grenzlinie lag.

Der Stab endete in einer Schnittstelle, die so scharf und eben war, als stammte sie von einer Präzisionssäge.

Da erst bekam Pavl es mit der Angst zu tun. Er stellte sich vor, was geschehen wäre, wenn er seinen Arm über die Grenze gestreckt hätte – wie er es zuerst hatte tun wollen. Im Geist sah er den sauber abgehackten, blutenden Armstumpf, der nach seinem Experiment übrig geblieben wäre.

Pavl drehte sich um und rannte so schnell wie noch nie in seinem Leben. Mit einem wütenden Schlag trieb er den Fahrthebel des Gleiters nach vorne. Das Fahrzeug schoss steil in die Luft. Pavl setzte den Kursregler auf Süden und schaltete das Triebwerk auf Höchstleistung. Mit ohrenbetäubendem Pfeifen jagte der Gleiter davon, nach Süden – fort von der unheimlichen Grenze.

Zehn Kilometer talabwärts zog Pavls wildgewordener Pflug eine nutzlose Furche durch sandiges, staubiges Ödland.

Rich Leven betrachtete die Fotografie nur eine Sekunde lang. Dann legte er sie auf den Tisch zurück und sagte:

»Wenn ich Sie wäre, Stav, dann hängte ich mich so schnell wie möglich hinter den nächsten Hypersender und riefe die Erde um Hilfe.«

Leven wandte seine beeindruckend breitschultrige Gestalt dem großen Fenster zu und sah hinaus über die Dächer der Stadt. Corneil Stavalone, Präsident des Stadtrats von Karson-Main, starrte vor sich hin auf die Tischplatte – und auf die Fotografie, die Leven deponiert hatte.

Von der Wand neben der Tür löste sich die Gestalt eines hageren Mannes, dessen auffallendstes Merkmal eine schimmernde Glatze war. Thurell Franz, Sekretär des Präsidenten, wirkte auf den ersten Blick wie ein Mann, dem es schwerfiel, ernst zu sein. Sein langes Gesicht schien zu einem immerwährenden Lächeln verzogen.

Im Augenblick jedoch war er todernst.

»Sie sind nicht ganz bei Trost, Leven«, fuhr er den Breitschultrigen an. »Ein Wort an das Imperium, und ein paar Stunden später wimmelt ganz Karson von Kriegsschiffen.«

Leven wandte sich um und lächelte spöttisch. »Und was wäre daran so schlimm?«

Franz wurde rot im Gesicht.

»Die Bevölkerung dreht durch«, schrie er wütend. »Die Leute geraten in Panik. Wir sitzen hier auf dem äußersten Außenposten des Imperiums. Es war schwer genug, Siedler zu bekommen, die sich auf Karson niederlassen wollten. Bringen Sie nur ein bisschen Unruhe in die Lage, und die Massenflucht beginnt!«

Leven schien ihn nicht ernst zu nehmen.

»Glauben Sie nicht, dass die Panik schon im Entstehen ist?«, fragte er leichthin. »Pavl Arransch hat vermutlich schon hundert Leuten von seiner Beobachtung erzählt.«

Stavalone stand auf – ein kleiner, stämmig gebauter Mann mit schütteren schwarzen Haaren. Er schüttelte den Kopf.

»Thurell hat recht, Leven«, erklärte er mit Nachdruck. »Schön – die Leute hören von Pavl, was er gesehen hat. Sie kriegen Angst. Aber sie handeln nicht. Sie warten auf uns. Sie wollen wissen, ob der Stadtrat auch Angst hat. Sie glauben an uns. Wenn sie merken, dass wir die Lage für gefährlich genug halten, um das Imperium um Hilfe zu bitten, wird genau das eintreten, was Thurell vorhersagt. Sie werden anfangen zu laufen!«

Leven zuckte verächtlich mit den Schultern. »Na schön«, brummte er. »Sie haben Ihre Meinung, und ich habe meine. Der Zeitpunkt wird kommen, an dem Sie einsehen, dass ich von Anfang an recht hatte. Bis dahin …«

Er machte eine spöttische Verbeugung vor Stavalone und ging hinaus.

Franz sah ihm nach. »Ich weiß nicht warum«, knurrte er, »aber ich kann ihn nicht ausstehen.«

Stavalone nickte vor sich hin. Er schien mit seinen Gedanken woanders zu sein. »Das geht vielen so«, murmelte er. »Wir müssen darüber hinwegkommen.«

Thurell Franz trat auf seinen Schreibtisch zu und stemmte die Arme auf die Vorderkante. »Was tun wir jetzt?«, wollte er wissen.

Stav sah ihn von unten herauf an. »Wenn du nicht immer so verdammt neugierige Fragen hättest!«

Er stand auf und warf die Arme in die Höhe.

»Woher soll ich das wissen? Ich bin ein einfacher Präsident eines einfachen Stadtrats. Ich kann dir sagen, was du tun sollst, wenn du Wühlratten auf deinem Acker findest oder das Wasser dir ausgeht. Aber wie, zum Teufel, soll ich wissen, was zu tun ist, wenn plötzlich ein Stück dieses Planeten verschwindet?«

Er baute sich vor Franz auf, und obwohl er fast zwei Köpfe kleiner war, bot er einen imposanten, achtunggebietenden Eindruck.

»Steh nicht da rum und warte, bis mir was einfällt, Thurell«, donnerte er. »Streng deinen eigenen Grips an!«

»Klar, Stav«, brummte Franz. »Was immer du auch sagst.«

Stav stellte sich ans Fenster. Es dachte sich besser nach, wenn er das Bild der Stadt vor Augen hatte. Sein Büro lag im obersten Stockwerk eines dreistöckigen Gebäudes, des höchsten, das es auf Karson gab. Das Rathaus stand im Zentrum eines kreisförmigen Platzes und war von Anlagen umgeben, in denen Beete bunter Blumen einen erbitterten Kampf gegen das Unkraut kämpften. Jemand hatte ein paar Bäume gepflanzt, aber sie taten der von der Erde importierten Gärtnerkunst keine Ehre, sondern wuchsen so schief und krumm, wie es ihre Vorfahren seit Jahrzehntausenden auf Karson taten.

Rings um die Anlage zog sich eine breite Straße, auf die von verschiedenen Richtungen her weitere Straßen mündeten. Auf diese Art lag das Rathaus genau im Mittelpunkt der Stadt. Stav war, als man die Stadt plante, noch nicht Präsident des Stadtrats gewesen. Sein Protest gegen den Plan, den er für unorganisch hielt, verhallte fast ungehört. Jetzt, drei Jahre später, war er das Oberhaupt der Kolonie und hatte das Privileg, jedes Mal, wenn er Lust dazu verspürte, durch das Fenster seines Büros einen

Blick auf die Stadt zu werfen, die so angelegt worden war, wie er es nicht haben wollte. Der Anblick bereitete ihm Unbehagen und versetzte ihn in Zorn; aber der Zorn half ihm dabei, seine Gedanken zu klären. Deshalb stand er gerne am Fenster, wenn er über etwas Wichtiges nachzudenken hatte.

Karson-Main war großzügig angelegt. Jede Siedlerfamilie besaß ein einstöckiges Haus, dessen Wohnfläche der Größe der Familie entsprach und das in ein Grundstück von mindestens fünftausend Quadratmetern eingebettet war. Die Grundstücke waren mit einheimischen Gewächsen bepflanzt. Karsons stets gleich warmes feuchtes Klima ließ die Pflanzen so gut gedeihen, dass die Hausherren alle Mühe hatten, ihre Gärten einigermaßen zivilisiert zu erhalten. Aber sie taten es mit Freude. Um der Enge der Erde zu entfliehen, waren sie schließlich hierher gekommen.

Der größte Teil der Stadtbevölkerung arbeitete in der Landwirtschaft. Die vordringlichste Aufgabe einer neugegründeten Kolonie war, unabhängig von Nahrungsmittelimporten zu werden. Erst wenn sie dieses Ziel erreicht hatte, konnte sie an die Industrialisierung denken. Natürlich gab es auch jetzt schon Leute, die andere Berufe ausübten. Gewisse Dinge, meist technische Erzeugnisse, waren unentbehrlich und mussten importiert werden. Es gab Kaufleute, die das taten und ihre Importe mit gutem Gewinn an die Bevölkerung von Karson weiterverkauften. Infolge der hohen Transportkosten waren die Preise der importierten Güter so hoch, dass die Siedler sich zu Käufergenossenschaften zusammenschließen mussten. Eine Zeit lang hatte man befürchtet, es könne zu einem Streit zwischen den eigentlichen Siedlern und den Kaufleuten kommen. Aber die Kaufleute hatten sich als rücksichtsvoll erwiesen, ihre Gewinnspanne nicht allzu hoch anzusetzen, und die Siedler waren verständig genug, um einzusehen, dass nicht die Kaufleute, sondern die Transportkosten schuld an den hohen Preisen waren und dass das Risiko, das ein Kaufmann auf einer so weit vom Zentrum der Zivilisation entfernten Welt einging, mit einem angemessenen Gewinn belohnt werden müsse. Infolgedessen hatte es auf Karson seit dem Tag der ersten Landung so gut wie keine inneren Zwistigkeiten gegeben. Karson schien auf dem besten Wege, eine glückliche, aufstrebende, erfolgreiche Kolonie zu werden.

Und jetzt muss das passieren, dachte Stavalone grimmig.

»Stav!«, sagte Thurell Franz so laut, dass Stav erschrak.

»Ja, was?«

»Wir sollten uns Pavl Arransch vornehmen. Vielleicht lässt sich aus ihm mehr herausholen, als wir bis jetzt wissen.«

Stav sah auf die Uhr.

»Arransch kam vor zwei Stunden in die Stadt zurück«, brummte er abfällig. »So, wie ich ihn kenne, ist er schon längst betrunken.«

Franz grinste. »Ja, das schon. Aber manchmal kriegt man trotzdem noch ein vernünftiges Wort aus ihm heraus.«

Stav nickte. »Also gut, schaff ihn her!«

Franz ging. Zwei Minuten später sah Stav seinen Gleiter auf die Straße hinausschießen. In halsbrecherischem Tempo umrundete er die Anlage und glitt in die nach Norden führende Straße. Der Fahrzeugverkehr in Karson-Main war vorläufig noch recht spärlich. Während der Tagesstunden war selbst ein Fußgänger ein ziemlich seltener Anblick. Infolgedessen gab es auf Karson so gut wie keine Geschwindigkeitsbegrenzungen. Stav lächelte bei dem Gedanken, dass Franz sich eine völlig andere Fahrweise werde zulegen müssen, wenn die Zeit gekommen war, dass die Kinder auf der Straße zu spielen begannen.

Franz blieb nicht lange weg. Er schien zu wissen, wo er Arransch zu suchen hatte. Stav sah ihn den Gleiter in die Garage fahren, und kurze Zeit später kam Franz durch die Bürotür, die er mit einem kräftigen Fußtritt vor sich öffnete. Arransch torkelte vor ihm her. Franz hielt ihn beim Kragen, und das war das einzige, was sein Gleichgewicht bewahrte.

Stav machte eine Handbewegung zu einem der Stühle. Franz lud den Betrunkenen dort ab.

»Erzähle!«, befahl Stav grob.

Pavl brabbelte etwas Unverständliches vor sich hin.

Stav trat auf ihn zu, packte ihn am Haar und zog den Schädel mit einem Ruck nach hinten. Pavl starrte ihn aus glasigen Augen an.

»Wie ist es passiert?«, fauchte Stav ihn an.

Pavl schüttelte den Kopf. »Weiß nicht«, lallte er. »Weiß absolut nicht. Plötzlich war alles weg.«

»Alles?«

»Ja. Bäume, Blätter, Wald … alles.«

»Und du bist sofort abgehauen, du Feigling, wie?«

Pavl fühlte sich bei der Ehre gepackt. »Nein, nicht abgehauen.« Er schien nachzudenken. »Hab … habe experimentiert.«

»So. Wie denn?«

»Stock«, antwortete Pavl. »Stock genommen und … hingehalten.« Er imitierte die Bewegung, die er mit der Sonde gemacht hatte, und fiel dabei fast vom Stuhl.

»Na und?«

Pavl fing plötzlich an zu weinen.

»Die Hälfte vom Stock war weg. Ganz weg. Plötzlich verschwunden … weiß nicht wohin.«

Stav warf Franz einen bedeutungsvollen Blick zu.

»Was sonst noch, Pavl?«, fragte Franz.

»Sonst nichts«, jammerte Pavl. »War alles.«

»Bring ihn nach Hause, Thurell«, befahl Stav. »Übergib ihn seiner Frau. Sie wird dafür sorgen, dass er heute und morgen kein Schnapsglas mehr zu sehen kriegt.«

»Richtig«, lachte Franz. »Das ist Sojke Arransch, die du da beschreibst.«

Er packte Pavl unter den Schultern und zog ihn in die Höhe.

»Du kommst auf dem schnellsten Weg wieder zurück«, trug Stav ihm auf. »Es bleibt uns nichts anderes übrig – wir müssen uns das Ding aus der Nähe ansehen.«

»Klar, Chef«, nickte Franz und marschierte mit dem Betrunkenen hinaus.

Stav empfand plötzlich ein Gefühl tiefer Dankbarkeit. Thurell Franz war der Mann, den er in einer Lage wie dieser brauchte und auf den er sich verlassen konnte. Er hatte das damals noch nicht geahnt, als er dem Stadtrat Franz zur Ernennung für das Amt des Polizeikommissars vorschlug. Er war ihm sympathisch gewesen. Der Rat war seinem Vorschlag gefolgt. Seitdem hatte sich Thurell Franz trotz seines wenig beeindruckenden Äußeren in mancher Situation als ein Mann von Initiative und Tatkraft erwiesen. Stav war sicher, dass er auch in diesem Dilemma seinen Mann stehen würde.

Franz war nach knapp zwanzig Minuten wieder zurück. Er grinste wie üblich.

»Sojke war ganz schön aus dem Häuschen«, berichtete er. »Sie hatte von der Sache gehört und überall in der Stadt nach Pavl gesucht. Er riskierte eine Lippe, und sie langte ihm eine, dass er ganz von selbst ins Bett fiel.«

Stav hatte die Fotografie in der Hand, die Rich Leven gebracht hatte. »Sieh dir das an, Thurell.«

Franz betrachtete das Bild. Nach einer Weile warf er Stav einen fragenden Blick zu.

»Ja – und was …?«

»Leven hat das Bild aus zwei Kilometern Entfernung aufgenommen. Anscheinend traute er sich nicht, näher hinzufliegen. Beschreibe mir den Rand des … des … Herrgott, wie nennt man das?«

»Man nennt es ein Feld«, behauptete Franz mit Nachdruck.

»Ein Feld?«

»Klar. Alles, was man nicht versteht, ist ein Feld. Das hier zum Beispiel ist ein Unsichtbarkeitsfeld.«

»Aha«, machte Stav. »Ich fürchte nur, es ist mehr als das. Aber beschreibe mir trotzdem den Rand des Feldes.«

»Verläuft leicht gekrümmt«, stellte Franz fest. »Die Linie weicht zu beiden Seiten von Pavls Acker nach Norden zurück.«

»Gut. Das bedeutet?«

Franz starrte in die Luft.

»Das bedeutet vermutlich«, antwortete er zögernd, »dass das Feld nicht geradlinig verläuft, sondern sich krümmt … ja, sich vielleicht sogar wieder in sich selbst zurück krümmt. Ein kreisförmiges Feld, oder so irgendetwas.«

»So sieht's aus, nicht wahr? Es ist also nicht alles verschwunden, was nördlich der Linie liegt, die Pavls Acker begrenzt.« Er wurde plötzlich ernst. »Thurell, ihr Polizisten habt eine Menge Geräte und wissenschaftlichen Firlefanz. Pack dir davon was ein, du wirst schon wissen, was am besten brauchbar ist. Wir sehen uns Pavls Acker aus der Nähe an!«

Thurell Franz nickte und machte sich sofort auf den Weg. Stav fuhr mit dem Aufzug zur Garage hinunter und holte seinen Gleiter. Er steuerte ihn zur Ausfahrt hinaus und parkte ihn vor dem Haupteingang des Rathauses. Zehn Minuten später kehrte Thurell zurück. Er lud einen beeindruckend großen Kasten aus seinem Fahrzeug in Stavs.

»Ich kann natürlich keine Garantie geben, dass wir damit etwas ausrichten«, sagte er, während er einstieg. »Aber das ist so ungefähr das Fortgeschrittenste, was wir an Messinstrumenten haben; und wenn wir damit nichts rauskriegen, dann müssen wir uns ein paar Fachleute besorgen.«

Stav antwortete nicht. Er zog den Gleiter leicht in die Höhe und ließ ihn auf die Ringstraße hinausschießen. Von dort bog er in eine der in nördliche Richtung führenden Straßen ein. Es war spät geworden. Die Büsche warfen lange Schatten. Der milchige Fleck der Sonne stand dicht über dem Horizont.

»Es wird beinahe dunkel sein, bis wir hinkommen«, murmelte Franz.

Stav legte ihm die Hand auf den Arm, ohne den Blick von der Fahrtrichtung zu wenden.

»Noch zu dem, was du vorhin sagtest, Thurell«, sagte er ernst. »Wegen der Fachleute, meine ich. Thurell – solange ich hier etwas zu bestimmen habe, werden wir keinen offiziellen Notruf an die Erde senden. Ist das klar?«

Franz warf ihm einen überraschten Blick zu.

»Klar, Stav, klar.«

Als sie Pavl Arranschs halbgepflügtes Feld erreichten, war die Sonne gerade untergegangen. Es wurde ziemlich rasch dunkel. Ein paar Minuten lang hielt Stav den Gleiter in etwa fünfzig Metern Höhe, knapp hundert Meter von der unheimlichen Grenzlinie entfernt, hinter der der Rotblattdschungel verschwunden war.

»Das sieht anders aus als auf der Fotografie«, stellte er fest.

Während sich ringsum der blasse Himmel verdunkelte, behielt das fremdartige Feld jenen milchigen Schimmer, der ein paar Stunden zuvor Pavl Arransch hatte glauben machen, er könne den Himmel dahinter sehen. Eine riesige, mattschimmernde Wand erhob sich dicht vor Stavs Fahrzeug und stieg zu schwindelnder Höhe empor.

»So kommen wir zu nichts«, knurrte Stav ärgerlich und zog den Gleiter in eine enge Kurve. »Thurell, du bist der Techniker – wie hoch kann dieses Ding hier steigen?«

»Fünftausend Meter, Stav, das ist das Äußerste.«

»Gut«, antwortete Stav grimmig. »Versuchen wir's mit sechs, und wenn das nicht langt, holen wir uns ein Flugzeug.«

Er riss am Steuer, und der Gleiter schoss steil in die Höhe. Stav war um weitere dreihundert Meter nach Süden zurückgewichen, um sicheren Spielraum zwischen sich und der weißschimmernden Wand zu haben. Thurell beobachtete mit schlecht verhehltem Unbehagen den Höhenmesser.

»Stav, die Kanzel ist nicht luftdicht«, warnte er. »Diese Fahrzeuge sind für den bodennahen Verkehr gedacht. Und in sechstausend Metern …«

»Ach was«, wehrte Stav ab. »Lehn dich zurück und entspanne dich, dann brauchst du nicht so viel Luft. Um mich mach dir keine Sorgen!«

Der Lichtzeiger auf dem Altimeter kletterte beharrlich weiter. Zweitausend, dreitausend, dreieinhalb …

Stav schluckte heftig, um das Knacken in den Ohren loszuwerden. Müdigkeit wollte ihn überkommen, aber er zwang sich dazu, munter zu bleiben.

Plötzlich hatte er das Gefühl, die Wand wiche vor ihm zurück. Er kniff die Augen halb zusammen, um schärfer sehen zu können. Aber die ebenmäßig weiße Fläche bot keinen Anhaltspunkt.

»Thurell, siehst du das?«

»Klar, Stav. Die Wand ist jetzt weiter weg als vorhin.«

»Richtig. Sie wölbt sich nach Norden weg.«

Der Gleiter stieg weiter. In viertausend Metern Höhe war das Phänomen ganz offenbar, und als der Höhenmesser auf viertausendneunhundert zeigte, befand sich der Gleiter auf gleicher Höhe mit dem Zenit der Kuppel, die das fremde Feld bildete.

Stav drosselte das Triebwerk. Von hier aus konnte er den halbkreisförmigen Querschnitt des Feldes deutlich sehen. Ein Gefühl der Erleichterung überkam ihn. Das Feld war wie eine riesige Käseglocke über das Land gestülpt, und alles, was im Innern der Glocke lag, war verschwunden.

Mehr nicht!

Die Höhe der Glocke betrug knapp fünftausend Meter. Ihr Durchmesser musste bei zehn Kilometern liegen. Stav machte eine hastige Überschlagsrechnung. Ein kreisförmiges Stück Land von rund achtzig Quadratkilometern war verschwunden. Karsons Oberfläche maß mehr als dreihundert Millionen Quadratkilometer, und fast die Hälfte davon war festes, bebaubares Land. Wer wollte sich da über achtzig verschwundene Quadratkilometer Sorgen machen?

Stav riss den Gleiter wieder in die Höhe. Neben ihm stieß Thurell Franz einen Seufzer aus. Stav grinste.

»Es ist gleich vorbei, Thurell. Du liebe Güte, ihr jungen Männer von heute haltet aber auch gar nichts mehr aus!«

Das Sprechen strengte ihn an. Er hörte ein wildes Rauschen in den Ohren, und vor den Augen tanzten bunte, feurige Ringe. In fünfeinhalbtausend Meter Höhe ging er zum Horizontalflug über und ließ den Gleiter über die Kuppel des weißschimmernden Feldes hinwegschießen. Auf der Nordseite steuerte er das Fahrzeug wieder in die Tiefe.

Als er aufsetzte, war er so erschöpft, dass er sich am liebsten hingelegt hätte und eingeschlafen wäre. Thurell musterte ihn von der Seite her, und nachdem die Gefahr überstanden war, lag auf seinem Gesicht wieder das übliche freundliche Grinsen.

Als Thurell seine Instrumente aufgebaut hatte, war es völlig finster geworden. Die weiße Wand des unheimlichen Feldes verbreitete keinerlei Helligkeit. Sie wirkte wie eine Lücke in der Dunkelheit, aber nichts von ihrem eigenartigen Schimmer teilte sich der Umgebung mit.

Thurell kniete hinter seinen Geräten auf dem Boden. Stav sah ihm ungeduldig zu, wie er von einem Kasten zum anderen rutschte und die Skalen ablas.

»Kein Magnetismus«, erklärte er. »Keine Störungen des natürlichen Gravitationsfeldes.«

»Du wirst mir noch vormachen, das Ding wäre überhaupt nicht da«, spottete Stav gereizt.

Thurell rutschte auf den Knien zum nächsten Gerät hinüber.

»Keine anomale Ionendichte, keine Veränderung der atmosphärischen Zusammensetzung. Auch keine …«

»Halt den Mund!«, unterbrach ihn Stav plötzlich. »Ich höre was!«

Thurell schwieg sofort. In der Stille der Nacht erhob sich ein leises Summen, schwoll an und wurde zu einem machtvollen Dröhnen, das die ganze Umgebung zu erfüllen schien. Ein paar Augenblicke lang war es so stark, dass Stav den Boden zittern fühlte. Dann klang es langsam ab. Es hörte sich an, als entfernte es sich in südlicher Richtung.

Thurell war aufgestanden.

»Ein Gleitermotor«, stellte er fest. »Und ein ganz schön kräftiger noch dazu.«

Stav wandte sich um. Dreißig Meter hinter ihm stand sein eigener Gleiter. Die roten und grünen Positionslampen waren deutlich zu sehen.

»Das ist verdammt merkwürdig«, brummte er. »Der Kerl muss uns gesehen haben. Warum zeigt er sich nicht?«

Thurell fuhr sich mit der Hand über die Glatze. »Vielleicht ist er derjenige, der das Ding hier angelegt hat.«

Stav warf ihm einen verblüfften Blick zu. Einen Augenblick lang war er bereit, Thurells Vermutung ernsthaft in Erwägung zu ziehen. Aber dann schüttelte er ärgerlich den Kopf und fauchte seinen Polizeichef an:

»Ach was, Blödsinn. Sieh zu, dass du deine Kästen da zu Ende abliest, damit wir wieder nach Hause kommen.«

Thurell zuckte grinsend mit den Schultern. »Ist nur noch einer übrig.«

Er trat auf das letzte Instrument zu. »Und der zeigt auch was!«, schrie er überrascht.

»Was?«, fragte Stav, ohne sich von der Stelle zu rühren.

»Ein statisches Hyperfeld«, rief Thurell. »Es hat die gleiche Energiestruktur wie die Felder, die Hypersender ausstrahlen. Nur sind diese eben Wechselfelder, während das hier von gleichbleibender Stärke ist.«

Stav trat neben ihn und sah auf die Messskala hinab. »Na schön. Und was bedeutet das?«

Thurell Franz sah ihn an und schüttelte den Kopf. »Du weißt ganz genau, dass ich keine Ahnung davon habe. Ich bin froh, dass ich weiß, was ich weiß. Wenn du mehr erfahren möchtest, dann musst du jemand anders fragen.«

Er bückte sich und begann die Instrumente zusammenzuräumen. Stav half ihm dabei. Sie packten die Geräte in den Kasten und luden diesen zurück in den Gleiter. Stav übernahm wieder das Steuer. Er fuhr am westlichen Rand des Kuppelfelds entlang und nahm Kurs auf Karson-Main, als die schimmernde Wand hinter ihnen lag.

Eine halbe Stunde später bog er auf die Ringstraße vor dem Rathaus ein. Er dirigierte den Gleiter in die unterirdische Garage hinunter und bemerkte auf den ersten Blick, dass in der Zwischenzeit eine ungewöhnliche Anzahl von Fahrzeugen hier geparkt worden war.

Sie stiegen aus.

»Ich wollte, ich wüsste, was das zu bedeuten hat«, murmelte Stav.

»Ich kann dir vielleicht einen kleinen Hinweis geben«, meinte Thurell. »Die Kiste dort drüben gehört Alo Perritt, der schäbige Kleinwagen hier wird von Ole Mayer gefahren. Dort hinten steht Kinne Olafsons Wagen, und das Vehikel dicht daneben ist Frank Aletters ganzer Stolz. Und wenn ich mich weiter umsehe …«

»Ja, ja, ich weiß«, knurrte Stav. »Alle Ratsmitglieder. Wahrscheinlich wollen sie was von mir.« Er sah auf die Uhr. »Bah, ich könnte mich einfach davonmachen und ins Bett legen. Aber morgen früh wären sie wieder da und hätten immer noch dasselbe Anliegen. Also – lass uns nachsehen.«

»Sofort, Chef«, stimmte Thurell zu. »Lass mich nur noch …«

Ohne den Satz zu beenden, ging er zum Hintergrund der Garagenhalle und musterte dort eines der Fahrzeuge, die der Schein der Deckenlampen kaum noch erreichte. Als er zurückkam, hatte er das Gesicht zu einer Grimasse verzogen.

»Das ist einer von Rich Levens Wagen, Stav.«

Stav zuckte mit den Schultern. »Kann man nichts machen. Ein Unglück kommt selten allein, Thurell.«

Sie fuhren mit dem Lift hinauf. Im Wartezimmer des Ratspräsidenten wallten blaugraue Rauchschwaden, deren selbst die kräftige Klimaanlage nicht Herr werden konnte, und halb im Rauch verborgen standen sieben Männer, sechs von ihnen Stadträte, der siebente Rich Leven.

Leven schien zuletzt das Wort geführt zu haben. Er hatte den Mund noch offen, als Stav eintrat. Die Männer fuhren herum. Stav blieb unter der Tür stehen.

»Guten Abend«, sagte er unfreundlich. »Was fällt euch eigentlich ein, mir so spät noch Scherereien zu machen?«

Aus der Gruppe löste sich ein dürres Männchen. Alo Perritt war eine Gestalt, die so schnell niemand vergaß, der sie einmal gesehen hatte. Er trug einen Anzug der modernsten Fertigung, der ihn ein halbes Vermögen gekostet haben musste, weil er importiert war. Aber Alo hatte nach Katalogmaßen bestellt, und das Meisterstück der Modekunst schlotterte an ihm herum, als hätte er eine vierwöchige Fastenkur hinter sich. Alo Perritts hagerer, langgestreckter Kopf saß auf einem langen, dürren Hals. Das Gesicht wurde beherrscht von einer impertinent langen, knochigen Nase über einem dünnlippigen Mund, dessen Oberlippe ein kleiner Schnurrbart zierte. Alo hatte eine Glatze, aber er trug sie längst nicht mit der gleichen Würde wie Thurell Franz die seine.

»Das ist so, Stav«, sprudelte Alo mit seiner dünnen Stimme hervor, »wir alle haben in der Zwischenzeit Gelegenheit zum Nachdenken gehabt und sind zu dem Schluss gekommen, dass die Lage äußerst gefährlich ist. Ich meine, – was können wir denn dagegen tun, dass ein Teil unseres Planeten nach dem anderen verschwindet? Gar nichts! Deswegen brauchen wir Hilfe. Und Hilfe kann nur …«

»Quatsch«, unterbrach Stav seinen Redeschwall. »Komm zur Sache, Alo! Was wollt ihr hier?«

Alo Perritt drehte sich halb zur Seite und warf einen um Hilfe flehenden Blick nach hinten. Aus der Gruppe der Männer löste sich Rich Levens imposante Figur.

»Man hat die Absicht, Sir …«

Stav sah ihn nicht einmal an.

»Hat denn keiner der Räte den Mut, mir zu sagen, was hier los ist?«, schrie er wütend.

Kinne Olafson, mittelgroß, breitschultrig und behäbig, stellte sich neben Leven.

»Um es mit ein paar kurzen Worten zu sagen, Stav – wir haben eine Ratsversammlung einberufen. Auf der Versammlung werden wir den Antrag stellen, den Notstand der Klasse eins zu erklären. Das heißt, Stav – wir wollen die Erde so bald wie möglich offiziell um Hilfe bitten!«

Ein paar Sekunden lang herrschte beklommene Stille. Stav musterte die Männer einen nach dem anderen, durchdringend und mit einer Miene, in der die Verachtung zu lesen war, die er empfand.

»Ihr habt euch das genau überlegt, nehme ich an«, sagte er mit schwerer Stimme. »Ihr wollt Karson aufgeben.«

Alo Perritt schwenkte protestierend die Arme.

»So schlimm muss es nicht kommen, Stav. Die Leute haben Mut. Nur ein paar werden von ihrem Recht Gebrauch machen, das erste Schiff …«

Stav schob ihn einfach beiseite und trat auf Rich Leven zu.

»Das ist Ihre Idee«, knurrte er ihn an. »Haben Sie die Leute alle gekauft?«

Leven erwiderte seinen Blick feindselig. »Nehmen Sie sich in acht, was Sie sagen, Stavalone«, antwortete er grob. »Ich brauche mir Ihre Beleidigungen nicht gefallen zu lassen.«

»Und wir auch nicht, Stav!«, krähte Alo Perritt. »Manchmal bist du ein bisschen zu selbstherrlich. Denk daran – der Posten eines Ratspräsidenten ist nicht auf Lebensdauer!«

Stav drehte sich um und bedachte ihn mit einem spöttischen Grinsen.

»Ich weiß, Alo. Und du möchtest gerne noch einmal auf meinem Stuhl sitzen, bevor du abkratzt!«

»Wirst du die Versammlung halten, Stav?«, erkundigte sich Kinne Olafson.

»Wie viel Leute sind dafür?«, fragte Stav zurück.

»Wir sechs hier.«

»Ihr braucht eine Zweidrittel-Mehrheit für die Einberufung einer außerordentlichen Versammlung. Es gibt zehn Räte, euch fehlt eine Stimme.«

Kinne kratzte sich am Kopf.

»Du bist der Präsident«, brummte er unbehaglich. »Du kannst die Versammlung alleine einberufen, wenn du willst.«

Stav fing dröhnend an zu lachen.

»Ihr rechnet darauf, dass *ich* euer närrisches Anliegen unterstütze?«

Kinne nickte stumm. Stav hörte plötzlich auf zu lachen.

»Mein Gott, vor so viel kindlichem Zutrauen *muss* man ja kapitulieren«, erklärte er ernst. »Gut. Ich berufe die Versammlung hiermit ein. Thurell – sieh zu, dass du die übrigen Räte beibringst!«

»Danke«, sagte Kinne halblaut. »Ich wusste, dass du Verständnis haben würdest.«

»Einen Dreck habe ich«, schimpfte Stav. »Also los, verzieht euch in den Ratssaal!«

Die Männer verließen den Raum und begaben sich zum Versammlungssaal, der im Erdgeschoss des Rathauses lag. Rings um den Saal, vom ersten Stock aus betretbar, zog sich eine durch Glaswände abgetrennte Zuschauergalerie. Stav folgte den Räten, bei denen sich auch Rich Leven befand, und sah, dass dieser im ersten Stock aus dem Aufzug stieg. Er ging ihm nach und holte ihn ein, als er sich anschickte, eine der Türen zur Zuschauertribüne zu öffnen.

»Halt, Leven! Wir haben heute keine Zuschauer!«

Leven drehte sich um und musterte ihn wütend. »Wer hat das gesagt?«, bellte er.

»Das ist eine alberne Frage«, stellte Stav in aller Ruhe fest.

»Sie haben kein Recht, mich daran …«

»O doch, ich habe. Es handelt sich um eine außerordentliche Versammlung, und die Verfassung gesteht dem Ratspräsidenten ausdrücklich das Recht zu, über die Zulassung von Zuschauern zu außerordentlichen Versammlungen nach eigenem Gutdünken zu entscheiden. In diesem Falle dünkt es mir gut, dass wir alleine sind.«

»Wo steht das geschrieben?«, stieß Leven hervor.

»In unserer Verfassung, unter dem Anhang ›Geschäftsordnung des Stadtrats‹. Suchen Sie's selbst. Und wenn Sie's dann immer noch nicht glauben, lasse ich Sie von Thurell Franz aus dem Haus werfen.«

Er drehte sich um und kehrte zum Aufzug zurück. Es tat ihm gut, seinem Zorn gegen Leven ein Ventil verschafft zu haben. Er war völlig sicher, dass er an diesem Abend keinen einzigen seiner Räte zu Gesicht bekommen hätte, wenn Leven nicht in der Stadt herumgegangen wäre, um die Leute aufzuwiegeln. Er war ein vorzüglicher Redner und hatte sich wahrscheinlich nicht besonders anstrengen müssen, um Leute wie Alo Perritt und Frank Aletter herumzukriegen. Auch Ole Mayer und Pitt Lengel ließen sich leicht einwickeln. Wie es ihm allerdings gelungen war, Kinne Olafson und Pruit Nohls zu überreden, das war Stav im Augenblick noch nicht klar.

Er hielt für sicher, dass Leven sein Glück auch bei den drei übrigen Räten versucht hatte, aber abgewiesen worden war. Pepe Atroz, Luis Sagan und Loth Terrichen waren alte, halsstarrige Männer, die schon im Gründerrat gesessen hatten und sich von niemand für seine Privatzwecke gebrauchen ließen. Im Augenblick waren sie Stavs einzige Hoffnung. Die Geschäftsordnung besagt zwar, dass zur Einberufung einer außerordentlichen Ratsversammlung die Zustimmung entweder des Präsidenten oder zweier Drittel der Räte erforderlich sei. Aber bei der Abstimmung über die Erklärung des Notstands genügte einfache Mehrheit. Es war anzunehmen, dass alle Räte, die Leven auf die Beine gebracht hatte, für den Antrag zur Erklärung des Notstands Klasse eins stimmen würden. Das waren sechs Stimmen, also die Mehrheit. Stav musste es gelingen, einen von Levens Unterstützern auf seine Seite zu ziehen, sonst hatte er verloren. Und nicht nur er, sondern ganz Karson.

Die Kolonie war knapp ein Dutzend Jahre alt. Karson war eine Art Experiment des Siedlungsamtes in Terrania. Er lag weit jenseits der Grenzen des Solaren Imperiums, mitten im Niemandsland zum Zentrum der Galaxis hin. In den fast zwölf Jahren seit der Gründung der Kolonie war Karson mehr als einmal von fremden Raumschiffen angeflogen worden, die allerdings nicht landeten, sondern sich wieder verzogen, nachdem sie die Siedlung bemerkt hatten. Es hatte keinen einzigen Zwischenfall gegeben; aber in den Bürgern Karsons wurde das Bewusstsein wach gehalten, dass sie sich weit draußen in der Fremde befanden und nie vorhersagen konnten, was der nächste Tag bringen würde.

Notstand der Klasse eins bedeutete das Eingeständnis der Kolonie, dass sie einer Gefahr nicht alleine Herr werden konnte und die Verwaltung der Siedlung in die Hände der Solaren Militärbehörden legte. Die Raumflotte übernahm dafür den Schutz des Planeten, und jeder einzelne Bürger hatte das Recht, an Bord eines Militärschiffes zur Erde gebracht zu werden.

So, wie die Dinge lagen, war Stav völlig sicher, dass die Erklärung des Notstands, Klasse eins, die Leute in Karson-Main und den beiden anderen Siedlungen in Panik versetzen würde, sodass die Mehrzahl bei Ankunft des ersten Flottenverbandes Antrag auf Rücktransport zur Erde stellte. Sank die Zahl der Siedler auf Karson unter eintausend, dann hatte das Siedlungsamt das Recht, die Kolonie zu schließen und auch die Zurückgebliebenen nach Hause zu holen. Damit wäre Karsons Schicksal besiegelt gewesen.

Seitdem Corneil Stavalone begonnen hatte, sich mit den politischen Problemen der Kolonie zu beschäftigen, hatte er sie nie anders zu sehen vermocht als eine gesunde, aufstrebende, erfolgreiche Welt. Er war sich der Gefahr bewusst, die ringsum lauerte; aber er hatte auch nicht eine Sekunde lang daran geglaubt, dass Karson nicht alle Widerstände überwinden könne, die sich ihm entgegenstellten. Er war bereit, das plötzliche Auftauchen jenes geheimnisvollen Halbkugelfeldes, hinter dem der Dschungel verschwunden war, als einen bedrohlichen Vorfall zu betrachten. Aber er weigerte sich störrisch, zu glauben, dass die Kolonie diese Gefahr nicht beseitigen könnte. Das Weiterleben der Siedlung war für ihn eine Herzenssache geworden, längst jenem Bereich entrückt, in dem der Verstand sorgfältig Gutes gegen Schlechtes abwog und sich nach den Regeln der Zweckmäßigkeit entschied.

Corneil Stavalone war bereit, um seine Kolonie zu kämpfen. Während er mit dem Aufzug zum Erdgeschoss hinunterfuhr, wuchs sein Zorn auf Rich Leven von Neuem. Er war so zornig, dass er Alo Perritt oder einen der anderen auf der Stelle verprügelt und niedergeschlagen hätte, wenn er das unauffällig hätte tun können – nur um ihn an der Abgabe seiner Stimme zu hindern.

Als er den Ratssaal betrat, herrschte unbehagliches Schweigen. Die Männer saßen rings um den großen Tisch und starrten vor sich hin. Stav schritt auf seinen Sessel zu, der höher aufragte als die der anderen, und setzte sich.

Eine Weile später kehrte Thurell Franz mit den übrigen drei Räten zurück.

Pepe Atroz, mittelgroß, mit ungeheuer breiten Schultern und einem Stiernacken, kam in den Saal gestürmt wie ein wilder Bulle und schrie: »Was hat das Theater zu bedeuten, ihr Laffen? Habt ihr euch von Leven weich machen lassen?«

Niemand antwortete. Atroz, Sagan und Terrichen nahmen ihre Plätze ein. Thurell verschloss die Tür von draußen. Stav nahm den kleinen silbernen Hammer, den er sich selbst angefertigt hatte, und schlug damit dreimal auf die Tischplatte. Unter dem Tisch begann der Motor des Videorekorders zu summen. Die Versammlung war eröffnet.

»Es steht ein einziger Antrag zur Tagesordnung«, erklärte Stav. »Der Antrag wird eingebracht von den ehrenwerten Räten Aletter, Lengel, Mayer, Nohls, Olafson und Perritt. Ich bitte einen der Genannten, den Antrag zu formulieren und zu begründen.«

Alo Perritt stand auf und erklärte mit dünner Stimme, das plötzliche Entstehen einer Zone, innerhalb deren die Oberfläche des Planeten sich offenbar in nichts aufgelöst habe, bedeute eine Gefahr, der die Kolonie nicht aus eigenen Mitteln begegnen könne. Aus einem Gefühl der Verantwortung für die Sicherheit der Bürger sehen sich die genannten Räte daher veranlasst, Antrag auf die Erklärung des Notstands, Klasse eins, zu stellen.

»Der Antrag ist gestellt und steht zur Debatte«, sagte Stav, nachdem Alo sich wieder gesetzt hatte.

Pepe Atroz sprang in die Höhe.

Aber bevor er den Mund noch aufmachen konnte, fuhr Stav ihn an: »Wortmeldungen bei mir, ehrenwerter Rat Atroz!«

Pepe fuhr sich mit einer wütenden Geste durch das buschige, weiße Haar. »Ich bitte ums Wort, hoher Herr Präsident«, fauchte er zornig.

»Du hast es.«

Pepe berichtete, dass Rich Leven ihn am vergangenen Nachmittag aufgesucht habe, um ihn dazu zu bewegen, in einer außerordentlichen Ratsversammlung einen Antrag auf Erklärung des Notstands, Klasse eins, zu stellen. Leven habe dieselben Gründe angeführt wie soeben der ehrenwerte Rat Perritt. Was ihn selbst anginge, Pepe Atroz, so glaube er an keine unüberwindliche Gefahr, solange er noch bequem in seinem Sessel sitzen könne und sich draußen die Weizenähren im Wind wiegten. Und im Übrigen hielte er jeden, der für den Antrag stimme, für einen erbärmlichen Angsthasen, der sich von einem Leisetreter habe einwickeln lassen und am besten einem Altweiberklub beitrete, anstatt hier im Stadtrat zu sitzen.

Stav ließ ihn gewähren, obwohl ein paar seiner Anschuldigungen so unflätig waren, dass er ihn hätte rügen müssen. Er nahm auch Alo Perritts Wortmeldung erst entgegen, nachdem Pepe sich gesetzt hatte.

Alo war außer sich.

»Gegen einen logisch begründeten Antrag«, keifte er, »hat der ehrenwerte Rat Atroz nichts anderes einzuwenden als subjektives, völlig grund- und gehaltloses Gewäsch …«

»Alo!«, brüllte Stav und fuhr von seinem Sessel in die Höhe. »Du zahlst zehn Solar in die Strafkasse, und wenn ich dich noch einmal so etwas sagen höre, verweise ich dich des Saales!«

Alo schluckte seine Wut hinunter. Er wusste, dass Stav parteiisch entschied; aber wenn er dagegen aufbegehrte, riskierte er, dass Stav seine Drohung wahr machte, und damit war der Antrag geschlagen.

Stav setzte sich und sah aus den Augenwinkeln, dass Kinne Olafson ihn von der Seite her angrinste. Das gab ihm Zuversicht.

Alo fuhr in etwas gemäßigterem Ton fort und machte der Versammlung klar, dass man eine tödliche Gefahr nicht einfach deswegen als geringfügig betrachten könne, nur weil sie dem Schaukelstuhl und den Weizenähren bisher noch keinen Schaden zugefügt hatte.

Schließlich erhob Stav sich selbst.

»Es wurde bis jetzt zweimal für und einmal gegen den Antrag gesprochen. Wir brauchen noch einen Widersprecher, um die Debatte zu schließen – und der bin ich. Ich verstehe, dass ein paar unter uns echte Besorgnis empfinden. Denn was heute auf Karson geschehen ist, ist so eigenartig, dass man wohl Befürchtung hegen kann. Ich glaube jedoch nicht, dass auch nur einer der ehrenwerten Räte das merkwürdige Phänomen aus eigener Anschauung kennt. Nun, ich war an Ort und Stelle und habe mich umgesehen. Ein halbkugelförmiges Feld von milchigweißem Aussehen stülpt sich nördlich unserer Felder über den Boden und hat einen Kreis von etwa achtzig Quadratkilometern Fläche völlig verschwinden lassen. Achtzig Quadratkilometer – das ist noch nicht einmal ein Zehntel der Gesamtfläche, die wir unter Bebauung haben.

Weiterhin – da die Feldhalbkugel als solche für uns keinerlei Gefahr bedeutet, solange sie da bleibt, wo sie ist, und wir sie deutlich genug markieren, müssen die Antragsteller der Meinung sein, dass der Vorfall sich wiederholen wird. Dass weitere Halbkugelfelder der gleichen Art an anderen Stellen der Planetenoberfläche auftauchen und uns in Gefahr bringen werden. Ich bin durchaus der Ansicht, dass ein akuter Notstand gegeben wäre, falls diese Befürchtung sich bewahrheitet. Aber bis jetzt ist sie weiter nichts als pessimistische Spekulation, und alles, was wir zu gewinnen haben, wenn wir dem Antrag zustimmen, ist ein höhnisches Gelächter vonseiten der Raumflotte, wenn sie in voller Kriegsbemalung hier aufkreuzt, um uns aus einer imaginären Gefahr zu befreien.

Drittens – der Polizeichef und ich haben am Rand des Halbkugelfeldes ein paar Messungen angestellt. Das Feld ist von einem Mantel hyperenergetischer Streustrahlung umgeben. Die Intensität dieser Streustrahlung lässt ständig nach. Nach allen Erkenntnissen der modernen Wissenschaft kann daraus nur ein einziger Schluss gezogen werden: Die Stärke des Feldes ist nicht konstant, sie wird allmählich geringer. In ein paar Tagen, höchstens zwei Wochen, wird das Feld völlig verschwunden sein und der Dschungel wieder so dastehen, wie wir ihn zuletzt gesehen haben.

Ich danke.«

Er blieb stehen und ließ seine Worte ein paar Sekunden lang wirken. Er vermied es, Kinne Olafson anzusehen. Wenn er sich in ihm getäuscht hatte, dann war die Sache verloren.

»Ich bitte um Abstimmung«, rief er mit harter Stimme. »Wer für den Antrag ist, der hebe die rechte Hand!«

Alo Perritt ließ seinen Arm steil in die Höhe schießen. Frank Aletter folgte mit gleichem Eifer. Ole Mayer und Pitt Lengel warfen einander einen fragenden Blick zu, dann hoben sie ebenfalls die Hände. Pruit Nohls räusperte sich verlegen und streckte den Arm in die Höhe.

Das war alles. Kinne Olafson hatte die Ellbogen vor sich auf den Tisch geschoben und starrte mürrisch vor sich hin. Stav gab ihm eine halbe Minute Zeit. Erst dann begann er, an sein Glück zu glauben.

»Fünf Stimmen«, rief er mit einer Stimme, die vor lauter Freude heiser war. »Ich bitte um eine Gegenprobe.«

Kinne war der Erste, der die Hand hob. Unter den Befürwortern des Antrags entstand unwilliges Gemurmel. Atroz, Sagan und Terrichen stimmten ebenfalls mit Nein. Und Stav gab seine eigene Stimme im gleichen Sinne ab.

»Fünf gegen fünf«, rief er und gab sich keine Mühe mehr, seinen Triumph zu verheimlichen. »Bei Stimmengleichheit entscheidet die Stimme des Präsidenten. Meine ehrenwerten Herren – der Antrag auf Erklärung des Notstands, Klasse eins, ist abgelehnt!«

Einen Augenblick lang war es totenstill. Dann schoss Alo Perritt von seinem Sitz in die Höhe, als hätte ihn etwas gestochen.

»Das ist unerhört!«, kreischte er. »Man kann die Verantwortung gegenüber den Bürgern dieser Kolonie nicht so einfach …«

»Ehrenwerter Rat Perritt!«, dröhnte Stavs mächtige Stimme durch den Raum und brachte Alo sofort zum Schweigen: »Bezweifelst du die Rechtmäßigkeit des Verfahrens?«

Alo schüttelte heftig den Kopf. Er war drauf und dran weiterzusprechen; aber Stav ließ ihn nicht zu Wort kommen.

»Dann setz dich wieder hin«, fuhr er ihn an. »Du kannst niemand deswegen verurteilen, weil er nicht deiner Ansicht ist.«

Alo setzte sich, weiß im Gesicht vor Wut. Kinne Olafson hob die Hand. Stav erteilte ihm das Wort.

»Ich habe gegen den eingebrachten Antrag gestimmt«, erklärte Kinne ruhig, »aber ich bin nicht der Ansicht, dass man über den Vorfall, der sich heute ereignet hat, hinweggehen sollte, ohne überhaupt etwas zu tun. Da wir nun schon mal hier zusammensitzen, könnten wir uns überlegen, was wir unternehmen wollen.«

Stav ergriff selbst das Wort.

»Der Antrag auf Erklärung des Notstands, Klasse eins, wurde abgelehnt. Ich bin mit dem ehrenwerten Rat Olafson und euch allen der Meinung, dass wir etwas unternehmen müssen. Ich habe nie in Abrede gestellt, dass das plötzliche Auftauchen eines Hyperfeldes unbekannter Struktur eine Bedrohung darstellt. Wir müssen ihr begegnen. Rasches Handeln ist erforderlich. Unsere Anstrengungen müssen von zentraler Stelle aus zielsicher und zupackend geleitet werden. Um das zu ermöglichen, müssen wir die Hemmnisse der Bürokratie für eine Zeit lang aus dem Wege räumen. Ich stelle hiermit den Antrag, für eine Frist von drei Monaten den Notstand der Klasse zwei zu erklären.«

Alo Perritt warf ihm einen giftigen Blick zu, aber er getraute sich nicht, etwas zu sagen. Stav bat um Wortmeldungen zu dem Antrag, aber es fand sich keiner, der ihm widersprechen wollte.

Alo erkannte seine Niederlage. Stavs Antrag würde durchgehen, also machte er sich gar nicht erst die Mühe, etwas dagegen zu sagen. Er hatte vorhin deutlich zum Ausdruck gebracht, dass er drastische Maßnahmen für erforderlich hielt.

Der Antrag kam zur Abstimmung. Alo enthielt sich der Stimme, die anderen neun Räte, Stav eingeschlossen, stimmten mit Ja. Stav verkündete das Abstimmungsergebnis.

»Der Notstand, Klasse zwei, ist hiermit für die Frist von drei Monaten der landesüblichen Zeitrechnung erklärt. Verfassungsgemäß habe ich die Mitglieder dieser Versammlung darauf aufmerksam zu machen, dass die Gewalt des Stadtrats nach Schluss dieser Sitzung in die Hände des Notstandsrates übergeht, der außer mir aus zwei ehrenwerten Räten bestehen wird, die diese Versammlung noch zu nominieren hat. Ich selbst bin bei der Nominierung nicht stimmberechtigt. Ich bitte also, Kandidaten zum Vorschlag zu bringen und über die Vorschläge abzustimmen.«

Die Prozedur verlief rasch und reibungslos. Kinne Olafson und Pepe Atroz wurden zu Mitgliedern des Notstandsrates gewählt. Stav verkündete die zeitweilige Auflösung des Stadtrats und ermahnte die Mitglieder, sich in drei Monaten zur gleichen Zeit wieder in der Ratshalle einzufinden.

Stav war zufrieden. Die Versammlung, die zuerst so ausgesehen hatte, als brächte sie ihm eine Niederlage, hatte mit seinem Sieg geendet. Nicht nur war die Kolonie fürs erste vor den panikerregenden Bestimmungen des Notstands erster Klasse gerettet, Stav hatte obendrein noch die Macht erhalten, drei Monate lang nur mit der Unterstützung zweier Männer zu regieren, von denen er wusste, dass sie in dieser Sache auf seiner Seite standen.

Er schickte Kinne und Pepe nach Hause und riet ihnen, sich gut auszuschlafen, weil der nächste Tag anstrengend sein würde. Er verließ den Ratssaal als letzter, löschte die Beleuchtung und verschloss die Tür.

Als er das getan hatte und sich umwandte, um ebenfalls nach Hause zu gehen, stand Thurell Franz vor ihm. Er machte ein merkwürdiges Gesicht – ganz so, als wollte er eigentlich grinsen, sei aber nicht in der richtigen Stimmung.

»Ich gratuliere«, sagte er ernst. »Das hast du ganz großartig gemacht.«

»Sprich nicht davon«, seufzte Stav. »Sie hätten Karson ins Grab gestimmt, wenn ich sie nicht angelogen hätte. Ich habe ihnen erklärt, dass wir ein paar Messungen angestellt haben und dass die Streustrahlung des Halbkugelfeldes langsam abnimmt. Ich habe ihnen vorgemacht, dass das Feld innerhalb kurzer Zeit völlig verschwunden sein wird. Morgen oder übermorgen werden sie herausfinden, dass ich mir das alles nur so ausgedacht habe, und mich bis in alle Ewigkeit verfluchen.«

Unter normalen Umständen hätte Thurell darauf irgendeine Bemerkung gemacht. Aber jetzt blieb er stumm.

Stav musterte ihn verdutzt. »Sag mal – ist irgendetwas nicht in Ordnung?«, fragte er, und seine Stimme klang dumpf in der Leere des hohen, gewölbten Gangs.

Thurell zuckte mit den Schultern.

»Es fällt mir schwer, etwas gegen deinen Optimismus zu sagen, Stav. Aber im Westen der Stadt, mitten in bebautem Gelände, ist vor fünfzig Minuten ein zweites Halbkugelfeld entstanden!«

2.

Stoke Derringer sah nicht so aus, als machte er sich etwas daraus, dem beinahe allmächtigen Chef des Solaren Geheimdienstes gegenüberzusitzen. Er hatte seine alles andere als athletische Gestalt nachlässig in einen Sessel gesenkt und die Beine übereinandergeschlagen, sodass zwischen den Socken und dem Hosenumschlag seine fast unappetitlich bleiche Haut zum Vorschein kam. In dieser Haltung kam seine Wohlbeleibtheit am besten zum Ausdruck. Den runden Schädel hielt er hoch erhoben und starrte unter buschigen Augenbrauen hervor gelangweilt zur Decke hinauf, als ginge es ihn überhaupt nichts an, was Allan D. Mercant zu sagen hatte. Er paffte eine Zigarre, deren blauer Qualm sein Haupt mit dem schütteren, ungekämmten Haar bei jedem Zug in eine undurchdringliche Wolke hüllte.

Allan D. Mercant fuhr trotzdem mit seinen Erläuterungen fort. Mit seiner unscheinbaren Statur, dem kindlich-freundlichen Gesicht und der von sandfarbenem Haar umrahmten Glatze entsprach sein Äußeres ebenfalls nicht der Rolle, die er in Wirklichkeit spielte. Es lag ihm fern, von seinen Untergebenen zu erwarten, dass sie anders seien als er.

»Ich fasse zusammen, Oberst«, gelangte er zum Ende seiner Ausführungen. »Sie begeben sich morgen früh, zwischen acht und neun Uhr Allgemeiner Zeit, auf dem Raumhafen Solid an Bord des Frachtschiffes EMPORIA. Ebenfalls an Bord des Frachters werden eine Anzahl von Geräten und Maschinen verladen, die Ihnen gehören und mit denen Sie auf Karson ein rasches Geschäft zu tätigen versuchen. Die EMPORIA gehört einer privaten Frachtgesellschaft, es wird also nötig sein, auch dem Schiffspersonal gegenüber, den Kapitän eingeschlossen, die Fiktion aufrechtzuerhalten, dass Sie ein auf eigenes Risiko reisender Händler sind. Papiere werden Ihnen heute Abend noch zugestellt. Die EMPORIA landet morgen Mittag ein Uhr Allgemeiner Zeit auf Karson. Sie steigen dort aus und lassen Ihre Sachen abladen. Von da an sind Sie auf sich allein gestellt. Ich kann nicht sagen, wann Ihr Kontaktmann sich mit Ihnen in Verbindung setzen wird.«

Er schwieg, und Stoke Derringer wusste, dass er jetzt Fragen stellen durfte.

»Es ist Ihnen unbekannt, Sir, von wem die Bitte um Entsendung eines Agenten stammt?«

Mercant lächelte verbindlich.

»Allerdings, das ist es mir. Aber die Tatsache, dass die Bitte per Hyperfunk eintraf, und zwar genau auf unserer Welle, deutet darauf hin, dass es sich um jemand handeln muss, der auf Karson eine gewisse Rolle spielt. Ich weiß auch nicht, weswegen man uns um Hilfe bittet. ›Seltsame Geschehnisse bedrohlicher Natur‹ hieß es in dem Funkspruch. Machen Sie daraus, was Sie wollen. Vielleicht handelt es sich um einen schlechten Scherz, dann benutzen Sie Ihren Aufenthalt auf Karson, um herauszufinden, wer dafür verantwortlich ist. Die größte Schwierigkeit scheint mir jedoch zu sein, dass weder Sie Ihren Kontaktmann kennen noch er Sie. Ich weiß in diesem Augenblick wirklich nicht, wie Sie miteinander in Verbindung treten werden. Das überlasse ich Ihnen. Schließlich hätte ich mir einen anderen ausgesucht, wenn es sich um eine einfache Angelegenheit handelte.«

Oberst Stoke Derringer, 46 Jahre alt, erhob sich und salutierte. In dem schäbigen Zivil, das er trug, wirkte der Gruß ein wenig lächerlich.

»Ich danke, Sir«, sagte er mit ernstem Gesicht.

»Alles Gute, Oberst«, verabschiedete ihn Allan D. Mercant leutselig.

Stoke fuhr zu seinem Hotel und begab sich auf sein Zimmer. Er mixte sich einen Cognac Martite und begab sich mit dem Glas in der Hand in seinen Lehnsessel, in dem er bequem ausgestreckt über seinen neuen Auftrag nachdachte.

Er behagte ihm nicht. Er bot keinen Anreiz. Stoke hatte von

Karson gehört. Es war eine glückliche, aufstrebende Kolonie. Der Hilferuf war vermutlich darauf zurückzuführen, dass die Frau des Bürgermeisters in ihrem Garten ein Tier gesehen hatte, das ihr bisher noch nie vorgekommen war und vor dem sie sich fürchtete.

Die Tatsache, dass Allan D. Mercant sich für den Fall interessierte, bot keinerlei Maßstab, an dem die Bedeutung des Auftrags hätte gemessen werden können. Der Solare Sicherheitsdienst ging grundsätzlich allen Andeutungen nach, die ihm hinterbracht wurden. In neunundneunzig von hundert Fällen stellte sich heraus, dass ein Eingreifen nicht erforderlich war. Stoke war sicher, dass es sich bei dem Fall Karson um einen von den neunundneunzig handelte.

Nur eines konnte er sich nicht erklären: Warum wurde *er* geschickt?

Es gehörte zu Stokes charakteristischen Eigenschaften, dass er sich über sich selbst nie im Unklaren war. Er gehörte zu Mercants besten Leuten, das wusste er. Er war ziemlich alt, aber er hatte bei Mercant immer noch einen gewichtigen Stein im Brett. Sein Alter war ihm eher dienlich als hinderlich, weil es den Gegner über seine wahren Fähigkeiten hinwegtäuschte. Stoke Derringer war einer der Star-Agenten des Solaren Sicherheitsdienstes.

Man schickte ihn nicht fünftausend Lichtjahre weit fort, um ihn nach grünen Elefanten jagen zu lassen.

Also, resignierte Stoke, steckte hinter der Sache etwas, das er noch nicht wusste.

Gegen sechs Uhr abends brachte ein Robotbote ein Päckchen, das neben den versprochenen Papieren ein Memoband enthielt. Ohne sich um die Papiere zu kümmern, spannte Stoke das Band auf den Rekorder und hörte es ab. Es enthielt Einzelheiten über Karson, die Geschichte der jungen Kolonie, ihre Verfassung, die Namen einiger Persönlichkeiten und den letzten Tratsch, den Handelsschiffpersonal mit zur Erde gebracht hatte. Die Frage, auf die Stoke so gerne eine Antwort gefunden hätte, wurde überhaupt nicht berührt.

Er legte das Band beiseite und musterte die Papiere. Das erste war ein Personalausweis, auf den Namen Stoke Derringer lautend, und mit Druckmustern des Gehirnwellenspektrums versehen. Die Agenten der Solaren Abwehr waren der Öffentlichkeit niemals dem Namen oder dem Aussehen nach bekannt. Das erbrachte den Vorteil, dass jeder Agent sich seines wirklichen Namens bedienen konnte, wenn er einen Auftrag auszuführen hatte. Der Ausweis besagte, Stoke Derringer sei am 4. August 2354 in Saskatoon, Distrikt Saskatchewan, Kanada, geboren (diese Angabe entsprach durchaus den Tatsachen), hätte seinen ständigen Wohnsitz in Mérida, Distrikt Yucatán, Mexiko (das stimmte nicht, aber Stoke hatte genug Zeit in Mérida verbracht, um die Stadt zu kennen) und übte den Beruf eines selbstständigen Kaufmannes aus (davon allerdings war kein Wort wahr). Der Ausweis trug die blaue Farbe, die seinen Träger als Bürger der Erde durch Geburt auswies.

Das zweite Papier war eine auf zwei Jahre befristete generelle Einreiseerlaubnis auf alle Kolonien der Klasse A, die der Jurisdiktion des Siedlungsamtes in Terrania unterstanden. Zu dieser Klasse gehörte auch Karson. Das Dokument trug den amtlichen Stempel, wonach Stoke Derringer, selbstständiger Kaufmann, zur Erlangung dieser Lizenz eine Gebühr von dreitausendfünfhundert Solar bezahlt habe.

Stoke schmunzelte. 3500 Solar waren mehr als ein Monatsgehalt. Die Lizenz war vom Dezember des vorigen Jahres datiert und vier Monate alt. Er fragte sich, ob er einen Teil der Gebühr zurückerhalten könnte, wenn er das Papier zum Siedlungsamt trüge und es einhändigte.

Der Rest der Unterlagen bestand aus Kaufverträgen, Quittungen und Überschreibungen. Soweit Stoke in der Eile erkennen konnte, bezogen sie sich auf wenigstens zwanzig Maschinen und sonstige Gerätschaften, die gemäß diesen Bestätigungen voll und ganz sein Eigentum waren und mit denen er verfahren konnte, wie ihm beliebte. Er konnte sie zum Beispiel auf Karson zu verkaufen suchen.

Stoke packte die Sachen sorgfältig ein und machte sich zur Abreise fertig. Um sieben Uhr zwanzig verließ er sein Hotel und fand sich kurz vor acht auf dem Raumhafen ein. Eine in Zivil gekleidete Ordonnanz erwartete ihn und brachte ihn zur Landestelle eines kugelförmigen Raumschiffes von einhundert Metern Durchmesser. Das Schiff hieß DAR-ES-SALAM und gehörte zu den schnellsten Neubauten der Flotte. Stoke begab sich an Bord und wurde von einem jungen Offizier in seine Kabine geleitet. Die DAR-ES-SALAM startete um acht Uhr fünfzehn und ging eine halbe Stunde später zum Linearflug über. Stoke Derringer ließ sich sein Abendessen aus der Messe bringen und ging zu Bett, nachdem er es verzehrt hatte. Er besaß die Fähigkeit, tief und fest zu schlafen, ob er müde war oder nicht, und wachte erst acht Stunden später wieder auf. Auf dem Bildschirm seiner Kabine leuchtete grünlichblau die Kugel eines fremden Planeten.

Solid, im Epsilon-Serpentis-System.

Die Landung der DAR-ES-SALAM vollzog sich glatt und auf einem für die Öffentlichkeit gesperrten Sektor des zentralen Raumhafens. Stoke wurde an den Robotwachen vorbeieskortiert und in die Stadt gebracht. Von dort aus nahm er einen Mietwagen und fuhr zum Kontor der privaten Frachtunternehmen. Seine Passage war bereits gebucht, und seine Geräte befanden sich an Bord der EMPORIA. Stoke ging an Bord und suchte seine Kabine auf. Er war der einzige Passagier des Schiffes.

Die EMPORIA startete planmäßig. Über dem Raumhafen Solid ging gerade die Sonne unter. Eine Stunde nach dem Start wurde Stoke vom Kapitän des Schiffes zum Essen eingeladen. Er nahm an und verzehrte seine zweite Abendmahlzeit innerhalb von zwölf Stunden. Am Tisch befanden sich außer dem Kapitän der Erste und Zweite Offizier. Das Gespräch drehte sich um belanglose Dinge. Stoke hatte keinerlei Schwierigkeiten, seine Maske zu wahren.

Der Flug nach Karson dauerte insgesamt viereinhalb Stunden. Die EMPORIA kam in fünfzig Astronomischen Einheiten Entfernung aus dem Linearraum und bat den Raumhafen um Landeerlaubnis, die sofort gewährt wurde. Das Schiff stieß daraufhin mit hoher Geschwindigkeit auf den Planeten zu und schwenkte in achttausend Kilometern Höhe in eine vorläufige Parkbahn ein.

Auf dem Panoramaschirm in seiner Kabine sah Stoke Derringer die Oberfläche von Karson an sich vorbeiziehen. Etwa die Hälfte davon bestand aus Meeren und Ozeanen. Der größte Teil der Landmasse, die sich zu einem einzigen Riesenkontinent zusammenballte, lag in der Nachtzone, sodass Stoke keinen deutlichen Eindruck von ihrer Gliederung und Gestaltung erhielt. Als die EMPORIA die Tag-Nacht-Linie überquerte, erkannte er östlich voraus die Landefläche des Raumhafens. Das Schiff schien plötzlich stillzustehen, und dann bemerkte Stoke, wie das Bild auf dem Schirm auf ihn zuzuwachsen begann.

Die EMPORIA setzte zur Landung an. Zum ersten Mal, seitdem er diesen Auftrag übernommen hatte, spürte Stoke Derringer so etwas wie Erregung.

Die Reaktion der Bürger von Karson auf die Erklärung des Notstands, Klasse zwei, war überaus mild, wie Stav es erwartet hatte. Jedermann wusste, dass eine Gefahr bestand und dass etwas dagegen unternommen werden musste. Man hatte Vertrauen genug zu seinem Stadtrat, um dessen Entscheidungen ohne weitere Diskussion hinzunehmen. Schließlich war Karson während der ersten zwei Jahre nach der Gründung der Kolonie ausschließlich nach Notstandsbestimmungen regiert worden.

Eine Stimme erhob sich allerdings, aber auch damit hatte Corneil Stavalone gerechnet. Rich Leven ging in der Stadt herum und beschuldigte Stav und den ganzen Stadtrat der Verantwortungslosigkeit. Er behauptete, die Existenz einer drohenden Gefahr sei von den Räten absichtlich verniedlicht worden, nur damit sie ihre eigene Macht vergrößern konnten. Stav, dem diese Nachrichten von allen Richtungen her zugetragen wurden, erfuhr schließlich auch, dass Alo Perritt sich von den gestern gefassten Entschlüssen distanzierte und in Rich Levens Beschimpfungen einstimmte.

Das allerdings gab Anlass zu Bedenken. Alo Perritt war ein Mann, der leicht aus der Haut fuhr und des Öfteren Dinge tat, die er hinterher bereute. Er war nicht der stabilste Charakter in Karson, aber er war intelligent. Wenn er sich auf Rich Levens Seite schlug, dann musste er sich davon etwas versprechen. Wenn er sich etwas davon versprach, dann bedeutete das, dass Leven noch einen Trumpf im Ärmel stecken hatte, den er auszuspielen gedachte, wenn die Zeit reif war. Im Augenblick nämlich machte er keine besonderen Fortschritte. Die Leute ließen ihn reden, ohne sich daran zu stören.

Stav kam nicht dazu, sich um den weiteren Verlauf der Dinge zu kümmern. Kurz nach Sonnenaufgang meldete der Raumhafen das Auftauchen eines Raumschiffs an der Grenze des Hoheitsgebiets von Karson. Das Schiff hieß EMPORIA, Heimathafen Polk in der Kolonistengenossenschaft Atlantia, und hatte einen Passagier an Bord, der mitsamt einigen Tonnen an technischen Gütern auf Karson aussteigen wollte.

Stav gab die Landeerlaubnis und begab sich zu der ebenfalls im Rathaus untergebrachten Fernsehstation. Er unterbrach das laufende Programm und verkündete die bevorstehende Landung eines terranischen Handelsschiffes. Dann nahm er seinen Gleiter und machte sich auf den Weg zum Raumhafen.

Die EMPORIA kam ihm gerade recht. Die Landung eines Raumschiffs auf Karson war eine Seltenheit, die sich höchstens sechsmal im Jahr ereignete. Noch lag Karson weit abseits aller Schifffahrtslinien und wurde daher fahrplanlos angeflogen. Für die Siedler war die Ankunft eines Schiffes ein Anlass zu Freude und Aufregung. Jedes Schiff brachte Post. Jede Schiffsladung enthielt Dinge, die der eine oder andere auf dem Umweg über die Kaufleute auf Karson bestellt hatte und auf die er seit Langem wartete. Und wer weder Post erhielt, noch etwas bestellt hatte, fand sein Vergnügen darin, sich ein paar Minuten lang mit Leuten zu unterhalten, deren Namen er nicht kannte und die ihm nicht jeden Tag dreimal über den Weg liefen.

Rich Levens Kampagne würde dadurch erst einmal zum Stillstand kommen. In der Zwischenzeit fand sich vielleicht eine Möglichkeit, zu erfahren, was er im Einzelnen vorhatte und wie es ihm gelungen war, Alo Perritt wieder auf seine Seite zu ziehen.

Das Empfangsgebäude des Raumhafens Karson war eine langgestreckte, weiße Kunststoffbaracke. Darinnen untergebracht waren die Zoll- und Einreisebehörden und der technische Stab, dem die Leitung des Hafens oblag. Die Zoll- und Einreisebehörden bestanden aus drei von Thurell Franz' Polizisten, die sich normalerweise draußen auf ihren Feldern befanden und in ihrem Büro nur zu sehen waren, wenn die Landung eines Schiffes unmittelbar bevorstand. Der technische Stab bestand ebenfalls aus drei Mann, die sich diesem Beruf mit derselben Regelmäßigkeit hingaben. Bevor sie die Erde verließen, hatten sie in einem dreiwöchigen Kursus gelernt, welche technischen Probleme mit Landung und Start eines Raumschiffs verbunden waren, und erfüllten seitdem ihre Aufgabe zur Zufriedenheit aller Beteiligten.

Stav parkte seinen Gleiter neben der Baracke und ging hinein. Die Techniker waren schon anwesend, während die Polizisten erst eine halbe Stunde vor dem Aufsetzen der EMPORIA erscheinen würden. Stav erfuhr, dass das Schiff in wenigen Minuten in eine Parkbahn einbiegen und nach einmaliger Umrundung des Planeten landen werde. Er hatte also noch eine gute Weile Zeit. Er ging hinaus und spazierte am Rand des Landefelds entlang wie einer, der nicht recht weiß, womit er sich die Zeit vertreiben soll.

Eine Viertelstunde später hörte er ein helles Summen und sah Thurell Franz' grellbemalten Gleiter hinter einer Ecke der Baracke hervorschießen. Franz sah ihn sofort und hielt auf ihn zu. Als er ausstieg, machte er ein ziemlich unglückliches Gesicht.

»Na, was hast du gefunden?«, erkundigte sich Stav.

»Das zweite Halbkugelfeld sieht genauso aus wie das erste«, antwortete Franz. »Zehn Kilometer Durchmesser und fünf Kilometer hoch. Nur diesmal liegt es mitten in wertvollem Land. Zehn Hektar von Einar Lodis bestem Weizen sind spurlos verschwunden, außerdem fünf Hektar Obstbäume …«

»Doch nicht etwa Alo Perritts?«

»Doch, zum Teil auch.«

Stav kicherte.

»Wenn ich du wäre«, sagte Thurell ernst, »würde ich mir das mit dem Lachen zweimal überlegen.«

Stav musterte ihn fragend. »Warum?«

»Ich habe die Streustrahlung gemessen – so, wie du es dem Rat gestern Nacht vorgeschwindelt hast.«

»Na und?«

»Die Intensität nimmt *zu*, nicht *ab*!«

Stav sah vor sich hin auf den Boden. »Auf das falsche Pferd gesetzt, wie?«, murmelte er zu sich selbst.

»Wenn irgendjemand sonst dahinterkommt«, fuhr Thurell fort, »dann sitzen wir ganz schön in der Tinte.«

Stav lächelte ihn an.

»Vielen Dank für das ›wir‹. Mach dir keine Sorge, mein Junge, für den Schwindel bin ich ganz alleine verantwortlich. Und im Übrigen kann drei Monate lang kein Mensch etwas gegen uns unternehmen.«

»Es sei denn, man veranstaltet eine Revolution.«

»Quatsch. Die Leute sind Farmer, keine Revolutionäre.«

»Das hat Ludwig der Sechzehnte auch gesagt, bevor sie ihm den Hals durchschnitten.«

Stav machte ein verdutztes Gesicht.

»Ludwig der … ach so, *der!* Na schön, aber …« Plötzlich kam ihm ein neuer Gedanke. »Hältst du es für möglich, dass Rich Leven ähnliche Messgeräte besitzt wie du?«

Thurell zuckte mit den Schultern.

»Ist schon möglich. Geld dazu hat er genug. Ich frage mich nur, wofür er sie sich zugelegt haben soll. Bis gestern Mittag bestand nicht die geringste Hoffnung, dass er sie jemals brauchen könnte.«

»Trotzdem – wenn er sie hat, dann könnte er dasselbe festgestellt haben wie du. Vielleicht ist das der Trumpf, den er ausspielen will.«

Thurell wandte sich um. »Warum fragst du nicht selbst?«, schlug er vor.

Ein großer Gleiter war geräuschlos neben der Baracke vorgefahren. Rich Leven stieg aus, imposant, gut gekleidet und mit strahlendem Lächeln wie immer. Er sah Thurell und Stav beieinanderstehen und kam auf sie zu.

»Der Freund der Bedrängten«, begrüßte Stav ihn spöttisch.

Leven hob abwehrend die Hände.

»Bitte, Sir, vergessen wir unseren Streit für eine Zeit lang«, bat er freundlich. »Der Tag ist zu schön, als dass wir ihn zu Unfreundlichkeiten missbrauchen dürften.«

»Ha«, machte Stav ärgerlich. »Ein Tag ist so schön wie der andere. Was ist an dem hier so Besonderes?«

»Das Schiff«, antwortete Leven und sah in den milchigen Morgenhimmel hinauf. »Ich erwarte eine Ladung wertvoller Güter, und außerdem bekommen wir Zuwachs, wie ich höre.«

»Ja, einen Kaufmann«, brummte Stav. »Wie ich Sie kenne, sind Sie der letzte, der sich über einen Konkurrenten freut.«

»Ganz im Gegenteil«, strahlte Leven. »Ich gedenke, mit den Waren, die heute geliefert werden, noch ein gutes Geschäft zu machen. Dann setze ich mich auf dem schnellsten Wege ab. Wenn der Neue meine Position übernehmen will – um so besser.«

Stav bekam große Augen. »Sie setzen sich ab? Warum?«

»Es haben sich in der jüngsten Vergangenheit einige Dinge zugetragen«, antwortete Leven spöttisch, »die mich davon überzeugen, dass Karson keiner rosigen Zukunft entgegensieht.«

Thurell fing an zu lachen.

»Sie meinen, Sie glauben selber an den Quatsch, den Sie überall verzapfen?«

Leven beachtete ihn nicht.

»Ich bin der Letzte, der Sie umstimmen wollte«, versicherte Stav. »Im Gegenteil – ich werde den Tag, an dem Sie abreisen, zum nationalen Feiertag erklären.«

Leven zog ärgerlich die Brauen in die Höhe. »Mit Ihnen kann man anscheinend keinen vorübergehenden Waffenstillstand schließen, Sir«, stellte er fest. »Ich werde mir die Zeit anderswo vertreiben.«

Er wandte sich um und ging.

»Glaubst du das?«, fragte Thurell.

»Ach wo, kein Wort.«

Knapp zwei Stunden später drang aus der Höhe ein dröhnendes Summen, das von Sekunde zu Sekunde anschwoll und die Luft vibrieren ließ. Der gewaltige Leib der EMPORIA erschien im diesigen Himmel und ließ sich auf das Landefeld herab. Unter den unvorstellbaren Energien seines Feldtriebwerks sank das Schiff langsam wie ein fallendes Blatt. Als der untere Pol des kugelförmigen Körpers sich nur noch wenige Meter über der glatten Oberfläche des Landefeldes befand, kam der Frachter zur Ruhe. Ein künstliches Schwerefeld hielt ihn in dieser Lage.

Stav und Thurell beobachteten, wie die Luks zweier Schleusen auffuhren. Unverzüglich wurde mit dem Ausladen der für Karson bestimmten Waren begonnen. In der flimmernden Hülle eines zehn Meter durchmessenden Antigravfelds sanken die Kisten zu Boden.

Inzwischen war an der Seite des Schiffes ein Laufsteg ausgefahren worden. Ein flach gebauter Gleiter schoss aus dem

Rumpf der EMPORIA hervor und nahm Kurs auf die Baracke. Er schwenkte ein und kam unmittelbar vor dem großen Fenster der Zoll- und Einreisebehörde zum Stehen. Stav erkannte fünf Mann in Uniform und einen in Zivil.

Der Zivilist war mittelgroß und füllig. Er trug ziemlich schlampige Kleidung und rauchte eine Zigarre, der er blaugraue Qualmwolken von beachtlicher Intensität entlockte. Er betrachtete seine Umgebung mit mäßigem Interesse und machte alles in allem nicht den Eindruck eines Mannes, der die Weisheit mit Löffeln gefressen hatte. Stav prophezeite ihm im Stillen, dass er auf Karson zu nichts kommen würde. Wenigstens nicht, solange Rich Leven in der Gegend war.

Die fünf Uniformierten begaben sich zur Zoll- und Einreisebehörde. Sie waren schon im Inneren der Baracke verschwunden, als der Zivilist die ersten Anstalten machte, aus dem Gleiter zu steigen. Stav trat auf ihn zu, um ihn zu begrüßen, aber im selben Augenblick kam Rich Leven um die Ecke gerauscht und stürzte mit ausgestreckter Hand auf den Fremden zu.

»Willkommen auf Karson«, rief er schon von Weitem. »Für uns Kaufleute ist es ziemlich einsam hier. Ich freue mich, Gesellschaft zu bekommen.«

Der Fremde ergriff Levens Hand und schüttelte sie zaghaft, als wüsste er nicht genau, welcher Grad von Freundlichkeit hier in Anwendung gebracht werden müsse. Stav, die Hände in den Taschen, schob sich von der Seite her auf ihn zu. Thurell Franz folgte ihm dichtauf.

»Ja, willkommen auf Karson«, sagte er. »Ganz egal, was Sie sind – wir können jeden gebrauchen. Ich bin Corneil Stavalone und sozusagen die oberste Behörde auf dieser Welt.«

Er zog in aller Gemächlichkeit die Hand aus der Tasche und reichte sie dem Fremden.

»Du liebe Güte, so viel Freundlichkeit hätte ich nicht erwartet«, staunte der Neuangekommene und wirkte ehrlich überrascht. »Die Kaufleute auf einem Siedlerplaneten bedenken einen gewöhnlich mit Konkurrenzneid, und die Behörden sind sowieso auf jeden Händler scharf, weil er nichts anderes im Sinn hat, als einen Profit zu machen.«

»Richtig«, stimmte Stav zu. »Aber wir auf Karson denken anders.«

»Ganz anders«, pflichtete Leven eifrig bei.

»Darf ich Sie bitten, fürs Erste mein Gast zu sein?«

Der Fremde, die Zigarre im Mundwinkel, musterte ihn aufmerksam.

»Danke«, antwortete er kurz angebunden. »Ich weiß das zu schätzen, aber ich möchte mich niemand verpflichten. Ich nehme an, dass es hier Plätze gibt, in denen ich mich aus eigener Kraft einrichten kann. Außerdem möchte ich einen Wagen kaufen.«

Stav lachte. »Da sind Sie an der falschen Haltestelle ausgestiegen. Karson ist noch nicht so weit, dass es einen Fahrzeughändler hat. Wer einen Gleiter braucht, bestellt ihn bei Mister Leven hier, und selbst der braucht zwei oder drei Monate, um ihn beizuschaffen.«

»So, hm«, brummte der Fremde. »Dann können Sie mir vielleicht vorerst ein Fahrzeug leihen?«, fragte er Leven.

»Fünfundzwanzig Solar pro Tag«, antwortete Leven prompt. »Dazu zehn Soli pro Kilometer.«

Der Fremde nickte ihm zu. »Abgemacht. Ich lasse Sie wissen, wo ich unterkomme. Für diesen unverschämten Preis liefern Sie das Fahrzeug wohl ans Haus.«

Leven machte lächelnd eine leichte Verbeugung.

»Selbstverständlich. Sie werden sich daran gewöhnen, mein Freund, dass gewisse Dinge auf Karson ein Heidengeld kosten. Bis dahin nehme ich Ihre Bemerkungen keineswegs übel.«

»Das ist nett«, bemerkte der Dicke und wandte sich an Stav. »Übrigens, ich bin Stoke Derringer. Irgendwo werde ich ein paar Formalitäten erledigen müssen. Sind Sie der Zuständige?«

Stav deutete auf die Baracke. »Da drinnen sitzen ein paar Leute, die auf Sie warten. Zeigen Sie ihnen Ihre Papiere.« Er drehte sich um und wies auf den Kistenstapel, den die EMPORIA inzwischen entladen hatte. »Ein Teil von dem Zeug gehört Ihnen. Es muss verschwunden sein, bevor das Schiff startet. Wohin wollen Sie's haben?«

Stoke deutete mit dem Ende der Zigarre auf Leven.

»Mein Kollege hier wird mir gegen einen angemessenen Preis wohl einen Teil seiner Ladefläche zur Verfügung stellen«, meinte er.

Rich Leven pflichtete ihm bei. Stoke bot sich an, Lagergeld zu zahlen, bis er eine eigene Bleibe gefunden hatte, und Leven war auch damit einverstanden, Derringers Ware vorerst bei sich unterzubringen.

Stoke begab sich daraufhin zur Zoll- und Einreisebehörde und erledigte die Formalitäten. Rich Leven bot sich an, ihn in die Stadt zu fahren und kam damit Stavs Angebot zuvor. Stoke nahm an. Ein paar Sekunden später rauschte Levens schwerer Gleiter mit ihm davon.

Bis jetzt hatte Thurell Franz kein Wort gesagt.

»Was hältst du von ihm?«, fragte ihn Stav.

»Wenn ich das wüsste«, brummte Thurell und sah der Staubwolke nach, die Levens Fahrzeug hinter sich herzog.

»Das war eine vorzügliche Antwort«, gab Stav zu. »Zuerst sah er so aus, als könnte er nicht bis drei zählen. Aber wie er mit Leven umging, das war schon eine ganz andere Manier.«

Bevor er den Raumhafen verließ, sprach er mit dem Kapitän und einigen Offizieren der EMPORIA. Außer dem üblichen Klatsch erfuhr er, dass Stoke Derringer auf Solid an Bord gekommen war, nachdem er die Passage nach Karson erst zwölf Stunden zuvor per Hyperkom gebucht hatte. Stav fand es bemerkenswert, dass es Leute gab, die der Kolonie Karson wegen so hastige Entschlüsse fassten.

Er fuhr zum Rathaus. Thurell Franz folgte ihm. Im Vorzimmer zum Büro des Präsidenten warteten Kinne Olafson und Pepe Atroz.

»Wenn ich euch sehe, läuft es mir kalt den Rücken runter«, sagte Stav anstelle einer Begrüßung.

Pepe nickte grimmig.

»Da hast du auch schön recht. Während du dich stundenlang auf dem Hafen herumtreibst, ist ganz in der Nähe wieder eines von den verdammten Halbkugelfeldern aufgetaucht.«

Stoke Derringer hatte keine Schwierigkeit, eine Unterkunft zu finden. Er mietete ein leer stehendes, geräumiges Haus am Westrand von Karson-Main. Das Haus war von einem geschäftstüchtigen Bürger zu dem Zweck errichtet worden, zukünftige Einwanderer zu beherbergen und dem Eigentümer einen Profit abzuwerfen. Als Makler des Besitzers fungierte Rich Leven, und der Preis, den Stoke zu entrichten hatte, war dementsprechend gesalzen.

Inzwischen hatte er von Leven alles erfahren, was sich auf Karson in jüngster Zeit an Wissenswertem zugetragen hatte. Leven hatte von den eigenartigen Halbkugelfeldern berichtet, die seit dem vergangenen Tag an zwei verschiedenen Stellen erschienen waren und alles, was innerhalb ihrer Grenzen lag, verschluckt hatten. Stoke war sicher, dass dies die »seltsamen Geschehnisse bedrohlicher Natur« waren, von denen der geheimnisvolle Hilferuf an den Sicherheitsdienst berichtete.

Leven hatte sich mit der Versicherung verabschiedet, er werde den Mietwagen und Stokes Waren so rasch wie möglich anliefern. Stoke machte einen zweiten Rundgang durch das Haus und den weitläufig angelegten, verwilderten Garten. Als er in den Wohnraum zurückkehrte, schaltete er das Fernsehgerät ein und kam gerade zurecht, um eine Ankündigung des Notstandsrates zu hören.

Ein drittes Halbkugelfeld war vor kurzer Zeit entstanden und hatte außer sechstausend Hektar erntereifen Landes einen Teil der Siedlung Karson-South verschlungen. Zum ersten Mal seit dem ersten Erscheinen der Halbkugelfelder waren Menschenleben zu beklagen. Insgesamt vierzig Bewohner von Karson-South waren mitsamt ihren Häusern verschwunden.

Kurze Zeit später hörte Stoke das durchdringende Summen der Feldtriebwerke, mit denen sich die EMPORIA vom Raumhafen erhob. Er trat ans Fenster und sah über die Büsche hinweg den silbernen Leib des Schiffes in den Himmel steigen. Er kam sich vor, als wäre die einzige Brücke, die ihn noch mit sicherem Boden verband, hinter ihm zusammengebrochen.

Er befand sich einigermaßen in Verwirrung, was den Unbekannten anbetraf, der den Hilferuf an die Erde gesandt hatte. Die Halbkugelfelder stellten offenbar ein Naturphänomen dar, von dem jedermann auf Karson in gleicher Weise bedroht wurde. Welchem Zweck diente also die Heimlichkeit? Warum hatte Karson nicht in aller Offenheit an die Erde appelliert? Stoke fand, dass es nur eine einzige plausible Erklärung gab. Der unbekannte Anrufer hielt das Entstehen der Halbkugelfelder nicht für einen natürlichen Vorgang. Er vermutete ihren Urheber hier auf Karson und wollte nicht an die Öffentlichkeit dringen lassen, dass er um sachverständige Hilfe gebeten hatte.

Stoke ging erst viel später auf, dass er mit dieser Vermutung weit danebengetroffen hatte. Aber das tat im Augenblick nichts zur Sache. Für seine unmittelbaren Vorhaben war die Hypothese brauchbar und erlaubte, obwohl sie falsch war, eine völlig richtige Schlussfolgerung.

Stoke war überzeugt, dass einer der drei Männer, die ihn am Raumhafen empfangen hatten, derjenige war, der die Erde um Hilfe gebeten hatte. Er hatte also die Auswahl zwischen Rich Leven, Kaufmann, Makler und Hansdampf-in-allen-Gassen, Corneil Stavalone, oberste Behörde und ein wenig zurückhaltend, und schließlich Thurell Franz, dessen Namen er erst von Leven erfahren hatte, weil es Franz während der Begrüßung nicht eingefallen war, auch nur ein einziges Wort zu sagen.

Der Hyperfunkspruch war heimlich aufgegeben worden und

bildete den einzigen Anhaltspunkt für Stoke auf der Suche nach seinem Kontaktmann. Der Unbekannte musste das wissen – er musste es in seinen Plan einberechnet haben. Karson besaß nur einen einzigen Hypersender. Stoke nahm an, dass er auf die gleiche Weise verwendet wurde, wie auf anderen Welten des gleichen Status, nämlich einen halben Tag lang für offizielle Zwecke wie den Austausch von Nachrichten mit anderen Welten, insbesondere der Erde, und während der zweiten Tageshälfte für den Privatgebrauch der Siedler, die für jedes Hypergespräch eine Gebühr zu entrichten hatten. Über die entrichteten Gebühren musste Buch geführt werden. Es konnte nicht allzu schwer sein, aus der Buchführung zu erfahren, wer am 13. April 2400, um 14 Uhr Allgemeiner Zeit, ein kurzes Hyperfunkgespräch mit der Erde geführt hatte.

Kurze Zeit später brachten zwei von Rich Levens Angestellten das Leihfahrzeug und Stokes Waren. Die Waren, in klimasichere Kisten verpackt, wurden im Garten abgeladen. Stoke ging dabei zur Hand. Die Sonnenwärme war inzwischen voll zur Entfaltung gekommen und machte ihm einigermaßen zu schaffen. Er bedachte die beiden Männer mit einem Trinkgeld und zog sich ins Haus zurück, um ein Bad zu nehmen. Danach legte er leichtere Kleidung an, wobei er sorgfältig darauf achtete, dass er darin ebenso derangiert wirkte, wie ihn die Leute von Karson in Erinnerung hatten.

Er kletterte in den Gleiter und machte sich auf den Weg zur Funkstation, deren bizarr geformte Antenne sich im Nordwesten der Stadt in die Höhe reckte. Gemächlich fuhr er die gepflegte Straße entlang, an der sein Haus lag, und betrachtete die weitläufigen Gärten. Was die Siedler in einem knappen Dutzend Jahre geleistet hatten, war beeindruckend. Karson war eine ungewöhnlich erfolgversprechende Kolonie. Es lohnte sich, dass man sich um sie Sorgen machte.

Am Rande der Stadt, etwa zweihundert Meter jenseits der letzten Gärten und Häuser, endete die Straße im Nichts. Holpriges

Grasland, hier und dort von Büschen und Baumgruppen durchsetzt, zog sich bis zum Horizont. Im Südwesten lag der Raumhafen; Stoke erkannte den schlanken Turm der Funkleitanlage. Er hielt den Wagen an und ließ das Bild eine Zeit lang auf sich wirken. Er öffnete die Kanzel und spürte die schwüle Hitze, die sich wie eine Glocke über das Land stülpte.

Das Gefühl der Einsamkeit überkam ihn. Er roch den Duft der fremden Gewächse und hörte das eigenartige Summen fremder Insekten. Er sah einen bunten Falter durch die Luft gaukeln, rot, blau und grün, zwei Handspannen breit, mit vier Flügeln und einem zierlichen, langen Schwanz, den er beim Fliegen als Steuer benutzte. Aus einem Gebüsch, zehn Meter entfernt, wagte sich eine Eidechse hervor, die sich beim Geräusch des nahenden Fahrzeugs in Deckung begeben hatte. Aus großen, blauen Augen starrte sie den Wagen an. Stoke sah, wie sie sich aufrichtete, und in der Art eines Kängurus davonhüpfte.

Karson mochte eine erfolgreiche Kolonie sein, aber es war immer noch eine menschenleere, fremde Welt. Es gab insgesamt fünftausend Siedler. Der Großteil von ihnen lebte in Karson-Main, der Rest von insgesamt eintausend in den beiden Zweigsiedlungen Karson-South und Karson-On-Meander. Fünftausend Siedler hatten eine Fläche von rund zwanzigtausend Quadratkilometern bebaut oder auf andere Art und Weise in ihren Lebensbereich einbezogen. Der Rest war Nichts, Ödland, unerforschtes Gebiet, in das noch kein Mensch den Fuß gesetzt hatte, von den unerschrockenen Männern des Experimentalkommandos abgesehen, die Karson gefunden, untersucht und zur Besiedlung freigegeben hatten.

Stoke fuhr weiter. Er ließ die Kanzel offen, und der Fahrtwind brachte ein wenig Kühlung. Die Funkstation lag merkwürdig weit außerhalb der Stadt. In der diesigen Luft konnte Stoke eine Zeit lang nur die riesige Antenne erkennen. Erst als er bis auf einen Kilometer herangekommen war, entdeckte er, dass es am Fuße des Stahlgebildes eine kleine Baracke gab.

Er parkte den Wagen davor, und als er den Motor ausschaltete, senkte sich beängstigende Stille über das Land. Die Luft schien vor Hitze zu flimmern. Ab und zu strich ein merkwürdig geformtes Insekt träge vorbei. Die Eingangstür der Baracke hing schief in den Angeln. Das anspruchslose Bauwerk war aus Fertigbauteilen hergestellt, von denen die Farbe abgesplittert war. Über der Tür hing ein verblasstes Schild, dessen Aufschrift Stoke nicht mehr zu entziffern vermochte.

Er wischte sich den Schweiß von der Stirn und machte einen Rundgang um das seltsame Bauwerk. Auf der Vorderseite, die zur Antenne hin lag, gab es zwei niedrige, kleine Fenster. Er sah hindurch und blickte in einen unmöblierten Raum, in dem sich seit Jahren keiner mehr aufgehalten zu haben schien. Links in der Ecke stand die Schaltkonsole, von der aus der Sender bedient wurde. Ein paar Kontrolllampen glühten bunt. Eine Art Theke teilte den Raum in zwei Hälften – ganz so, als hätte es hier früher einen regelmäßigen Bürodienst gegeben, mit freundlichen Beamten auf der einen und dem Publikum auf der anderen Seite des Schalters.

Diese Zeiten waren offenbar längst vorbei. In der Entwicklung einer jeden Kolonie waren die ersten beiden Jahre nach der Gründung diejenigen, die am meisten Gebühren für die private Benützung des Hypersenders einbrachten. Die Siedler hatten Bekannte und Verwandte auf der Erde und auf anderen Welten, und die einzige Möglichkeit, das Gefühl der Einsamkeit und des Abgesperrtseins zu überwinden, war, mit anderen Menschen auf anderen Planeten zu sprechen. Mit der Zeit legte sich dieses Bedürfnis. Die Siedler begannen, die Sorgen des Alltags für wichtiger zu halten als ihr Heimweh. Der Publikumsverkehr der Funkstation ebbte ab.

Offenbar war es auf Karson nicht anders zugegangen. Stoke fragte sich, wann die Station zum letzten Mal von einer Privatperson benutzt worden war. Er schritt um die andere Seite der Baracke wieder auf die Eingangstür zu und trat ein.

Die Tür, von einem primitiven Federzug gehalten, schnappte wieder in die Ausgangsstellung zurück. Es gab einen dumpfen Knall, und von irgendwoher rieselte Staub auf den Boden. Es war plötzlich dunkel. Nur undeutlich sah Stoke das Viereck einer zweiten Tür, die in den früheren Schalterraum führte. Als er auf sie zuging, knarrte der Boden. Es war unerträglich heiß in der Baracke. Stoke griff nach der Tür und stellte fest, dass sie klemmte. Er zog mit aller Wucht, bis sie sich mit einem ächzenden Laut aus der Füllung löste. Staub wirbelte ihm entgegen. Er trat an die Theke und sah sich um. Der Raum sah noch genauso aus, wie er ihn vorhin durch die Fenster hindurch gesehen hatte. Kein Mensch war da. Die Leute auf Karson schienen von einem regelmäßigen Funkdienst nichts zu halten.

Stoke fand eine Klapptür in der Theke und schob sich hindurch. Er musterte die Schaltkonsole und stellte fest, dass sie völlig in Ordnung und betriebsbereit war. Er brauchte nur eine Frequenz zu wählen, die Antenne zu richten, das Mikrofon aufzunehmen und den grünen Hauptschalter zu drücken – dann konnte er jeden Punkt im Umkreis von Tausenden von Lichtjahren erreichen, vorausgesetzt, es gab dort einen Empfänger.

Aber das war nicht, was er vorhatte. Es musste hier irgendeine Art von Liste geben, in die die Leute sich eintrugen, die den Sender für Privatgespräche benützten. Die Unterhaltung eines Hypersenders war teuer. Stoke weigerte sich zu glauben, dass die Regierung von Karson großzügig genug war, ihren Bürgern die Benützung des Senders ohne Entrichtung einer Gebühr zu gestatten.

Die Theke war von dieser Seite her offen und enthielt eine Reihe von Fächern. Stoke fing an, sie zu durchsuchen. Er fand einen alten, verblichenen Schreibblock, eine leere Plastikschachtel, die vor langer Zeit einmal Zigaretten enthalten hatte, und eine Menge Staub. Von der Liste war keine Spur zu sehen.

Stoke fasste einen Vorsatz. Wenn es ihm nicht gelang, die Liste im Laufe der nächsten fünf Minuten zu finden, würde er aufgeben und später wiederkommen. Die Hitze war zuviel für ihn.

Er warf einen zweiten Blick auf die Schaltkonsole, und erst dieses Mal stellte er fest, dass das Aggregat auf Rollen ruhte, sodass die Unterkante nicht auf dem Boden auflag, sondern ein paar Zentimeter Spielraum ließ. Einer Eingebung folgend, kniete er nieder und fuhr mit der Hand unter die Konsole. Er stieß auf Widerstand und fasste zu. Was er hervorzog, war ein staubiges, in Plastik gebundenes Buch von der Art, wie man es in jedem irdischen Laden für ein paar Soli haben konnte. Er schlug es auf und sah, dass er gefunden hatte, wonach er suchte.

Die Eintragungen begannen am 29. September 2399. Jeder Benutzer des Senders nannte seinen Namen, die Dauer des Gesprächs, Frequenz und Antennenstellung, außerdem die Tageszeit und, in wenig aufschlussreichen Worten, den Grund der Sendung. Stoke legte das Buch auf die Theke, um besser blättern zu können, und gelangte rasch zum April des gegenwärtigen Jahres. Er fand den Dreizehnten und fuhr mit dem Finger den Rand der Seite entlang herunter, bis er den Eintrag fand:

14 UHR ALLGEMEINER ZEIT. NAME:

Weiter nichts. Jede andere Angabe fehlte. Stoke starrte auf das Buch. Der Eintrag war der letzte. Niemand hatte seitdem den Sender zu Privatzwecken benützt.

Stoke fluchte leise vor sich hin. Den Finger auf dem letzten Eintrag, starrte er auf die staubbedeckte Theke und überlegte, welche Möglichkeit ihm jetzt noch bliebe, mit dem unbekannten Anrufer in Verbindung zu treten.

Plötzlich hörte er ganz in der Nähe ein knarrendes Geräusch. Er schrak aus seiner Grübelei und wollte nach der Waffe greifen, die er in der Tasche trug. Da erschien über dem Rand der Theke ein spärlich behaarter, runder Schädel. Zwei wache Augen blitzten Stoke an. Der unerwartete Besucher erkannte, dass keine Gefahr bestand, und erhob sich zu seiner vollen Größe.

Stoke kannte ihn. Es war Corneil Stavalone, einer der drei Männer, die ihn am Hafen empfangen hatten.

Stavalone deutete auf das Buch, das immer noch auf der Seite des letzten Eintrags aufgeschlagen lag, und sagte anerkennend: »Ich hatte wirklich nicht damit gerechnet, dass man auf der Erde so schnell reagieren würde.«

Stoke sagte: »*Sie* sind das? Wozu die ganze Heimlichkeit? Warum kamen Sie nicht offen mit Ihrem Anliegen heraus?«

Stav grinste ihn an. »Das werden Sie bald verstehen. Jetzt möchte ich erst mal Beweise dafür haben, dass Sie der Mann sind, den ich erwarte.«

»Hm«, machte Stoke. »Wiederholen Sie den Wortlaut der Sendung!«

Stav tat das. Stoke war zufrieden. Aus der Innentasche seines Jacketts zog er ein kleines Plastikblättchen und reichte es Stav. Das Blättchen schimmerte violett. Im Zentrum war Stokes Bild angebracht, darum herum ringelten sich hauchdünne Linien. Es gab Geräte, die aus diesen Linien alle denkbaren Angaben zu Stoke Derringers Person lesen konnten.

Stav reichte den Ausweis zurück.

»Danke, das genügt mir«, erklärte er.

»Wie kommen Sie eigentlich hierher?«, wollte Stoke wissen.

»Zu Fuß«, antwortete Stav. »Ich hatte ziemlich wenig Hoffnung, dass Sie der Mann sein könnten, auf den ich wartete. Du meine Güte, es ist noch nicht einmal einen Tag her, seit ich die Erde anrief …«

»Klar«, brummte Stoke. »Aber ein Tag auf Karson hat zweiundsechzig Stunden.«

»Na und? Ich konnte mir nicht denken, dass Sie da unten auf der Erde so schnell reagieren. Aber andererseits durfte ich auch nichts außer Acht lassen. Ich wusste, dass derjenige, den die Abwehr nach Karson schickte, sich die Funkstation ansehen würde, um herauszufinden, wer den Hilferuf abgeschickt hatte. Also kam ich hierher, nachdem ich Sie am Hafen begrüßt hatte. Und siehe da …!«

Er breitete theatralisch die Arme aus und grinste Stoke an.

»Aha«, sagte Stoke. »Jetzt erklären Sie mir am besten, worum es hier eigentlich geht.«

Er brauchte Stav nicht zweimal dazu aufzufordern. Stav erzählte ihm die ganze Geschichte – von dem Augenblick an, in dem Pavl Arransch wie ein Besessener in die Stadt zurückgerast kam, bis zum heutigen Morgen, den Rich Leven und sein Kompagnon, Alo Perritt, dazu benutzten, um Propaganda gegen den Notstandsrat zu machen.

Als er geendet hatte, sah Stoke ihn ungläubig an.

»Wie ist das – Sie beschwindeln die Leute, schleichen sich in der Nacht wie ein Dieb umher, senden einen mysteriösen Funkspruch an die Erde, und alles nur, weil Sie befürchten, das Projekt Karson könnte misslingen?«

Stav erwiderte seinen Blick ernst und mit Würde. »Sie kommen von der Erde«, erwiderte er bitter. »Ihr Planet ist zivilisiert und ausgebaut, und niemand braucht sich den Kopf darüber zu zerbrechen, ob er auch in zwanzig Jahren noch intelligentes Leben tragen wird. Auf Karson ist das anders. Wir sind ein Vorposten des Imperiums. Wir haben Glück gehabt, und wenn wir noch ein paar Jahre ohne größere Katastrophe hinter uns bringen, dann wird niemand mehr Karson von der Sternenkarte wischen. Sie haben ganz recht, Derringer. Um dieses Ziel zu erreichen, lüge ich Leute an, schleiche mich wie ein Dieb durch die Nacht und sende mysteriöse Funksprüche. Ich werde noch weiter gehen und jedem, der die Existenz der Kolonie Karson etwa in Gefahr bringt, die Kehle durchschneiden.«

Stoke konnte nicht anders – er war beeindruckt von dem Ernst, mit dem der Mann sprach. Er lenkte ein.

»Geben Sie mir ein bisschen Zeit, um Ihren Standpunkt richtig zu verstehen«, bat er. »Ich bin mit dem größten Vergnügen bereit, Ihnen und Karson zu helfen – falls Hilfe möglich ist.«

Stav nickte beipflichtend. »Das werden wir feststellen«, sagte er.

Er schlug vor, die Diskussion an einem anderen Ort fortzusetzen, und Stoke war damit einverstanden. Sie fuhren zum Rathaus, und Stav nahm Stoke mit hinauf in sein Büro. Während der Fahrt hatten sie Gelegenheit gehabt, Mutmaßungen und Hypothesen auszutauschen.

»Ich kann mir nicht helfen«, sagte Stoke, »aber irgendwie scheint dieser Leven eine kritische Rolle zu spielen.«

Er hatte sich eine Zigarre angezündet und stieß dichte Wolken von sich.

»Ich habe darüber nachgedacht«, gab Stav zu. »Leven war allzu schnell bereit, die Lage als katastrophal zu bezeichnen und die Flinte ins Korn zu werfen. Welchen Vorteil kann er davon haben, dass das Projekt aufgegeben wird und die Leute Karson verlassen?«

Stoke zuckte mit den Schultern. »Keine Ahnung. Aus dem, was Sie mir berichtet haben, lässt sich keine Folgerung ziehen. Und trotzdem ...«

Er stand auf und trat zum Fenster. Blaugraue Wolken vor sich hinpaffend, blieb er zwei oder drei Minuten dort stehen, ohne ein Wort zu sagen. Schließlich wandte er sich um. Er hatte einen Entschluss gefasst, das war ihm anzusehen.

»Wir kommen keinen Schritt weiter«, stellte er fest, »wenn wir uns die Köpfe heißreden, ohne zu wissen, worum es eigentlich geht. Ich muss mir die Halbkugelfelder ansehen – und zwar so bald wie möglich.«

Stav schnitt eine Grimasse. »Ganz meiner Meinung – aber haben Sie die nötigen Geräte dabei?«

Stoke lachte. »Nach Ihrer vagen Hypersendung konnten Sie wohl kaum damit rechnen, wie? Welch ein Glück, dass die Abwehr immer an *alles* denkt – ganz gleichgültig, wes Geistes Kind ihre Kunden sind.«

Stav erhob sich seufzend.

»Eines Tages werden Sie den Mund zu voll nehmen, Derringer, und an Ihrem eigenen Geschwafel ersticken. – Also, was tun wir jetzt?«

»Sie bleiben hier und warten«, bestimmte Stoke. »Es hat keinen Zweck, wenn man uns beide zu oft beisammen sieht. Ich besorge mir die Geräte und hole Sie an einer unauffälligen Stelle ab.«

Stav war damit einverstanden. Er nannte einen leicht auffindbaren Punkt im Nordwesten der Stadt, und Stoke versprach, ihn dort in neunzig Minuten aufzunehmen.

Dann fuhr er nach Hause. Es mochte Leute geben, die neugierig genug waren, um ihn zu beobachten, wie er mit den Kisten herumhantierte und was er daraus zu Tage brachte. Also öffnete er die Kellereinfahrt und schob die Behälter mit dem Gleiter hinunter. Er vergewisserte sich, dass der Kellerraum vor jedem unerwünschten Einblick sicher war, und begann die Kisten auseinanderzunehmen. Ihr Inhalt entsprach in jeder Hinsicht der Beschreibung, die auf der Einfuhrlizenz enthalten war. Es gab da Maschinen und Gerätschaften aller Art – besonders aber solcher, die auf jungen Kolonien in Nachfrage standen, wie zum Beispiel automatische Pflüge, robotisierte Werkbänke, kleine Werkzeugmaschinen und Miniaturgeneratoren.

Stokes Geheimnis war, dass keines der Geräte hielt, was sein Äußeres versprach. Er nahm die Frontplatte eines Generators ab und brachte aus dem Inneren, das eigentlich den Plasmaerzeuger und die kleine Fusionskammer enthalten sollte, ein paar Messinstrumente zum Vorschein, die sorgfältig in individuellen Halterungen gelagert waren, um den Transport unbeschadet zu überstehen. Mit anderen Maschinen verfuhr er ebenso, und nach einer Stunde hatte er einen Stapel von Geräten beisammen, mit dessen Hilfe er den unheimlichen Halbkugelfeldern wirksam zu Leibe zu rücken können glaubte.

Er packte die Instrumente in eine der kleineren Kisten, schleppte sie aus dem Keller nach oben und lud sie in seinen Gleiter. Nachdem er die Türen des Hauses mit ein paar Sicherheitsvorrichtungen versehen hatte, die ihm die Gewähr gaben, dass während seiner Abwesenheit kein Unbefugter über seine Schwelle gelangen würde, machte er sich auf den Weg.

Die Stelle, die Stav genannt hatte, lag ein Stück weit außerhalb der Stadt. Stav war schon da, obwohl an den neunzig Minuten noch zehn fehlten. Er trat an den Gleiter und musterte die Kiste, die Stoke in den rückwärtigen Teil des Wagens geladen hatte.

»Damit werden wir's also schaffen, wie?«, sagte er, während er einstieg.

Stoke lachte bitter. »Wenn wir's damit nicht schaffen, dann bleibt uns nicht mehr viel Hoffnung!«

Sie fuhren zunächst zu dem Feld, das nördlich von Pavl Aranschs halbgepflügtem Acker lag. Unterwegs erkundigte sich Stoke: »Wer führt eigentlich die Amtsgeschäfte, während Sie in der Gegend herumkutschieren?«

»Pepe«, antwortete Stav. »Oder Kinne. Es kommt darauf an, wen die Leute gerade erwischen, wenn sie jemand brauchen.«

Er bemerkte Stokes spöttischen Blick und fügte hinzu: »Karson wird weniger bürokratisch regiert als die Erde. Hier kennt jeder jeden, und alles geht ein bisschen gemütlicher zu. Es hat keinen Zweck, dass einer den ganzen Tag lang im Büro sitzt und in der Nase bohrt, nur weil er zufällig Präsident ist und jemand vielleicht bei ihm vorsprechen könnte. Wenn jemand meine Hilfe braucht, dann muss er mich vom Feld holen oder von sonst woher.«

»Aha«, machte Stoke. »Der alte Pioniergeist lebt wieder auf.«

»Sie brauchen nicht hierzubleiben, wenn's Ihnen nicht passt«, knurrte Stav.

Sie überquerten das Bett eines tief eingeschnittenen Flusses, und als sich der Gleiter über das jenseitige Ufer hinausschwang, kam das Halbkugelfeld in Sicht.

»Beachtlich«, sagte Stoke leise. »Wirklich beeindruckend. Völlig symmetrisch.«

»Halten Sie das für einen Hinweis darauf, dass es auf künstliche Weise erzeugt wurde?«

Stoke schüttelte den Kopf. »Nein. Wenn es würfelförmig wäre, oder eine Pyramide, dann ohne Weiteres. Aber die Kugel ist ein Gebilde, dessen sich die Natur öfter bedient als der Mensch.«

Sie landeten an der Stelle, an der Pavl Arranschs Pflug seine letzte Wendung gemacht hatte, bevor er seine panikerfüllte Reise nach Süden antrat. Stav half Stoke beim Ausladen der Kiste.

»Wie lange werden Sie brauchen?«, wollte er wissen.

Stoke wischte sich den Schweiß von der Stirn. »Vierzig bis fünfzig Minuten, schätze ich.«

Stav erkundigte sich, ob er beim Vermessen des Feldes benötigt würde, und als Stoke verneinte, unternahm er einen Spaziergang an der Hülle des Felds entlang.

Stoke begann damit, dass er Aufnahmen der Feldhülle anfertigte. Er arbeitete dabei mit einer Kamera, die jeden beliebigen Teil des elektromagnetischen Wellenspektrums als Energieträger verwenden konnte. Er schoss eine Serie von Mikrowellenbildern und machte danach eine Reihe von Ultrarotaufnahmen. Dann fertigte er ein paar konventionelle Fotografien an, knipste mit Ultraviolett und machte schließlich eine Serie von Röntgenaufnahmen. Zu guter Letzt packte er die Kamera weg und ging an das eigentliche Vermessen des Feldes. Mithilfe seiner Instrumente registrierte er Streustrahlungen vier- und fünfdimensionaler Natur. Er achtete sorgfältig darauf, dass jede Messung zweimal vorgenommen wurde, sodass beim Ablesen der Aufzeichnungen Messfehler weitgehend ausgeschaltet werden konnten.

Er war so in seine Arbeit vertieft, dass er kaum bemerkte, dass Stav zurückkehrte. Stav andererseits war nicht der Mann, der sich lange Zeit übersehen ließ.

»Haben Sie schon was gefunden?«, erkundigte er sich.

»Wie soll ich das wissen?«, fragte Stoke zurück. »Die Instrumente registrieren alles, was sie aufnehmen. Ich kriege die Resultate nicht zu sehen.«

»Aha«, sagte Stav. »Da bin ich besser dran. Ich bekomme wenigstens zu sehen, wonach ich suche. Sie erinnern sich, dass Thurell und ich Motorengeräusch hörten, als wir letzte Nacht hier waren?«

Stoke nickte.

»Ich habe mich ein bisschen umgesehen«, fuhr Stav fort. »Und dort drüben, ungefähr zwei Kilometer von hier, sieht der Boden so aus, als hätte vor nicht allzu langer Zeit ein Gleiter draufgestanden.«

»Das war zu erwarten, nachdem Sie den Motor gehört hatten, nicht wahr?«

»Richtig«, gab Stav zu. »Die Überraschung kommt noch. Der Eindruck war recht deutlich und vier Meter breit.«

Stoke pfiff zwischen den Zähnen hindurch.

»Es gibt nur zwei Gleiterfabrikate mit vier Meter Chassisbreite«, sagte Stav. »Die eine Marke ist Continental, die andere Widetrack. Einen Widetrack gibt es auf *Karson* nicht, dafür aber einen Continental. Einen einzigen, wohlgemerkt. Und er gehört Rich Leven.«

Stoke packte seine Geräte wieder ein.

»Haben Sie gar nichts dazu zu sagen?«, fragte Stav nach einer Weile.

»Doch«, brummte Stoke. »Dieser Leven wird mir immer verdächtiger. Ich möchte mich gerne mal mit ihm unterhalten.«

»Das ließe ich bleiben, wenn ich Sie wäre«, riet Stav. »Er darf nichts davon erfahren, dass Sie von der Erde kommen. Sonst ist hier der Teufel los.«

Stoke gab darauf keine Antwort. Nachdem sie die Kiste wieder eingeladen hatten, flogen sie zu dem zweiten Halbkugelfeld, das gestern Nacht mitten im bebauten Gelände westlich von Karson-Main entstanden war. Stoke wiederholte seine Aufnahmen und Messungen, und das Gleiche tat er noch einmal mit dem Feld, das erst sechs Stunden alt war und einen Teil der Siedlung Karson-South verschlungen hatte.

Dann machten sie sich auf den Heimweg. Stoke warf einen misstrauischen Blick zum Himmel hinauf. Der milchigweiße Fleck der Sonne schien sich nicht von der Stelle gerührt zu haben, seitdem er Stav vor mehr als vier Stunden im Norden von Karson-Main abgeholt hatte.

»Ich fahre auf dem schnellsten Weg zum Sender«, erklärte er

Stav. »Die Messergebnisse müssen zur Erde. Wie sind die Gebühren?«

Stav winkte ab. »Tragen Sie sich nur in das Buch ein. Man wird Ihnen eine Rechnung schicken. Übrigens – setzen Sie mich bitte in der Nähe der Stadt ab, bevor Sie zum Sender fahren.«

Stoke hatte nichts dagegen einzuwenden.

Nachdem Stav ausgestiegen war, wandte er sich noch einmal um und fragte: »Wann höre ich wieder von Ihnen?«

»Sie werden zuerst von der Erde hören«, antwortete Stoke. »Die Antwort kommt durch den amtlichen Kanal. Werden Ihnen alle Funksprüche vorgelegt?«

»Alle, die während der offiziellen Sende- und Empfangszeit einlaufen.«

»Gut. Wenn Ihnen ein Spruch unterkommt, der mit ›Die Krise im Einhorn-Nebel spitzt sich zu‹ anfängt, dann legen Sie ihn beiseite und heben Sie ihn auf, bis ich komme.«

Stav nickte. »Das hört sich so an, als hätten Sie einen längeren Ausflug vor«, meinte er.

»Ausflug«, lachte Stoke ärgerlich. »Ich will Ihnen was sagen – Ihr komischer Planet mit seinem Zweiundsechzigstundentag kann mir gestohlen bleiben. Ich bin jetzt seit zwanzig Stunden ununterbrochen auf den Beinen und hundemüde. Sobald die Sendung unterwegs ist, lege ich mich aufs Ohr.«

Stav nickte.

»Sie werden sich an den langen Tag gewöhnen«, versprach er und machte sich auf den Weg zur Stadt.

Unterwegs dachte er über Stoke Derringer nach. Er mochte ihn. Der Mann schien sein Fach zu verstehen. Er wirkte unbeholfen und ein wenig dumm, aber das gehörte zu seinem Schema. Junge Agenten, die sportlich und intelligent aussahen, stießen auf Misstrauen. Alles in allem war Stav mit der Reaktion, die sein verstohlener Hilferuf gefunden hatte, durchaus zufrieden. Die Lage fing an, ein wenig rosiger auszusehen.

Wenigstens dachte er das, bis er nach halbstündigem Marsch das Rathaus erreichte und in das Vorzimmer zu seinem Büro trat. Um einen Tisch in der Mitte des Raums, der vor ein paar Stunden noch nicht da gewesen war, saßen Pepe Atroz, Kinne Olafson und Thurell Franz. Ein Blick auf ihre Gesichter überzeugte Stav, dass sein Optimismus verfrüht war.

»Was geht hier vor?«, fragte er unfreundlich und musterte den mit Papieren beladenen Tisch von einer Kante bis zur anderen.

»Wir haben hier das Notstandshauptquartier aufgeschlagen«, knurrte Pepe zornig. »Und wenn's dir nicht passt, wirst du abgesetzt.«

»Oho«, machte Stav. »Dir ist das Notstandsgesetz wohl in den Kopf gestiegen.«

Kinne stand auf.

»Das meint er nicht, Stav«, sagte er in seiner schwerfälligen Art. »Die Lage ist so, dass der Notstandsrat jeden Augenblick handlungsfähig sein muss. Wir haben dich gesucht, wie eine Nadel im Heuhaufen, aber du warst nirgends zu finden.«

»Warum, was ist los?«

»Dreierlei«, antwortete Kinne. »Erstens …«

»Dreierlei!«, protestierte Stav.

Kinne nickte beharrlich.

»Erstens ist ein neues Halbkugelfeld aufgetaucht. Zwar liegt es hundert Kilometer südöstlich von hier und hat niemand Schaden zugefügt, aber dafür sieht es ein bisschen anders aus als die, die wir bisher gesehen haben. Es ist so hoch, dass der Gipfelpunkt in den Wolken verschwindet, und der Durchmesser beträgt rund fünfzig Kilometer.«

Stav schluckte. Es fiel ihm schwer, die Beherrschung zu wahren.

»Weiter«, fuhr er Kinne an. »Was ist das zweite?«

»Alo Perritt hat eine Propaganda-Kampagne vom Stapel gelassen. Er behauptet, du hättest den Stadtrat wissentlich belogen, als du gestern Nacht behauptetest, die Intensität der Streustrahlung der Halbkugelfelder ließe nach. Er lädt jedermann ein, seine eigenen Unterlagen zu begutachten, aus denen hervorgeht, dass die Intensität im Gegenteil zunimmt.«

Stav warf Thurell Franz einen kurzen Blick zu. Thurell zog die Brauen in die Höhe, das war seine einzige Reaktion.

»Also schön«, meinte Stav. »Damit mussten wir rechnen. Welches ist der dritte Punkt?«

Kinne deutete auf Thurell. »Das musst du ihn fragen«, antwortete er. »Er wollte es uns nicht sagen.«

Thurell bedurfte keiner weiteren Aufforderung. »Rich Leven hat zehn Hektar von Einar Lodis Land für ein Butterbrot aufgekauft«, erklärte er ernst. »Genau das Land, das unter dem zweiten Halbkugelfeld liegt.«

3.

Drei Stunden später begann die Einunddreißig-Stunden-Periode, während der der Hypersender ausschließlich offiziellen Zwecken vorbehalten war. Nachrichten, die von Dutzenden von Relaisstationen im Umkreis von mehreren Hunderten von Lichtjahren aufgespeichert worden waren, liefen ein. Der Wortlaut einer der ersten begann:

Die Krise im Einhorn-Nebel spitzt sich zu.

Stav las sie durch. Der Text war völlig unverfänglich. Er berichtete von der Revolte einer kleinen Siedlergruppe, die durch Versehen auf einem falschen Planeten gelandet war und sich dort niedergelassen hatte. Derselbe Planet war vor Kurzem vom terranischen Siedlungsamt einer zweiten Gruppe von Kolonisten zur Verfügung gestellt worden, und die beiden Parteien schienen sich nicht einigen zu können, wem die Kolonialwelt nun eigentlich gehörte. Das alles klang sehr logisch und verständlich – nur war Stav ziemlich sicher, dass es nirgendwo in der Galaxis einen Einhorn-Nebel gab.

Er legte die Nachricht beiseite, wie Stoke ihm geraten hatte. Unter den übrigen Meldungen war nichts Besonderes. Die Preise für technische Waren von mittlerer und hoher Leistung hatten um zwei Zehntelpunkte nachgelassen. Die Preise für Getreide von terrafernen Welten hatten um einen Zehntelpunkt angezogen. Auf der Siedlerwelt Pallas war zwischen Kolonisten und Eingeborenen ein Abkommen zur gemeinsamen Ausbeutung von Erzvorkommen abgeschlossen worden.

Und so weiter. Die Galaxis war voller Belanglosigkeiten, und Stav fragte sich, wie sich die Nachrichten wohl anhören würden, wenn jeder Planet des Imperiums von der gleichen Gefahr bedroht wäre wie Karson.

Abermals zwei Stunden später erschien Stoke Derringer. Er war draußen im Vorzimmer von Pepe empfangen worden und hatte vorgegeben, den Präsidenten wegen einiger Formalitäten sprechen zu müssen. Thurell brachte ihn herein. Stav öffnete eine Lade seines Schreibtisches und zog die Sendung über die Krise im Einhorn-Nebel hervor.

Stoke studierte sie etwa fünfzehn Minuten lang. Stav bemerkte, dass er den Zeilen mit dem Finger folgte und ein paar Stellen wiederholt durchlas. Er wusste, dass die Sendung in einem Kode gehalten war, den nur Stoke alleine aufgrund seines besonderen Trainings entziffern konnte, und wartete voller Spannung.

Stoke legte die Folie schließlich beiseite. Er deutete auf Thurell Franz, der wie üblich neben der Tür stand, und fragte: »Können wir offen sprechen?«

»Nur zu«, brummte Stav. »Wenn ich an Thurell nicht mehr glauben kann, ist alles verloren.«

»Die Auskunft ist ziemlich eindeutig«, begann Stoke. »Bei den Halbkugelfeldern handelt es sich um energetische Gebilde mit typischen Schwarzschild-Charakteristiken. Lassen Sie mich das ein wenig näher erläutern. Sie wissen, wie die Schirmfelder von Raumschiffen arbeiten. Innerhalb einer hauchdünnen Zone, die das Schiff kugelförmig umgibt, wird ein künstliches Schwerefeld erstellt. Die Feldvektoren sind nach außen gerichtet, also vom Schiff weg. Die Feldstärke ist so gewaltig, dass alles, was in den Bann des Feldes gerät, entweder zurückgeschleudert oder vernichtet wird. Das gilt auch für pseudomaterielle Quantitäten wie zum Beispiel für elektromagnetische Strahlung. Das Gravitationsfeld, das den eigentlichen Schirm darstellt, ist im Grunde genommen nur die Auswirkung eines höherdimensionalen Phänomens, das man gewöhnlich als Hyperfeld bezeichnet, ohne genau zu wissen, was man sich darunter vorstellen soll.

Nun, es gibt Möglichkeiten, dieses Hyperfeld so zu manipulieren, dass sowohl Stärke als auch Richtung des künstlichen Schwerefeldes nach Belieben eingerichtet werden können. Denken Sie sich ein Feld, dessen Schwerkraftvektoren nach innen gerichtet sind, also auf den Mittelpunkt der Kugel. Stellen Sie sich weiterhin vor, dass die Stärke des Feldes so gewaltig ist, dass selbst ein Körper, der mit Lichtgeschwindigkeit vom Kugelzentrum ausgeht und gegen das Feld prallt, zurückgeschleudert wird – nicht nur abgelenkt, sondern zurückgeschleudert. In diesem Fall umgibt das Feld einen Raum, der mit der Außenwelt nach den Gesetzen des vierdimensionalen Kontinuums nicht in Verbindung treten kann. Es gibt nichts, was das künstliche Gravitationsfeld auf dem Weg nach innen, nach draußen durchdringen könnte.

Die Leute vom Fach sagen dazu: Die Raumkrümmung hat sich um das Feld herum geschlossen. Alles, was sich im Innern des Feldes befindet, existiert nicht mehr in unserem Kontinuum. Es gehört ...«, er wirkte plötzlich ein wenig unsicher und kratzte sich am Kopf, wie es seine Gewohnheit war. »Ja, ich glaube, man könnte sagen, es gehört einem anderen Universum an.«

Er sah auf und begegnete Stavs aufforderndem Blick.

»Wie alle energetischen Gebilde«, fuhr er fort, »gibt auch dieses Streustrahlung von sich. Sie wissen das selbst. Sie haben sie gemessen und die kühne Behauptung erhoben, dass ihre Intensität nachlasse. Davon ist in Wirklichkeit keine Rede. Die Intensität der Streustrahlung steigt ständig. Trotzdem bleibt uns eine Hoffnung. Die Zuwachsrate nimmt nämlich ab. Die Streustrahlung misst in diesem Augenblick zweitausend Watt, im nächsten dreitausend und im übernächsten dreitausendfünfhundert. Sie verstehen, was ich meine. Die Intensität strebt einem Höhepunkt zu. Die Stärke des künstlichen Gravitationsfeldes wird noch eine Zeit lang ansteigen, um dann ein Maximum zu erreichen und danach wieder abzunehmen.«

»Und Leven weiß das«, fiel ihm Stav ins Wort. »Deswegen kauft er Land auf, das für seine Eigentümer im Augenblick wertlos ist.«

»Ich nehme an, dass es so ist«, stimmte Stoke zu. »Leven weiß, dass die Halbkugelfelder eines Tages erloschen sein werden und alles wieder freigeben, was sie verschlungen haben. Er macht ein großartiges Geschäft, indem er Land billig einkauft. Mich wundert nur eines: Warum durchschauen die Leute ihn nicht?«

Stav winkte ab.

»Da kennen Sie Leven schlecht. Lassen Sie ihn eine halbe Stunde auf Sie einreden, und er bringt Sie dazu, dass Sie sich das Ohr abschneiden. Außerdem habe ich Trottel den Boden für ihn vorbereitet. Er braucht jetzt nur vorzugeben, dass er von meinen Argumenten überzeugt ist. Er bindet den Leuten auf, er glaube daran, dass die Felder eines Tages wieder verschwinden. Er wird ihnen offen sagen, dass er ein Geschäft zu machen denkt. Aber vor ein paar Stunden noch hat er ihnen einzureden versucht, dass uns allen tödliche Gefahr droht. Ein bisschen davon ist bei jedem hängengeblieben. Außerdem arbeitet Alo Perritt mit ihm Hand in Hand und posaunt in alle Welt hinaus, dass die Intensität der Felder zunimmt. Unter diesen Umständen finden sich genügend Furchtsame, die ihr Land verkaufen, solange ihnen noch jemand wenigstens ein paar Soli dafür gibt.«

Stoke dachte darüber nach. Stavs Argument klang überzeugend. Man musste in Betracht ziehen, dass die Leute verwirrt waren und nicht wussten, was sie von der Lage halten sollten. Leven hatte den Schlamm aufgewirbelt, und jetzt fischte er im Trüben – mit beneidenswertem Erfolg, wie es schien.

»Wie dem auch sei«, seufzte Stoke, »kommen wir wieder zum ursprünglichen Thema zurück. Die Struktur der Halbkugel- oder Schwarzschildfelder, vor allen Dingen der ungeheure Aufwand an Energie, der hier auf engstem Raum betrieben wird, lässt nur einen Schluss zu – nämlich den, dass die Felder nicht auf natürlichem Wege entstanden sind. Sie sind ganz ohne Zweifel künstliche Gebilde.«

Es dauerte ein paar Sekunden, bis Stav begriff, was er eben gehört hatte. Er sprang auf.

»Künstlich?!«, stieß er hervor. »Sie meinen, jemand hätte die Felder erzeugt?«

»Ja, das meine ich«, antwortete Stoke voller Ernst.

Thurell Franz stieß sich von der Tür ab und kam auf ihn zu.

»Aber wer, um Gottes willen?«, fragte er aufgeregt. »Wem

könnte daran liegen, ein Stück Land nach dem anderen verschwinden zu lassen, nur um …«

»Leven zum Beispiel«, unterbrach ihn Stoke. »Er macht sein Geschäft. Er hat ohne Zweifel ein Motiv – aber trotzdem glaube ich nicht, dass er der Übeltäter ist. Bei der ganzen Sache gibt es nämlich noch etwas anderes zu bedenken. Hören Sie mir gut zu! Die irdische Technologie ist bis zum heutigen Tag nicht in der Lage, ein derartiges Schwarzschild-Feld zu erzeugen, wie es hier auf Karson beobachtet wird.«

Eine Minute lang herrschte Schweigen. Stav stand reglos und starrte Stoke ungläubig an. Thurell Franz war zur Seite getreten und hielt den Blick zur Decke gerichtet, als wollte er sich seine Bestürzung nicht anmerken lassen.

»Sagen Sie das noch mal!«, brach es schließlich aus Stav hervor. »Unsere Technologie kann solche Felder …«

»… nicht erzeugen, und trotzdem steht fest, dass es sich um künstliche Gebilde handelt.«

Stav sprang auf ihn zu. Es sah so aus, als wollte er Stoke bei den Schultern packen und ihn schütteln.

»Das heißt doch …«, schrie er aufgebracht, »… dass irgendeine fremde Rasse …«

Er griff sich mit beiden Händen zum Kopf.

»Ganz richtig«, bemerkte Stoke ruhig. »Das heißt, dass wir es mit Fremden zu tun haben. Es kann sich um keine der bekannten Kulturen handeln, denn ihre technischen Erzeugnisse sind uns bekannt.«

»Also ausgesprochen Fremde«, murmelte Thurell tonlos.

»Ja. Das Schlimme ist, dass wir weder wissen, wo sie stecken, noch was sie vorhaben. Wenn sie Karson in ihre Gewalt bringen wollten, dann hätten sie es wahrscheinlich einfacher, wenn sie offen angriffen. Andererseits lässt sich auch das nicht mit Gewissheit sagen; denn wir kennen ihre Denkweise nicht. Vielleicht haben sie nur vor, uns in Panik zu versetzen, damit wir Karson so schnell wie möglich räumen.«

»Wie, glauben Sie, werden die Schwarzschild-Felder erzeugt?«, erkundigte sich Stav.

Stoke zuckte mit den Schultern. »Ihre Vermutung ist so gut wie meine. Entweder befinden sich einige von ihnen unmittelbar hier auf Karson, ohne dass wir sie bemerken – oder sie beherrschen eine Methode, die Felder ferngesteuert zu errichten.«

Stav drehte eine nervöse Runde um seinen Schreibtisch. Mit auf dem Rücken verschränkten Armen blieb er schließlich vor Stoke stehen. »Es ist vermutlich das erste Mal in meinem Leben, dass ich meine Ratlosigkeit offen eingestehe«, sagte er. »Aber ich weiß wirklich keinen Ausweg. Was gedenken Sie jetzt zu tun?«

Stoke antwortete, ohne zu zögern: »Ich nehme mir Rich Leven vor.«

»Leven?«, schnappte Stav. »Wozu soll das gut sein?«

»Ich möchte von ihm wissen, woher er erfahren hat, dass die Schwarzschild-Felder in einiger Zeit wieder verschwinden werden. Dass er darüber Bescheid weiß, steht außer Zweifel, sonst würde er kein Land aufkaufen. Ich kann es mir nicht leisten, auch nur einen einzigen Hinweis unbeachtet zu lassen. Vielleicht weiß Leven etwas, was wir nicht wissen – und vielleicht ist es gerade das, was uns auf die richtige Spur bringt.«

»Er wird Sie auslachen und vor die Tür setzen«, behauptete Thurell.

»Oder Ihnen den Hals durchschneiden und Sie in den Fluss werfen«, fügte Stav hinzu.

Lachend erhob sich Stoke. »Sie haben ein überwältigendes Zutrauen zu einem Ihrer prominentesten Bürger. Machen Sie sich keine Sorgen um mich, ich komme schon zurecht. In der Zwischenzeit wäre es allerdings vorteilhaft, wenn Sie einiges zur Festigung Ihrer Stellung tun wollten.«

Stav verstand die Andeutung sofort.

»Sie meinen Levens und Perritts Untergrund-Aktivität«, brummte er. »Dazu habe ich mir schon etwas einfallen lassen. Ich glaube, dass wir mit meiner Idee Erfolg haben werden.«

Er sah Stoke an und grinste. Stoke fühlte, dass die Privatangelegenheiten der Kolonie Karson in den besten und erfahrensten Händen waren, und verabschiedete sich.

Einige Zeit später, als die milchige Sonnenscheibe sich langsam in den Zenit schob, begannen neue Gerüchte ihren Umlauf in Karson-Main und den beiden angeschlossenen Siedlungen South und On-Meander. Alo Perritt und Rich Leven seien Geschäftspartner geworden, hieß es.

Das Gerücht stieß zunächst auf Unglauben. Aber die, die es verbreiteten, hatten gute Argumente auf ihrer Seite. Alo Perritt war derjenige, der Rich Levens Vorstoß zur Erklärung des Notstands erster Klasse am eifrigsten unterstützt hatte. Alo Perritt hatte sich der Stimme enthalten, als über den Antrag zur Erklärung des Notstands, Klasse zwei, entschieden wurde – und das, obwohl er kurz zuvor noch fest behauptet hatte, die Kolonie befände sich in Gefahr.

»Sehen Sie's immer noch nicht? Rich Leven ist drauf und dran, ein Riesengeschäft zu machen. Sein erster Versuch, uns alle miteinander von Karson zu verscheuchen, ist zwar misslungen. Aber jetzt kauft er für ein Butterbrot unser bestes Land auf – nur weil Alo inzwischen kräftig die Trommel rührt und jedermann ins Ohr bläst, dass die Intensität der Felder zu- anstatt abnimmt. Na, wenn Sie da jetzt noch nicht durchschauen können …!«

Und die Leute fingen an durchzuschauen. Als einer von Rich Levens Angestellten in Karson-South erschien, um mit Leuten, deren Land unter dem dritten Halbkugelfeld verschwunden war, über den Verkauf zu verhandeln, wurde er verprügelt. Und Alo Perritt, der mitten auf der zweiten südlichen Straße einen Vortrag darüber hielt, welches Unheil der Kolonie bevorstehe, bekam ein paar faule Tomaten an den Kopf geworfen.

Stavs Flüsterkampagne hatte Erfolg. Leven tätigte keine Landkäufe mehr, und sein Genosse Alo Perritt hielt vorerst den Mund.

Von diesen Ereignissen war Stoke Derringer unberührt geblieben. Er verbrachte mehr als eine Stunde zu Hause, um sich auf den Besuch bei Leven vorzubereiten, und nahm nicht wahr, was in der Stadt vorging.

Über seine Erfolgsaussichten bei dem bevorstehenden Besuch machte er sich keine falschen Hoffnungen. Er hatte einen vorzüglichen Grund anzunehmen, dass Leven mehr über die Natur der Schwarzschildfelder wisse, als er zuzugeben bereit war; aber er konnte ihm nichts beweisen. Wenn er Leven gegenübertrat, würde er nach dem Gehör spielen müssen – einen Ton nach dem anderen, je nachdem, wie es am besten passte.

Es war Mittag geworden, als er sich auf den Weg machte. Draußen herrschte unter diesigem Himmel eine Temperatur von achtunddreißig Grad, verbunden mit fünfundneunzig Prozent Luftfeuchtigkeit. Bis zu seinem Gleiter, der am Rand der Straße geparkt war, hatte Stoke nur zehn Meter zu gehen. Trotzdem sah er aus, als wäre er soeben in voller Kleidung einem Dampfbad entstiegen, als er in den Wagen kletterte und mit einem Seufzer der Erleichterung die Klimaanlage einschaltete.

Leven wohnte am Nordostrand der Stadt. Die Grundstücke waren dort, weil später angelegt, noch weitläufiger als üblich, und der Gegend war anzusehen, dass sie in ferner Zukunft von gutsituierten Leuten bewohnt werden würde, falls die Aufwärtsentwicklung der Kolonie anhielt.

Levens eindrucksvolles Haus verbarg sich unter einer Gruppe von Lehmbäumen, einem einheimischen Gewächs, das seinen Namen daher hatte, dass es, obwohl von Natur aus gerade wachsend, mit einem Minimum an Anstrengung dazu gebracht werden konnte, sich in eine bestimmte Richtung zu neigen. Die Bäume, die Levens Haus umgaben, wären zwanzig bis dreißig Meter hoch gewesen, wenn sie gerade gestanden hätten. So neigten sie sich jedoch von allen Seiten her über das Haus und verbargen es unter ihren blattreichen, lang herabhängenden Ästen.

Stoke parkte den Wagen vor der Haustür. Er stieg aus und

stellte fest, dass er die geschäftigen Geräusche der Stadt weit hinter sich gelassen hatte. Es war still ringsum bis auf das halblaute Gezwitscher der Vögel, die im Dickicht der Bäume Schutz vor der Hitze suchten.

Als Stoke auf die Eingangstür zutrat, hörte er im Innern des Hauses eine melodische Glocke. Offenbar hatte er irgendeinen verborgenen Mechanismus in Tätigkeit versetzt. Die Tür rollte zur Seite, und dahinter erschien ein mittelgroßer, ältlicher Mann mit misstrauischem Gesicht.

»Ich möchte Ihren Chef sprechen«, sagte Stoke. »Ich bin Stoke Derringer.«

Der grauhaarige Mann wandte sich wortlos um und verschwand wieder im Haus. Stoke trat rasch durch die Tür, bevor sie sich vor ihm schließen konnte. Der Mann kam nach einer Minute wieder zurück, bedachte ihn mit einem misstrauischen Blick und brummte:

»Hier entlang, bitte.«

Stoke war sicher, dass Leuten, die mehr von Inneneinrichtung verstanden als er, Rich Levens Haus imponiert hätte. Allein der Korridor, durch den Stoke geführt wurde, enthielt mehr an wertvollen Gegenständen als zehn andere Häuser auf Karson zusammengenommen. Stoke war beeindruckt – allerdings weniger von der Einrichtung als solcher als von dem Betrag, den sie gekostet haben musste.

Der Gang öffnete sich am anderen Ende in ein geräumiges Zimmer, dessen Rückwand völlig verglast war und einen ungehinderten Ausblick in den Garten erlaubte. Schräg vor der Glaswand stand ein mächtiger Schreibtisch. An den Seitenwänden befanden sich automatische Aktenregale und das Schaltpult, von dem aus die Regale bedient wurden. Rechts in der Ecke, in einem Winkel standen zwei Regale, ein niedriger Cocktailtisch und drei bequeme Sessel.

Rich Leven thronte hinter seinem Schreibtisch und nickte dem Grauhaarigen gnädig zu, nachdem er Stoke hereingeführt hatte.

Der Mann zog sich zurück, und Stoke hörte, wie sich die Tür hinter ihm schloss. Leven lehnte sich in seinen Sessel zurück und faltete die Hände.

Auf seinem Gesicht erschien ein süßliches Lächeln, als er sich erkundigte: »Was, in aller Welt, verschafft mir die Ehre Ihres Besuchs?«

Stoke ging zu der Sitzecke hinüber und ließ sich unaufgefordert in einem der Sessel nieder. Er schlug die Beine übereinander und entblößte eine herabgerutschte Socke unbeschreiblicher Farbe, die sich faltenreich um den Knöchel drapierte. Stoke brachte aus einer der vielen Taschen seines formlosen Jacketts eine Zigarre hervor und entzündete sie in umständlicher Prozedur. Durch die erste Rauchwolke hindurch, die er in Richtung des Schreibtischs blies, antwortete er auf Levens Frage.

»Ich möchte wissen, warum Sie so sicher sind, dass mit dem Land unter den verdammten Halbkugelfeldern ein Geschäft zu machen ist.«

Die Wolke verzog sich, und Stoke sah Levens bestürztes Gesicht. »Wie meinen Sie das?«, fragte er verwirrt.

»Genauso, wie ich es sage«, antwortete Stoke unbeirrt. »Sie kaufen Land auf, das unter den Feldern verschwunden ist. Die ganze Stadt weiß das. Ich möchte wissen warum.«

Leven hatte seinen Schreck bemerkenswert rasch überwunden.

»Bei aller Freundlichkeit, Herr Kollege«, antwortete er kühl, »wüsste ich doch nicht, was Sie meine Geschäftspraktiken angingen. Nehmen Sie an, ich kaufe das Land auf, weil mir das Herz bricht, wenn ich sehe, wie die armen Siedler plötzlich des Lohns ihrer Mühen beraubt werden.«

»Krampf«, brummte Stoke. »Mir brauchen Sie nichts vorzumachen. Wie steht's mit Ihren Mitteln. Wenn in den nächsten Tagen noch mehr Felder auftauchen – haben Sie genug, um *alles* Land zu kaufen?«

Leven lächelte abfällig. »Mein Lieber, so viel Land gibt es gar nicht. Die Oberfläche von Karson ist nur zu einem winzigen Bruchteil bebaut.«

»Das weiß ich. Aber es haben Landzuteilungen stattgefunden, nicht wahr? Jeder Siedler hat ein Vorkaufsrecht auf eintausend Quadratkilometer. Der Genossenschaftsfonds für zukünftige Entwicklung hat eine Option auf eine Million Quadratkilometer günstigsten Geländes an der Küste des Zentralozeans. Haben Sie wirklich genug Geld, um das alles aufzukaufen?«

»Ich habe niemals daran gedacht, das alles zu kaufen«, erklärte Leven steif.

»Dann fangen Sie jetzt an!«, knurrte Stoke. »Ich bin mit bei der Sache. Ich habe Geld, aber ich brauche jemand, der die örtlichen Verhältnisse kennt.«

Leven schwieg eine Zeit lang und schien sich die Sache zu überlegen. Dann wollte er wissen: »Sind Sie deswegen nach Karson gekommen?«

Stoke blies eine Rauchwolke von sich.

»Keine Spur. Ich wollte meine Maschinen verkaufen, das war alles. Ich hörte von den Feldern erst, als ich landete. Aber man hat eine Nase, und der Geruch, den ich damit wahrnehme, gefällt mir außerordentlich.«

Leven spielte mit einem blitzenden Metallgegenstand. Er wirkte nachdenklich.

»Natürlich möchte ich zuerst wissen, für wie sicher Sie das Geschäft halten«, setzte Stoke nach.

Leven stand auf und kam hinter dem Schreibtisch hervor. Während er sich Stoke näherte, warf er das blitzende Metallstück spielerisch von einer Hand in die andere.

»Sollten Sie das wirklich nicht wissen, mein Freund?«, fragte er.

Stoke war plötzlich hellwach. Leven hatte einen neuen Ton angeschlagen. Er hatte seine Taktik geändert.

»Nein, das weiß ich nicht!«, behauptete Stoke mit Nachdruck.

Leven blieb dicht vor ihm stehen.

Die rechte Hand hatte er um das Metallstück geschlossen, sodass Stoke es nicht sehen konnte. Er beschloss, sich davor in Acht zu nehmen.

»Sie haben heute eines der Felder nach dem anderen untersucht«, stellte Leven fest. »Und Sie wissen immer noch nicht, was es damit auf sich hat?«

Er hatte ihn also beobachtet. Stoke kam plötzlich zu Bewusstsein, dass er selbst ebenso wie Stav Rich Leven bei weitem unterschätzt hatte.

»Nein«, brummte er ärgerlich. »Ich verstehe ein bisschen von Technik, aber das ist mir zu hoch.«

»Und unser verehrter Präsident hat Ihrem technischen Verständnis auch nicht auf die Beine helfen können?«

Natürlich – da er spioniert hatte, wusste er auch, dass Stav mit von der Partie gewesen war.

»Was erwarten Sie von ihm?«, fragte Stoke. »Er ist auch weiter nichts als eine Art Bürgermeister.«

Leven setzte sich auf die Lehne eines Sessels.

»Ich will Ihnen was sagen«, begann er gefährlich leise und ruhig. »Ich bin nach Karson gekommen, um reich zu werden. Was es mit den Halbkugelfeldern auf sich hat, weiß ich nicht – auf jeden Fall bieten sie mir eine Möglichkeit, mein Ziel schneller zu erreichen, als ich es mir ausgemalt hatte. Ich werde diese Sache ganz alleine handhaben. Ich brauche keinen Partner. Und noch viel weniger brauche ich jemand, der hinter mir herspioniert. Ich habe meine Augen und Ohren weit offen. Sie sind hierher gekommen, weil irgendjemand auf Karson den Mund nicht gehalten hat. Wahrscheinlich war es Stav. Er ließ sich einen Spezialisten kommen, der der Sache auf den Grund geht. Ich habe Ihre Maschinen gesehen, Mister Derringer, oder wie Sie auch sonst immer heißen. Alles Mache, alles Schwindel. Ich kenne die Sorte von Geräten, die Sie mitgebracht haben. Sie wissen längst über die Natur der Halbkugelfelder Bescheid. Trotzdem kommen Sie zu mir, um mich auszufragen?«

Stoke stand auf. Sein Experiment war misslungen. Er musste

noch einmal von vorne anfangen, und zwar diesmal unter der richtigen Voraussetzung – nämlich der, dass Rich Leven ein Gangster von Format war.

»Hören Sie auf mit Ihrem Geschwätz«, fauchte er Leven an. »Ich kann die Sache auch alleine tätigen, wenn Sie nicht anders wollen. Jetzt lassen Sie mich in Ruhe. Ich muss …«

»Sie müssen gar nichts«, unterbrach ihn Leven, und seine Stimme hatte plötzlich einen harten, entschlossenen Klang. »Sie sind mir im Wege.«

Er streckte den rechten Arm aus und öffnete die Hand. Für den Bruchteil einer Sekunde sah Stoke das kleine Stück glänzenden Metalls. Er fragte sich, was es darstellen sollte; aber er fand keine Antwort mehr.

Etwas explodierte mitten in seinem Gehirn. Die Welt verging mit einem grellen, lautlosen Blitz.

Das Erste, was Stoke empfand, als er wieder zu sich kam, war Zorn.

Er hatte sich überrumpeln lassen. Er war wie ein blutiger Anfänger in eine primitive Falle gegangen. Und alles, weil er geglaubt hatte, auf einem Siedlerplaneten müssten alle Leute gutgläubig und einfältig sein.

Jetzt hatte er seine Lehre. Er nahm sich vor, sie niemals wieder zu vergessen, wenn er auch nicht sicher war, ob ihm dieser Vorsatz noch etwas nutzen würde.

Er schlug die Augen auf und versuchte, sich umzusehen. Dabei stellte er fest, dass er den Kopf nicht bewegen konnte. In seinem Blickfeld befand sich eine graue Decke aus Plastikguss, unter der man eine nackte, unbeschattete Fluoreszenzleuchte montiert hatte. Seitlich erkannte er die Umrisse einiger Gestelle, die so aussahen, als wären sie aus Holz. Das war alles, was er sehen konnte.

Er spürte einen Druck im Rücken, der darauf hindeutete, dass er flach auf dem Boden oder sonst einer Unterlage ruhte. Er versuchte, die Arme zu bewegen, aber auch das gelang ihm nicht. Nur sekundäre Muskeln standen noch unter seiner Kontrolle. Er konnte atmen, die Augen öffnen und schließen und mit den Ohren wackeln. Er konnte außerdem, indem er so tat, als wollte er die Finger strecken, einen Teil der Unterarmhaut bewegen. Dabei stellte er fest, dass er zumindest an Armen und Händen nicht gefesselt war.

Rich Leven besaß also fortgeschrittenere Mittel, um seine Gefangenen unschädlich zu machen. Wahrscheinlich hatte er ihm eine Injektion eines Lähmungsmittels verabreicht. Stoke ging in Gedanken die Medikamente durch, die er kannte. Leven würde sich eines konventionellen Mittels bedient haben. Andere waren erstens zu teuer und konnten zweitens von Privatpersonen nicht bezogen werden. Leven hätte sie vorschriftswidrig einführen müssen, und Stoke war nicht bereit zu glauben, dass er ein solches Risiko eingehen würde. Unter den üblichen Mitteln gab es jedoch keines, dessen Wirkung länger als zwei Stunden anhielt. Er brauchte also nur ein wenig Geduld zu haben.

So sehr er die Augen auch anstrengte, er konnte keine Lichtquelle außer der Lampe unter der Decke finden. Es schien, als hätte man ihn in einem fensterlosen Raum untergebracht. Leven wusste davon, dass er den größten Teil des Vormittags in Begleitung von Stav zugebracht hatte. Er musste damit rechnen, dass Stav von seinem geplanten Besuch bei Leven wusste, und damit, dass Stav sich erkundigen kam, wenn er binnen einer gewissen Frist nicht wieder bei ihm auftauchte. Er würde also nicht allzu lange zu warten brauchen, bis sich jemand um ihn kümmern kam. Leven musste ihn aus dem Weg räumen – so oder so – bevor Stav mit seiner unfehlbaren Spürnase aufkreuzte.

Stoke fasste sich in Geduld, was ihm nicht schwerfiel, da es zu seinen Fähigkeiten gehörte, eine Lage rasch und richtig einzuschätzen und die Möglichkeiten, die sie bot, zu erkennen. Diese hier bot keine einzige. Er konnte nichts anderes tun als warten, und es brachte ihm nichts ein, wenn er sich unnütz aufregte.

Ganz untätig blieb er allerdings nicht. Er begann, mit den Muskeln zu spielen, die unter seiner Kontrolle standen. Er atmete abwechselnd heftig und flach. Er schloss und öffnete die Lider in schnellem oder langsamem Rhythmus. Er wackelte mit den Ohren und wurde sich dessen bewusst, dass er es, soweit er sich zurückerinnern konnte, zum ersten Mal tat, ohne einen Zuschauer zu haben, den er ablenken oder erheitern wollte. Er versuchte, die Finger zu krümmen, und setzte dabei die Armhaut in Bewegung.

Der Erfolg blieb nicht aus. Die Aktivität der Sekundärmuskeln schwächte die Wirkung des Giftes. Nach ungefähr einer Stunde war er so weit, dass er die Finger wirklich bewegen konnte, und zwanzig Minuten später konnte er den Arm ein wenig heben. Es fehlten noch fünfundzwanzig Minuten an den zwei Stunden, als es ihm zum ersten Mal gelang, den Kopf zu drehen und dabei zu erkennen, dass er sich tatsächlich in einem fensterlosen Raum befand und dass es nur in der schmalen Wand oberhalb seines Kopfes eine Tür gab, die zudem einen entmutigend kräftigen Eindruck machte.

Zehn Minuten, bevor nach üblicher Schätzung das erste Nachlassen des Giftes sich hätte bemerkbar machen müssen, hatte Stoke sich von seiner Wirkung schon so weit befreit, dass er aufstehen konnte. Er warf den drei Holzgestellen, die an der rechten Seitenwand standen, einen kurzen Blick zu und stellte fest, dass sie bis auf zwei metallene Kugeln, die auf dem mittleren Gestell lagen, leer waren. Dann wandte er sich der Tür zu.

Sein Verdacht erwies sich als richtig. Die Tür war aus Metallplastik und gab, wenn er mit den Knöcheln dagegenschlug, einen Ton, als wäre sie wenigstens zehn Zentimeter stark. Das Schlüsselloch bestand aus einer fadendünnen, mehrfach gewundenen Ritze, wie sie für die alten Elektronikschlösser des einundzwanzigsten Jahrhunderts charakteristisch waren. Man brauchte den Schlüssel, der eigens für diese Tür gefertigt war, um das Schloss zu öffnen.

Stoke erkannte die Aussichtslosigkeit aller Versuche, dieser Tür mit Gewalt etwas anzuhaben, und beschäftigte sich eine Zeit lang mit sich selbst. Rich Leven hatte ihm seinen kleinen Strahler abgenommen, das war zu erwarten gewesen. Ansonsten schien er sein Eigentum jedoch unberührt gelassen zu haben. Stoke fand sein altes Taschenmesser, einen Münzbehälter und eine halb zerquetschte Zigarre nebst einem kaum angebrochenen Heftchen Zündhölzer. Nachdenklich schob er sich die Zigarre in den Mund und blies aus dem Mundwinkel auf eines der Hölzer, bis es entflammte. Er setzte die aus der Form geratene Importe in Brand und begann, seine Gedanken zu konzentrieren, während er dichte, graue Rauchwolken ausstieß.

Es war ihm unklar, wie Rich Leven das Spiel weiterzuspielen gedachte. Bislang war er nur ein lästiger Gauner gewesen, der die Leute aufwiegelte, um Geschäfte machen zu können. Aber jetzt hatte er jemand seiner Freiheit beraubt, und er kannte Stav gut genug, um zu wissen, dass er die Sache nicht länger als einen oder zwei Tage geheim halten konnte. Danach würde Stav ihm Thurell Franz mit so vielen Haftbefehlen auf den Hals hetzen, dass er froh sein musste, wenn er nicht in Ketten zum Rathaus geschleppt wurde. Auf die Bevölkerung durfte er sich nicht mehr verlassen, da Stavs Flüsterkampagne ihm und Alo Perritt den Boden unter den Füßen hinweggezogen hatte. Wie also glaubte er, sich auf Karson noch behaupten zu können, wenn er wegen Kidnapping vor den Richter gezerrt wurde?

Es spielte dabei keine Rolle, dass Rich Leven von der ganzen Sache die Finger gelassen hätte, wäre ihm bekannt gewesen, dass der Mann, den er eingesperrt hatte, ein Oberst der Abwehr des Solaren Imperiums war. Er wusste es nicht – konnte es nicht wissen – aber so, wie die Verhältnisse lagen, konnte er sich Übergriffe nicht einmal einem einfachen Bürger des Imperiums gegenüber leisten.

Es musste, schloss Stoke, hinter Levens Beweggründen noch etwas geben, das ihm bis jetzt ganz und gar verborgen geblieben war.

Es war zwecklos, durch reines Nachdenken dahinterkommen zu wollen. Er brauchte zusätzliche Anhaltspunkte, um sich zurechtzufinden.

Er sah auf die Uhr und stellte fest, dass seit der Zeit, da er den Arm zum ersten Mal wieder hatte bewegen können, rund eine Stunde vergangen war. Da er schätzte, dass er die Beweglichkeit des Arms etwa achtzig Minuten nach seinem Erwachen wiedererlangt hatte, ergab sich, dass fast zweieinhalb Stunden verstrichen waren, seitdem er zu sich gekommen war.

Es schien verwunderlich, dass Rich Leven es nicht eiliger hatte, ihn von hier zu entfernen. Nach seiner Rechnung war Stav schon längst auf der Suche, und gründlich, wie er war, hatte er sich einen Haussuchungsbefehl mitgebracht, der ihm erlaubte, Levens Villa auf den Kopf zu stellen.

Als er schließlich dahinter kam, wie die Sache sich wirklich verhielt – plötzlich und ohne eigene Anstrengung, als hätte eine unsichtbare Hand ihm den Schleier von den Augen gezogen – war er eine Zeit lang wie vor den Kopf geschlagen. Er befand sich gar nicht mehr in Levens Haus. Leven hatte ihn fortschaffen lassen, während er noch bewusstlos war, und Stav konnte sich in Levens Villa die Augen aussuchen, ohne auch nur eine Spur von ihm zu finden.

Er erinnerte sich, auf die Uhr gesehen zu haben, als er vor Levens Haus aus dem Wagen stieg. Seitdem waren mehr als vier Stunden vergangen. Knapp zweieinhalb hatte er in diesem Verließ zugebracht, etwa fünfzehn Minuten musste er für die Unterhaltung mit Leven anschlagen. Blieben immer noch rund anderthalb Stunden, über die er sich keine Rechenschaft geben konnte und in denen Leven oder seine Leute ihn wer weiß wohin geschafft haben mochten.

Die Lage erhielt dadurch einen völlig neuen Aspekt. Es mochten Stunden vergehen, bevor man sich um ihn kümmerte. Und vielleicht war Rich Leven skrupellos genug, ihn einfach verhungern zu lassen.

Er musste etwas unternehmen. Und weil er wusste, dass er gegen die Tür so gut wie nichts ausrichten konnte, begann er, die beiden Kugeln zu untersuchen, die auf dem mittleren der drei Gestelle lagen.

Er hatte sich von dieser Untersuchung eigentlich nichts versprochen, sondern sie nur deshalb vornehmen wollen, weil er ein systematischer Mensch war und nichts außer Acht lassen wollte. Aber er hatte die eine der beiden Kugeln kaum berührt, da wurde ihm klar, dass er auf etwas Außergewöhnliches gestoßen war.

Die beiden Kugeln, durch einen kurzen, dicken Stiel zu einem hantelähnlichen Gebilde verbunden, wichen unter dem sanften Druck seiner Hand zurück, prallten gegen die Rückwand des Gestells und stiegen in einem Bogen in die Höhe. Träge wie Luftballons senkten sie sich wieder herab, berührten den Boden des Gestells, hüpften wieder in die Höhe und kamen erst nach geraumer Zeit völlig zur Ruhe.

Stoke war so maßlos verblüfft, dass es eine Zeit dauerte, bis er das seltsame Gebilde wieder zu berühren wagte. Diesmal griff er fester zu. Er packte die eine Kugel – sie waren beide von gleicher Größe und durchmaßen etwa vierzig Zentimeter – mit beiden Händen. Der Versuch gelang. Die Kraft seiner Muskeln hinderte die Kugeln am Entweichen. Er nahm sie auf und spürte, dass sie so gut wie gewichtslos waren. Das graue Material unter den Handflächen fühlte sich kühl und metallisch an.

Er packte die unförmige Hantel am Mittelstück und bekam dadurch eine Hand frei, mit der er zwei der Gestelle so zusammenrückte, dass er eine der beiden Kugeln dazwischenklemmen konnte. Auf diese Weise konnte er sie untersuchen, ohne befürchten zu müssen, dass sie ihm bei der geringsten Berührung davonflogen. Als Erstes stellte er den uralten Versuch an, mit dem sich Menschen schon vor Jahrhunderten von der Qualität eines fremden Metallstücks überzeugten: Er klappte sein Taschenmesser auf und versuchte, die Kugeloberfläche zu ritzen. Das Experiment verlief erfolglos.

Er drehte das Messer um und schlug mit dem Griff gegen eine der Kugeln. Es gab einen hellen, klingenden Ton, und Stoke fand es schwer, zu entscheiden, ob die Kugeln hohl waren oder nicht.

Aufs Geratewohl packte er eine mit beiden Händen und zog daran. Was er zuallerletzt erwartet hätte, geschah: Die Kugel bewegte sich. Sie glitt von dem Schaft, der den Hantelstab bildete. In der Wandung blieb ein Loch, wo der Schaft eingepasst gewesen war. Das Loch war groß genug, sodass Stoke, wenn er sich ein bisschen Mühe gab, seine Hand hindurchstrecken konnte.

Er tat das nach kurzem Zögern, aber er war noch keine fünf Zentimeter weit vorgedrungen, da teilte sich die Kugel in zwei Hälften. Die eine schwebte langsam davon, die andere konnte er gerade noch festhalten. Maßlos verblüfft erkannte er, dass die beiden Halbschalen entlang des Äquators nur durch eine einfache Steg- und Nut-Verbindung zusammengehaftet hatten. Die Hälfte, die er in der Hand hielt, war völlig leer. Die Kugelwandung hatte eine Dicke von nicht mehr als einem halben Zentimeter. Er sprang hinter der zweiten Halbschale her, die auf die Wand zutrieb, bekam sie zu fassen und sah, dass auf der Innenwandung ein kleines, streichholzschachtelgroßes Gerät montiert war.

Er legte die leere Kugelhälfte auf den Boden und stellte den Fuß darauf, sodass sie ihm nicht entweichen konnte. Dann begann er, das Gerätekästchen zu untersuchen. Als Erstes stellte er fest, dass die Deckplatte sich verhältnismäßig leicht abschieben ließ, wie überhaupt nichts an dem ganzen Hantelgebilde wirklich fest montiert zu sein schien. Unter dem Plättchen fand er, sorgfältig zu einem horizontalen Stapel geordnet, eine Serie hauchdünner Plastikkarten, die mit gedruckten Leitungen und Kontrollelementen bedeckt waren. In einer Ecke des Kästchens befand sich ein kleiner, schwarzer Würfel, der Hitze ausstrahlte und mit dem Kartenstapel nur durch zwei extra starke Druckleitungen verbunden war.

Der Zweck des Geräts war Stoke sofort klar. Es handelte sich um einen Servomechanismus, der den übrigen Inhalt der beiden Kugeln, den es einmal gegeben haben musste und der von irgendjemand entfernt worden war, mit geformten Impulsen versorgte und andere Instrumente dazu veranlasste, ihre Funktionen nach einem voreingegebenen Programm auszuführen. Die kleine Schachtel war weiter nichts als ein Mikrorechner, und der schwarze Würfel, wahrscheinlich eine Isotopenquelle, lieferte die Energie.

Wenn er Glück hatte, würde sein Fund ihm den Weg in die Freiheit öffnen. Er konnte die Elektronik des Türschlosses stören, bis ihre Funktionen durcheinandergerieten und der Riegel sich öffnete. Zunächst aber war es wichtiger, zu erfahren, was sich in der anderen Hälfte der Hantel befand.

Stoke zog die zweite Kugel mitsamt der Hantelstange zwischen den beiden Gestellen hervor. Die Stange ließ sich ohne Anstrengung entfernen, und die Kugel öffnete sich, wie er erwartet hatte, ganz so wie die erste.

Sie war völlig leer. Spuren entlang der Innenwandung wiesen darauf hin, dass es hier Dutzende von kleinen Geräten gegeben hatte, die mithilfe von Elektronenschweißern entfernt worden waren. Die Oberfläche der Wandung war uneben und sah an manchen Stellen so aus, als sei sie intensiver Hitze ausgesetzt gewesen.

Wer auch immer sich an der Kugel zu schaffen gemacht hatte, er war wie ein Amateur zu Werke gegangen. Stoke tippte auf Rich Leven und seine Leute. Als sie die Hantel fanden, war sie noch intakt. Sie hatten sie auseinandergenommen und den Inhalt untersucht. Stoke gestand sich ein, dass er bereit war, ein halbes Jahresgehalt für die Dinge auszugeben, die Leven durch irgendeinen glücklichen Zufall in die Hände gefallen waren.

Denn so leicht es ihm auch gefallen war, die Funktion des kleinen Kastens und seines Inhalts zu durchschauen, bestand doch an einem nicht der geringste Zweifel:

Die Technologie, die die beiden Kugeln und ihren Inhalt hervorgebracht hatte, war weder irdischen Ursprungs, noch war sie das Produkt einer bekannten galaktischen Zivilisation.

Seine nächste Aufgabe stand fest. Er musste sich aus Rich Levens Gefängnis befreien und sich dabei des Hilfsmittels bedienen, das so augenfällig hier zurückgelassen worden war, dass er sich geraume Zeit den Kopf darüber zerbrach, ob er nicht auf dem besten Wege sei, in eine geschickt gestellte Falle zu gehen.

Er entschied schließlich, seine Befürchtung sei unbegründet. Rich Leven hatte den Servomechanismus als einzigen Bestandteil des Kugelinnern an seinem Platz belassen, weil er fürchtete, der Rechner könne unversehens in Betrieb treten und in den anderen Geräten, die Leven entnommen hatte, unerwünschte Reaktionen erzeugen. Das war eine logische Verhaltensweise. Jemand, der eine Bombe unbekannter Fabrikation untersucht, lässt den Zünder nach Möglichkeit beiseite. Außerdem hatte Leven keine Ahnung, dass sein Gefangener ein Agent des Sicherheitsdienstes und somit ein Fachmann auf dem Gebiet elektronischer und positronischer Steueranlagen war. Er musste Stoke nach wie vor für einen Händler halten und brauchte nicht zu befürchten, dass er in der Lage war, sich eines unachtsam zurückgelassenen fremden Gerätes zu bedienen, um aus seinem Gefängnis zu entkommen.

Das Taschenmesser erwies sich als ein überaus wichtiges Instrument. Es diente nicht nur dazu, Druckleitungen zu zerschneiden und abzukratzen, Halbleiterelemente zu beseitigen und die Signalimpulse dadurch in die richtigen Bahnen zu lenken, sondern es stellte auch den elektrischen Kontakt zwischen den Endpunkten der Servoleitungen und dem Innern des elektronischen Schlosses her.

Stoke war sich dessen bewusst, dass seine Aussichten, aus seiner Zelle zu entkommen, noch immer nicht besser als etwa fünfzig zu fünfzig standen. Er bereitete sich darauf vor, dass sein

Versuch, das Schloss zu betrügen, mehrere Stunden dauern würde. Er war ziemlich überrascht, als der Riegel schon nach wenigen Minuten auf die Störimpulse reagierte und mit einem klickenden Geräusch zur Seite schnappte.

Er zog die Tür nach innen und sah, dass sie sich am Kopfende eines aus primitivem Plastikguss ausgeführten Ganges befand. Der Gang war etwa acht Meter lang. Rechts und links gab es je zwei Türen, wie Stoke im Schein einer Deckenlampe erkennen konnte, und das Ende des Korridors mündete in einen Raum von Hallengröße, in dem er undeutlich eine Reihe von Tischen sah.

Es war völlig ruhig. Er zweifelte nicht, dass er sich alleine hier befand, und trat durch die Mündung des Ganges, in die Halle nachdem er sich eine Zeit lang umgehorcht und überzeugt hatte, dass sich nirgendwo etwas rührte.

Unter der Hallendecke strahlten drei grelle Fluoreszenzleuchten. Rich Leven schien über genügend elektrische Energie zu verfügen. Es gab nirgendwo einen Schalter, mit dem die Lampen hätten abgedreht werden können. Vier längliche Tische, roh aus Pfosten und Brettern aus gepresstem Lignit zusammengefügt, waren in der Mitte der Halle zusammengeschoben. Die Tischplatten hatte man mit einiger Sorgfalt geglättet, und auch der Boden des Raumes schien mit mehr Bedacht hergestellt worden zu sein als zum Beispiel der des Ganges. Auf jedem Tisch gab es eine Reihe von elektrischen Anschlüssen. Die Zuleitungen führten vermutlich durch die Tischbeine.

Rich Leven hatte sich hier eine Experimentierstätte gebaut, und Stoke Derringer nahm ungefähr zum fünften Mal innerhalb kurzer Zeit wahr, dass er sich in dem Mann gründlich getäuscht hatte. Als Leven nach Karson kam, musste er ein bestimmtes Ziel vor Augen gehabt haben. Worauf er aus war, ließ sich schwer sagen. Vielleicht hatte er vor, den Boden zu vergiften, um den Farmern ihre Länder billig abjagen zu können, und hatte das Labor eingerichtet, um mit toxischen Substanzen experimentieren zu können.

Was es auch immer war, das ihn nach Karson gebracht hatte – durch das unerwartete Auftauchen der Halbkugelfelder war sein Plan grundlegend geändert worden. Innerhalb eines Tages war sein Ziel in unmittelbar erreichbare Nähe gerückt. Er besaß die Messgeräte, die man brauchte, um die Streustrahlung der Felder zu registrieren, und er wusste, dass das Feld eines Tages wieder zusammenbrechen würde. Er brauchte nur das Land aufzukaufen, das unter den Feldern verschwand, und würde aus diesem Zwischenspiel als der Herr des halben Planeten hervorgehen.

Die Tische waren leer. Das Labor erweckte im Großen und Ganzen den Eindruck, als sei hier noch nie gearbeitet worden. Die notwendigen Geräte waren vermutlich in den Räumen zu beiden Seiten des Ganges untergebracht. Stoke lag viel daran, sie bei Gelegenheit zu untersuchen. Aber im Augenblick hatte er nur eine einzige Aufgabe: Er musste nach draußen und sich mit Corneil Stavalone in Verbindung setzen.

In der Hallenwand, die der Gangmündung gegenüber lag, gab es eine Tür. Sie besaß ein ähnliches elektronisches Schloss wie die, hinter der er gefangen gewesen war. Er hielt die eine Kugelhälfte und sein aufgeklapptes Taschenmesser immer noch in der Hand. Es dauerte zwanzig Minuten, bis er auch diesen zweiten Riegel beseitigt hatte.

Vor ihm lag eine schmale Steintreppe, die steil nach oben führte. Gedämpftes Tageslicht drang von oben herab. Stoke sah einen Wust von palmwedelähnlichen Gebilden, die von beiden Seiten über den Rand des Treppenschachts hingen und das meiste Licht abhielten. Er fand ein faustgroßes Stück Stein und platzierte es so in die Türöffnung, dass die Tür sich nicht völlig schließen konnte. Dann stieg er vorsichtig die Treppe hinauf.

Er zwängte sich durch das Gezweig und stellte fest, dass er sich mitten in einem Waldstück befand, das von der ordnenden Hand landhungriger Siedler bislang verschont geblieben war. Wuchernde Vegetation rankte sich über gestürzte Baumriesen. Der Boden war feucht und stellenweise sumpfig. Sonnenlicht drang durch die dichten Wipfel der hohen Bäume wie durch ein dunkles Filter. Insekten huschten durch die Luft, erschreckend große, bunte Gebilde, die kein Geräusch von sich gaben. Es war totenstill in diesem Wald, und Stoke fühlte ein beklemmendes Unbehagen.

So rasch er konnte, arbeitete er sich durch den Dschungel vorwärts. Innerhalb einer Minute war er völlig durchnässt und der Schweiß rann ihm in Strömen übers Gesicht; aber er hatte voraus eine Stelle entdeckt, an der es heller zu sein schien als anderswo. Er bewegte sich geradlinig darauf zu, hier und dort mit seinem Taschenmesser einen der Bäume markierend, und gelangte schließlich auf eine sumpfige, von Bäumen nahezu freie Lichtung.

Sie war oval und hatte einen Längsdurchmesser von nicht mehr als hundert Metern. Auf der anderen Seite begann wieder der Dschungel.

Stoke suchte sich einen Baum, der über reichliches Astwerk verfügte und einen leichten Aufstieg ermöglichte. Er kletterte bis in den Wipfel hinauf und befand sich nun ein paar Meter über dem Blätterdach des Waldes. Nur hier und dort ragten vereinzelte Baumriesen wie der seine über die ebene Walddecke hinaus, aber sie waren nicht zahlreich genug, um seinen Ausblick zu beeinträchtigen.

Er verstand plötzlich, warum Rich Leven sich über die Fluchtabsichten seines Gefangenen den Kopf nicht hatte zu zerbrechen brauchen. Der Dschungel reichte, soweit er sehen konnte. Von einem Horizont zum anderen erstreckte sich das dampfende, blaugrüne Blättermeer – ohne Anhaltspunkt, ohne den geringsten Hinweis für den Verirrten.

Im diesigen Himmel stand der gelblichweiße Ball der fremden Sonne. Stoke empfand den Anblick als tröstend, denn auf diese Weise konnte er wenigstens die vier Himmelsrichtungen bestimmen. Das mochte eines schönen Augenblicks von Wert sein – sobald er nämlich erfuhr, in welcher Richtung Leven ihn von Karson-Main fortgeschafft hatte.

Im Augenblick allerdings hatte er nicht die geringste Ahnung, wo er sich befand und wohin er sich wenden sollte. Karson war eine unerfreulich große Welt, und bei den Hilfsmitteln, die Leven zur Verfügung standen, war es denkbar, dass er seinen unbequemen Besucher mehrere tausend Kilometer von Karson-Main entfernt hatte. Es war zwar nicht anzunehmen, dass Levens Labor so weit von der Stadt entfernt lag, aber in einem Terrain wie diesem waren selbst hundert Kilometer für Stoke Derringer eine unüberwindliche Schranke.

4.

»Dreiundneunzig«, brummte Stav und ging einmal um seinen Schreibtisch herum, ohne den Papieren, die darauf aufgeschichtet lagen, einen Blick zu schenken.

Thurell Franz stand in der Nähe der Tür, wie es seine Art war, und hatte die Arme über der Brust verschränkt.

»Ganz genau dreiundneunzig«, bestätigte er. »Mein Mann ist völlig sicher, dass er die ganze Planetenoberfläche erfasst hat.«

Stav blieb stehen und hieb mit der Faust auf die Tischplatte, dass die Papiere in die Höhe flogen.

»Wo bleibt Derringer, verdammt noch mal?«, schrie er wütend. »Dreiundneunzig Felder über den ganzen Planeten verteilt, und bisher glaubten wir, es gäbe nur drei. Ich brauche Derringer! Er ist der einzige, der in solchen Sachen Bescheid weiß.«

Thurell Franz verhielt sich ruhig. Er wusste aus Erfahrung, dass es, wenn Stav einen Wutanfall bekam, das Beste war, ruhig zu sein und abzuwarten.

Es war am frühen Nachmittag, und durch das Fenster konnte Stav erkennen, dass sich die Stadt in ungewöhnlicher Erregung befand. Als Derringer ihn verließ, hatte Stav seinem Polizeichef den Befehl gegeben, einen seiner Piloten mit einer der beiden im Raumhafenhangar liegenden Raketenmaschinen auf einen Rundflug um Karson zu schicken. Jetzt, da er das Resultat des Fluges kannte, fand er es unverständlich, warum er nicht schon viel früher auf die Idee gekommen war, Halbkugelfelder könnten auch an anderen Stellen der Planetenoberfläche entstanden sein.

Thurells Pilot war nach sechsstündigem Flug vor kurzer Zeit zurückgekehrt. Er hatte die gesamte Oberfläche von Karson fotografiert und insgesamt dreiundneunzig Schwarzschild-Felder entdeckt. Stav hatte nicht die Absicht gehabt, die Neuigkeit nach draußen sickern zu lassen; aber irgendwo hatte jemand nicht dichtgehalten. Die Leute in der Stadt wussten, dass es mehr als die drei Halbkugelfelder gab, von denen sie bisher wussten. Als das Gerücht sich verbreitete, waren sie von ihren Feldern zurückgekehrt, um die Lage zu diskutieren. Und Stav war sicher, dass er innerhalb weniger Stunden eine Bürgerdelegation auf dem Hals haben würde, die wissen wollte, was los war.

Er würde sich vorsichtig herausreden müssen, denn er hatte selber keine Ahnung, was das Auftauchen von neunzig zusätzlichen Halbkugelfeldern bedeutete. Einige der Felder, berichtete der Pilot, waren von phänomenaler Größe – mindestens fünfzig Kilometer im Durchmesser. Es schien keine Felder zu geben, die kleiner waren als das am Nordrand von Pavl Arranschs Acker.

Stoke Derringers lange Abwesenheit bereitete ihm Sorge. Er fürchtete, dass Leven Derringer hereingelegt und aus dem Weg geschafft hätte. Aber im Augenblick war es noch zu früh zum Handeln. Wenn er Leven beschuldigte und Stoke Derringer ein paar Augenblicke später quietschvergnügt irgendwo auftauchte, war er erledigt.

Er musste warten – und warten war das, was ihm im Augenblick am schwersten fiel.

»Sie kommen«, sagte Thurell Franz trocken.

Stav trat zum Fenster und sah zwei Gleiter auf die Ringstraße einbiegen. Die Fahrzeuge verschwanden in der Garageneinfahrt. Ein paar Minuten vergingen, dann öffnete sich draußen die Tür. Thurell trat hinaus und empfing die Besucher.

Ein paar Augenblicke später kehrte er zurück. Er hatte das Gesicht verzogen, als hätte er in eine Zitrone gebissen.

»Eine Delegation der Bürgerschaft von Karson-Main wünscht, den Präsidenten des Notstandsrats zu sprechen.«

»In welcher Angelegenheit?«, antwortete Stav so laut, dass man ihn draußen hören musste.

»Sie möchten informiert werden«, erklärte Thurell.

»Was, zum Teufel, ist *dir* über die Leber gelaufen?«, erkundigte Stav sich leise.

Thurell deutete mit dem Daumen über die Schulter. »Du solltest sehen, wer sie anführt!«, raunte er.

»Sie sollen reinkommen!«, rief Stav.

Thurell öffnete die Tür. Die Delegation trat ein, an ihrer Spitze Alo Perritt.

»Mein Gott«, schnappte Stav, »hast du vom Politikspielen immer noch nicht genug, Alo?«

Alo richtete sich auf. Obwohl er um eine halbe Handbreite kleiner war als Stav, verstand er, sich den Anschein zu geben, als sehe er auf den Präsidenten hinab.

»Du«, schrillte seine hohe Stimme, »bist der ehrwürdige Präsident des Rats, und ich bin der ehrenwerte Rat Alo Perritt. Und private Spitzfindigkeiten haben in dieser Unterhaltung nichts zu suchen.«

Stav musterte die Männer, die mit Alo gekommen waren. Er kannte sie alle, und er wusste, dass sie unter normalen Umständen an dem Zank zwischen Alo und ihm ihren Spaß gehabt hätten. Jetzt aber sahen sie ernst und besorgt drein, und ihr einziges Anliegen schien zu sein, dass die Sache, über die sie sich die Köpfe zerbrachen, so rasch wie möglich zur Sprache gebracht würde.

»Gut, ehrenwerter Rat Perritt«, lenkte Stav ein, »kommen wir zur Sache. Was ist euer Begehr?«

»Wir wollen wissen, ob es dem Notstandsrat zur Kenntnis gekommen ist, dass es auf Karson mittlerweile neunundachtzig Halbkugelfelder der Art gibt, wie wir sie seit Kurzem in unmittelbarer Nähe unserer drei Siedlungen beobachten?«

Stav zuckte mit keiner Wimper, als er antwortete: »Ja, das ist dem Notstandsrat bekannt.«

Alo fuchtelte mit den Armen. »Na und? Wird der Rat nichts dagegen unternehmen?«

»Doch. Sobald er weiß, was man gegen solche Felder unternehmen kann.«

Alo neigte sich vornüber, als meinte er, sich verhört zu haben. Die großen, blassen Augen quollen ihm fast aus den Höhlen.

»Was?!«, keifte er. »Der Rat sitzt einfach auf dem Hintern und wartet, bis ihm einfällt, was er tun könnte?«

Stav überzeugte sich mit einem raschen Blick, dass Alos Begleiter längst nicht so erregt waren wie er selbst. Es wurde Zeit, dass er die Leitung der Diskussion selbst in die Hand nahm.

»Ehrenwerter Rat Perritt«, antwortete er ruhig, »wenn du ausfällig wirst, lasse ich dich hinauswerfen. Es besteht vorläufig kein Grund zur Aufregung, und als Mitglied des Stadtrats solltest du eigentlich wissen, dass eine Diskussion um so langsamer zum Ziel führt, je hitzköpfiger die Teilnehmer sind.«

Zu den anderen gewandt fuhr er fort: »Wir beobachten die Entwicklung der Dinge. Thurells Piloten haben seit jüngstem einen genau festgelegten Fahrplan, nach dem sie mit den zwei Raketenmaschinen die gesamte Oberfläche des Planeten abfliegen und jedes neu entstandene Feld nach hier melden. Vorläufig brauchen wir noch keine Sorge zu haben. Die Felder werden eines Tages wieder verschwinden, und es besteht Grund zur Annahme, dass alles, was zeitweilig hinter ihnen verborgen war, unbeschädigt wieder zum Vorschein kommt.

Jawohl, auch die verschwundenen Leute aus Karson-South!

Sollte das Auftauchen neuer Felder jedoch überhandnehmen, mit anderen Worten: sollte die Gefahr auftauchen, dass ganz Karson in Kürze von Halbkugelfeldern bedeckt sein wird, dann werden wir uns unverzüglich mit dem nächsten Flottenhauptquartier in Verbindung setzen und um Schiffe zur Evakuierung der Bürger ersuchen. Ein vorläufiger Bericht über die bisherige Entwicklung ist an die Erde abgegangen. Man weiß dort Bescheid und ist bereit zu reagieren, sobald es die Lage erfordert.«

Er holte tief Luft. »Beantwortet das eure Fragen?«

Zwei Männer nickten, die anderen schlossen sich an. Ohne noch ein Wort zu verlieren, wandten sie sich um und schritten hinaus. Alo Perritt war der Einzige, der zurückblieb. Er machte einen merkwürdig geistesabwesenden Eindruck – als hätte er nicht mitbekommen, was sich in den letzten Minuten zugetragen hatte.

Thurell Franz schloss die Tür hinter dem letzten Besucher.

Stav baute sich dicht vor Alo auf. »Erzähl mir«, sagte er in beiläufigem Tonfall, »was du und Leven euch von dieser ganzen Sache versprecht.«

Alo zuckte zusammen. Er musste mit seinen Gedanken weit weg gewesen sein.

»Ich … wir …«, stotterte er, »… wir haben nichts weiter als das Wohl der Bevölkerung im Auge. Und das ist nötig, denn die Leute, die von Beruf darauf zu achten hätten, schlafen anscheinend.«

Er brauchte nur drei Sekunden, um wieder ebenso erregt zu sein wie vorhin, als er den Notstandsrat beschimpft hatte.

Stav grinste ihn an. »Das kannst du deiner Großtante erzählen, Alo. Also los: Worauf seid ihr wirklich aus?«

Alo streckte die Arme aus und spreizte die Finger, als wollte er den Teufel von sich abwehren. »Ich sage dir«, keifte er, »wir tun nur das, was *ihr* …«

Stav unterbrach ihn mit einer herrischen Handbewegung. »Wo ist Derringer?«

Die Frage klang wie ein Schuss aus einer Pistole. Alo wurde blass. Er ließ die Arme sinken.

»Ich … ich weiß nicht«, antwortete er kleinlaut.

Stav trat einen Schritt zurück und lehnte sich gegen den Schreibtisch. Er verschränkte die Arme vor der Brust und nickte Alo freundlich zu. »So, so, du weißt nicht. Wetten, dass Thurells Fachmann es in zehn Minuten aus dir herauskriegt?«

»Das kannst du nicht tun!«, schrie Alo, das Gesicht weiß vor Angst. »Ich habe nichts getan. Ich …«

Er war ein paar Schritte rückwärts gegangen, um zur Tür zu gelangen, und dabei gegen Thurell Franz gestoßen. Das brachte ihn zum Schweigen.

»Und woher«, fuhr Stav fort, »hat Leven die neunundachtzig Felder, von denen du sprachst? Er hat wohl mittlerweile seinen eigenen Beobachtungsdienst aufgezogen, wie? Wenn du ihn siehst, sag ihm, er soll seinem Piloten ein paar Haftschalen verpassen. Es gibt inzwischen dreiundneunzig Felder!«

Alo Perritt besann sich schließlich seiner Würde. Er richtete sich auf und schrie: »Ich brauche mir das nicht gefallen zu lassen. Ich bin ein freier Bürger, und obendrein ein Rat. Ich will hier raus!«

Er trat zur Seite und schickte sich an, an Thurell Franz vorbei zur Tür zu treten. Stav gab Thurell einen Wink. Thurell packte Alo am Kragen und zog ihn zurück.

»Im Namen des Notstandsgesetzes«, sagte Stav mit Nachdruck, »du bist verhaftet!«

Thurell brachte Alo in eine der Zellen des Ratsgebäudes.

Stav hatte sich, seitdem Alo abgeführt worden war, nicht gerührt. Er stand gegen seinen Schreibtisch gelehnt und starrte durchs Fenster.

Thurell trat ein, schloss die Tür mit Sorgfalt und wischte sich imaginären Schweiß von der Stirn. »Puh«, sagte er, »wieder eine ganze Menge Neues gelernt.«

»So?« Stav war nur mäßig interessiert.

»Oh ja. Zum Beispiel, dass meine Piloten einen genau festgelegten Fahrplan haben.«

Stav wiegte den Kopf. »Natürlich. Ab sofort. Das war das wenigste, was ich für die beunruhigten Bürger tun konnte, nicht wahr?«

Thurell winkte ab. »Völlig einverstanden. Aber ich höre immer Piloten. Wir haben nur *einen,* der mit einer Rakete umgehen kann, wusstest du das?«

Stav biss sich auf die Lippen.

»Muss ich in der Aufregung vergessen haben«, murmelte er. »Weiter. Was noch?«

»Wer ist der Fachmann, der Alo die Wahrheit entlocken soll?«, wollte Thurell wissen.

Stav rieb sich am Kinn. »Haben wir auch nicht, wie? Wie wär's mit dir?«

Auf Thurells Glatze spiegelte sich das Nachmittagslicht, das durch das Fenster fiel.

»Und als Letztes: Weswegen haben wir Alo eigentlich eingesperrt?«

Stavs Zeigefinger schoss wie ein Speer auf ihn zu. »Wenn du meinst, das wäre auch so eine Laune von mir, dann hast du dich getäuscht«, sagte er heftig. »Alo wurde wegen Verdachts der Aufwiegelung und Geheimbündelei verhaftet. Das steht in den Notstandsgesetzen. Wir sind völlig im Recht!«

Thurell fuhr sich mit dem Handrücken über den Mund.

»So ähnlich hatte ich mir's vorgestellt. Na schön, wir sind also rechtlich gesichert. Aber was bringt's uns ein?«

»Ein Druckmittel gegen Rich Leven.«

»Häh?«, machte Thurell.

Stav hatte in den letzten Minuten einen Plan entwickelt. Er war nicht sicher, wie viel er sich davon versprechen sollte. Aber er wusste, dass er rasch handeln musste, wenn er Erfolg haben wollte. Er hatte keine Zeit, Thurell Franz lange Erklärungen zu geben.

»Wie viele von deinen Polizisten kannst du in einer halben Stunde zusammentrommeln?«, wollte er wissen.

Thurell überlegte kurz. »Zehn, ein Dutzend …?«

»Gut. Tu das! Bring sie hierher – bewaffnet. Und mach ihnen klar, dass es sich um eine dienstliche Angelegenheit im Auftrag des Notstandsrates handelt.«

Thurell zuckte mit den Schultern. »Na schön. Und was, soll ich ihnen sagen, ist die Angelegenheit?«

»Sag ihnen, du wüsstest es nicht.«

»Das ist nicht einmal gelogen …«

»Denn wenn sie's wüssten«, fuhr Stav halblaut fort, »kämen sie vielleicht nicht.«

Thurell wandte sich zur Tür. »In Ordnung, ich gehe.«

»Mach schnell!«, rief Stav hinter ihm her. Als Thurell gegangen war, traf er seine Vorbereitungen. Er brauchte einen Strahler und einen Signalgeber. Und Thurell brauchte einen Empfänger. Während er von einem Schrank zum nächsten hastete, eine Lade nach der anderen öffnete, um das Gesuchte zu finden, überdachte er noch einmal in aller Eile seinen Plan. Er fand nichts daran falsch. Oder wollte vielleicht nichts finden, denn seit dem Besuch der Delegation vermisste er Stoke Derringers Gegenwart mehr als je zuvor, und es drängte ihn mit unwiderstehlicher Kraft, etwas zu unternehmen. Derringer musste herbeigeschafft werden. Er war der Einzige, der in einer Lage wie dieser die Bevölkerung beruhigen konnte, weil er die Halbkugelfelder verstand.

Und wer anders hätte über Derringers Verbleib Auskunft geben können als Rich Leven?

Es war Alo Perritt, der Stav auf die Idee gebracht hatte. Alo war ein Trumpf, den Leven nicht stechen konnte – es sei denn mit Stoke Derringer, und darauf wollte Stav hinaus.

Thurell kehrte zurück, noch bevor die halbe Stunde abgelaufen war.

»Ich habe nur neun«, keuchte er. »Aber um noch mehr zu finden, hätte ich mindestens eine Stunde lang herumlaufen müssen.«

Die Männer waren aufgeregt und voller Erwartung. Sie hatten den Tag damit verbracht, in der Stadt herumzugehen, Gerüchten zuzuhören und sie weiterzuverbreiten. Thurells Aufruf kam ihnen gelegen. Sie waren des Wartens und Nichtwissens müde.

Stav reichte Thurell den Empfänger. Dann trat er zu einer Karte an der Rückwand des Zimmers.

»Ihr baut euch hier auf«, begann er ohne weitere Einleitung. »Ihr bleibt dicht beieinander und befolgt Thurells Befehle. Ich gehe zu Rich Leven, um ein paar Informationen von ihm zu bekommen. Es kann sein, dass er sie mir nicht freiwillig geben will. Es kann auch sein, dass er mich festhalten will. Sobald ich in Gefahr gerate, gebe ich ein Signal, das Thurell Franz auf seinem Empfänger hören kann. Es wird aus drei kurzen Impulsen bestehen. Sobald Thurell das Signal empfängt, rückt ihr gegen Levens Haus vor und haut mich heraus. Ist das klar?«

Die Männer nickten stumm. Ihr Tatendrang hatte nicht nachgelassen, wie Stav mit Erleichterung erkannte. Sie wollten etwas zu tun bekommen, und es war ihnen verhältnismäßig gleichgültig, ob es dabei mit rechten Dingen zuging oder nicht.

Auch Stav hatte auf diese Frage noch keine Antwort gefunden. Das Notstandsgesetz rüstete ihn mit außergewöhnlichen Vollmachten aus; aber es war durchaus denkbar, dass ein geschickter Anwalt ihm aus dem, was er vorhatte, einen Strick drehen könnte.

Solange er sich über die Rechtmäßigkeit seines Handelns im Unklaren war, ließ Stav sich zur Beruhigung gereichen, dass er nur das Beste der Siedlung im Auge habe. Rich Leven war drauf und dran, die Notlage zu seinen Gunsten auszunutzen und ganz Karson damit in ernsthafte Gefahr zu bringen. Um diese Gefahr zu beseitigen, war Corneil Stavalone jedes Mittel recht. Mochten sie ihn später dafür zur Rechenschaft ziehen – wenn nur Karson gerettet wurde.

Er sah Thurell und seine neun Polizisten davonfahren. Er gab ihnen zwanzig Minuten Zeit, ihre Positionen einzunehmen. Dann glitt er mit dem Lift in die unterirdische Garage, schwang sich in seinen bereitstehenden Gleiter und machte sich auf den Weg zu Rich Leven.

Er kam an der Stelle vorbei, an der Thurell mit seiner Gruppe auf Posten gegangen war. Es handelte sich um ein großes, unbebautes Grundstück mit ungepflegter, dicht wuchernder Vegetation. Vermutlich gehörte es Leven – zur Verwendung in späteren Tagen, wenn die Nachfrage nach weitläufigen, vornehmen Häusern gestiegen war und einen angemessenen Profit versprach. Von Thurell und den Polizisten war nichts zu sehen. Selbst von ihrem großen Mannschaftsgleiter konnte er keine Spur entdecken.

Er fuhr seinen Gleiter bis unmittelbar vor Rich Levens Haustür. Als der Diener öffnete, erklärte er ihm sein Anliegen mit ein paar Worten und schob ihn dann beiseite. Er hatte sich Rich

Levens Sympathie schon vor geraumer Zeit verscherzt und genoss daher einige Freiheit in seiner Handlungsweise. Er fand Leven in seinem Arbeitszimmer hinter dem mächtigen Schreibtisch sitzen.

Leven sprang in die Höhe, als er den Besucher erkannte. »Von allen dreisten, unverschämten Flegeleien ist das hier die …«

»Keine Beleidigung«, schnappte Stav. »Ich bin in amtlicher Angelegenheit hier.«

Er studierte Leven aufmerksam, aber der große, breitschultrige Mann hatte sich in der Gewalt. Seine Reaktion bestand aus ungläubigem Erstaunen.

»Amtlich?«, fragte er. »Wie komme ich zu der Ehre?«

Stav wartete, bis die Tür sich hinter ihm geschlossen hatte, dann ließ er sich unaufgefordert in einem der bequemsten Sessel nieder. Der Gedanke schoss ihm durch den Kopf, dass Derringer vielleicht in demselben Sessel gesessen hatte, bevor Leven ihn … nun, was er auch immer mit ihm getan hatte.

»Ich will wissen, was Sie mit Derringer gemacht haben«, erklärte Stav.

Rich Leven setzte sich. Er tat es so zögernd, dass Stav den Eindruck bekam, er wolle Zeit zum Nachdenken gewinnen.

»Das ist ohne Zweifel wieder einer von Ihren lächerlichen Anschlägen gegen meine Person«, antwortete er schließlich. »Ich habe Derringer hier empfangen und mich eine Zeit lang mit ihm unterhalten. Es ging um geschäftliche Dinge. Wir konnten leider zu keiner Einigung kommen. Ich brachte ihn selbst zur Tür und sah ihn fortfahren. Das war alles, was ich mit ihm getan habe.«

Stav triumphierte. Rich Leven war seiner Sache nicht sicher, sonst hätte er ihm nicht so ausführlich geantwortet. Für Stav war diese Erkenntnis von Bedeutung. Er richtete seine Taktik danach ein. Er wollte Leven in Sicherheit wiegen, bis es an der Zeit war, zu dem Schlag auszuholen, der ihn aus dem Gleichgewicht werfen musste.

»Hören Sie zu, Leven«, begann er in leutseligem, beinahe

freundlichem Tonfall, »wir beide, Sie und ich, wissen ganz genau, dass Stoke Derringer Ihnen aus irgendeinem Grund in die Quere gekommen ist. Sie mussten ihn aus dem Weg schaffen, denn hier auf Karson ist Konkurrenz tödlich. Schön, ich kümmere mich nicht darum.«

Leven wollte etwas einwenden, aber Stav brachte ihn mit einer beruhigenden Handbewegung zum Schweigen. »Vor mir sind Sie sicher, Leven, will ich damit sagen. Aber …«

Er machte eine genau abgemessene Pause. »… die Bevölkerung ist auf den Beinen. Jedermann weiß, dass Stoke Derringer nach einem Besuch in Ihrem Haus nicht mehr auftauchte. Die wildesten Gerüchte gehen um. Ich muss den Leuten eine Erklärung geben. Ich muss ihnen plausibel machen, warum Derringer plötzlich nirgendwo mehr zu sehen ist. Sonst, Leven, rotten sich die Leute zusammen und rennen Ihnen das Haus ein, um die Wahrheit herauszufinden.«

Leven nickte nachdenklich vor sich hin.

»Sie tun das also, um mich zu schützen?«, fragte er schließlich.

»Ja«, antwortete Stav. »Sie haben's erfasst.«

Rich Leven stand auf. Auf seinem Gesicht lag ein hämisches Grinsen.

»Vielen Dank für die Fürsorge, Herr Präsident«, lachte er spöttisch. »Aber ich brauche sie nicht. Derringer hat mein Haus unversehrt verlassen. Wenn die Leute kommen, um die Wahrheit zu erfahren, werde ich ihnen das sagen. Und sie werden mir glauben. Stav, Sie sind ein Narr. Ich weiß ganz genau, dass niemand in der Stadt sich den Kopf über Derringer zerbricht. Die Leute haben ganz andere Sorgen. Wenn Sie mich ausholen wollen, müssen Sie sich einen besseren Trick ausdenken. Und jetzt lassen Sie mich gefälligst in Ruhe.«

Stav blieb sitzen. *Jetzt*, dachte er. *Jetzt ist der richtige Augenblick.*

»Sie hatten die Wahl, Leven«, sagte er leichthin. »Alo Perritt sitzt in einer Gefängniszelle, und da Sie mir die Auskunft verweigern, werde ich ihn ausfragen.«

Er stand auf. »Und glauben Sie mir – Alo Perritt besitzt eine Reihe erstaunlicher Fähigkeiten, aber Standhaftigkeit beim Verhör gehört nicht dazu.«

Es war ihm ein Vergnügen, Leven zu beobachten. Die Grimasse der Überheblichkeit löste sich auf und verschwand. Wie unter einer Maske kam tiefe Bestürzung zum Vorschein. Levens Mund öffnete und schloss sich in einem vergeblichen Versuch zu sprechen. Was er schließlich hervorbrachte, war:

»Sie können … Sie haben … Sie können Perritt nicht so einfach einsperren! Sie haben kein Recht!«

Stav winkte verächtlich ab.

»Zerbrechen Sie sich darüber nicht den Kopf. *Sie* haben jetzt andere Sorgen.«

Er tat so, als wollte er zur Tür gehen. Er hatte die rechte Hand in der Jackentasche, wo er den Strahler trug.

»Halt!«, schrie Leven. »Bleiben Sie!«

Es klang hysterisch. Stav registrierte mit Erleichterung, dass sein Trick verfangen hatte. Er blieb stehen und drehte sich langsam um. Leven war eingeschüchtert. Es war nicht anzunehmen, dass, wenn er Derringer wirklich aus dem Weg geräumt hatte, Alo Perritt etwas davon wusste. Kidnapping war ein zu schwerwiegendes Verbrechen, als dass ein Mann wie Alo auch nur zur Mitwisserschaft daran hergegeben hätte. Aber Alo wusste andere Dinge, die geheim bleiben mussten, wenn Rich Leven nicht mit dem nächsten Schiff abgeschoben werden sollte.

»Wir können darüber reden«, schlug Leven vor. »Wir können zu einer Einigung kommen. Nicht wahr?«

Stav nahm wieder Platz. Leven wollte zu keiner Einigung kommen, dazu war sein Angebot einer Kapitulation viel zu ähnlich. Er wollte Zeit gewinnen. Wahrscheinlich hatte er irgendwo unter seinem Schreibtisch einen Alarmknopf. Stav schob auch die linke Hand in die Tasche und umklammerte den Signalgeber.

»Natürlich«, nickte er wohlwollend. »Deswegen bin ich hier. Was haben Sie anzubieten?«

»Was verlangen Sie?«

»Ich will wissen …«

Er hielt inne. Levens bisher niedergeschlagener Gesichtsausdruck veränderte sich in alarmierender Weise. Er begann zu grinsen, und der höhnische Blick, mit dem er Stav bedachte, ließ nur einen einzigen Schluss zu.

Stav warf sich aus dem Sessel zur Seite. Im Fallen riss er den Strahler aus der Tasche und drückte den Knopf des Signalgebers.

»Fasst ihn!«, hörte er Leven schreien.

Ein Schatten schoss von der Seite her auf ihn zu. Stav feuerte einen ungezielten Schuss in die Luft. Er wälzte sich auf den Rücken, zog die Beine an und empfing den Angreifer mit einem Tritt in den Leib, der ihn zurückschleuderte.

Stav kam wieder auf die Beine. Rich Leven war hinter seinem Schreibtisch hervorgekommen. Er hielt ein blinkendes Etwas in der Hand und richtete es auf Stav.

Stav ließ sich fallen. Jemand, der ihn von hinten hatte anspringen wollen, schoss mit vollem Schwung über ihn hinweg. Mitten im Sprung schrie er auf. Stav sah ihn zu Boden stürzen und in merkwürdig verrenkter Haltung reglos liegenbleiben.

Außer Leven waren noch vier Männer im Zimmer. Sie mussten durch eine Geheimtür hereingekommen sein, nachdem sie Levens Alarmsignal empfangen hatten. Stav ging hinter seinem Sessel in Deckung und feuerte ein paar Schüsse ab. Eine Wand des Zimmers flammte auf, und stickender Rauch erfüllte die Luft.

»Fasst ihn, ihr Feiglinge!«, schrie Leven durch den Qualm.

Ein Schatten landete auf Stavs Rücken. Irgendetwas Hartes traf ihn mit voller Wucht an den Hinterkopf. Es war, als ob die Welt ringsum explodierte. Er verlor für eine Sekunde das Bewusstsein, und die kurze Zeitspanne genügte dem Angreifer, ihn fest in seine Gewalt zu bekommen.

Eine heisere Stimme gellte: »Ich hab' ihn! Was jetzt?!«

Stav lag einen Augenblick lang still, um neue Kraft zu schöpfen. Wo blieb Thurell mit seinen Leuten, verdammt noch mal? Wenn er noch lange brauchte, dann war alles verloren.

Mit einem Ruck drehte er sich zur Seite. Der Mann, der auf ihm kniete, hatte seinem Schlag offenbar nachhaltigere Wirkung zugetraut, und war überrascht. Stav schüttelte ihn ab. Er rollte eine halbe Körperdrehung zur Seite und hob den Strahler. Der Unbekannte kam mit einem entsetzten Schrei in die Höhe und rettete sich mit einem verzweifelten Satz in den Qualm.

Irgendwo gellte plötzlich eine Pfeife. Stav atmete auf. Thurell hatte es geschafft. Er hörte ihn Befehle schreien. Um ihn herum war es plötzlich still bis auf das hässliche Knistern der Wand, die unter der Wirkung seiner Salve langsam zerschmolz.

Das Trampeln schwerer Schritte kam durch den Rauch auf ihn zu.

»Hier«, ächzte er. »Thurell, hier …!«

Der Schmerz im Hinterkopf brachte ihn fast um den Verstand. Jemand packte ihn unter den Armen und half ihm auf die Beine. Er ließ es willenlos geschehen. Er merkte, dass die Luft ringsum reiner wurde. Der Qualm blieb zurück. Sonne schien ihm ins Gesicht. Er holte tief Atem und zwang das Gefühl würgender Übelkeit nieder.

Thurell Franz tauchte plötzlich auf.

»Was ist los?«, keuchte Stav. »Habt ihr Leven und seine Leute?«

Thurell schüttelte wortlos den Kopf.

»Ihr Hornochsen!«, tobte Stav. »Hinter ihnen her, los! Seht zu, dass ihr sie beim Kragen nehmt!«

Der Wutanfall schwächte ihn von Neuem. Er ließ sich auf den Boden fallen und verbrachte die nächsten Minuten in einer Art Dämmerzustand, in dem er kaum wahrnahm, was rings um ihn geschah. Jemand klatschte ihm einen nassen Lappen auf den Schädel, und der klopfende, bohrende Schmerz begann schließlich nachzulassen. Er wusste nicht, wie viel Zeit vergangen war, als er schließlich wieder klar denken konnte.

Zum zweiten Mal tauchte Thurell Franz auf. Er sah bekümmert drein.

»Sie sind uns durch die Lappen gegangen«, gab er zu. »Sie müssen von der Sache rechtzeitig Wind bekommen haben. Wir fanden einen Seitenausgang, der in einer unterirdischen Garage mündet. Von dort aus sind sie verschwunden.«

Stav kam schwankend auf die Beine. Das Gefühl der Enttäuschung, das er empfand, war nicht so überzeugend, wie er erwartet hatte. Rich Leven war ihm durch die Lappen gegangen. Schön. Aber zuvor hatte er versucht, sich mit Gewalt des Präsidenten des Notstandsrats zu bemächtigen, und sich damit eindeutig außerhalb des Gesetzes gestellt.

Von diesem Augenblick an war Rich Leven vogelfrei, und das alleine war schon eine Menge Anstrengung wert.

Sie fuhren zum Rathaus und stellten dort fest, dass Rich Leven es mit einem Gesetzesbruch nicht hatte bewenden lassen. Er war ins Gefängnis eingedrungen und hatte Alo Perritt befreit. Eine Handvoll Zeugen hatte ihn und seine Männer dabei beobachtet.

Rich Leven hat ausgespielt, dachte Stav mit einem Gefühl der Erleichterung, als er sich in seinem Arbeitszimmer in einen bequemen Sessel sinken ließ.

Das Problem allerdings, zu dessen Lösung er ausgezogen war, bestand weiterhin. Stoke Derringer blieb verschwunden.

Stav befahl Thurell Franz, seine gesamte Polizeitruppe zu mobilisieren und nach Spuren zu suchen, die Rich Leven und seine Komplizen hinterlassen hatten. Es war mehr als wahrscheinlich, dass Stoke Derringer sich dort befand, wo Leven nach dem letzten Zwischenfall Zuflucht suchen würde.

Nachdem er alles Notwendige derart veranlasst hatte, fühlte Stav, er hätte eine Ruhepause verdient. Er beschloss, nach Hause zu fahren, seinen Schädel zu behandeln und sich für ein paar Stunden ins Bett zu legen. Er rief Pepe Atroz an und bat ihn, bis Sonnenuntergang seinen Posten zu übernehmen. Pepe sagte zu, und Stav machte sich auf den Heimweg.

Er hatte den Gleiter kaum aus der Garage bugsiert, als das Erdbeben begann.

Stoke war klar, was er zu tun hatte. Es gab nur eine Möglichkeit. Er musste zu Levens unterirdischem Labor zurückkehren und dort warten, bis sich jemand seiner annahm.

Er machte sich auf den Rückweg und war noch keine fünf Schritte gegangen, als er ein leises Summen hörte und den Boden unter den Füßen zittern fühlte. Die Wahrnehmung dauerte nicht länger als zwei oder drei Sekunden, und es war nichts dabei, was Stoke unter normalen Umständen beunruhigt hätte.

Aber er blieb wie angewurzelt stehen, und etwas in seinem Innern sagte ihm, dass etwas Unheimliches geschehen war.

Er zögerte, sich umzudrehen. Langsam hob er den Blick, als fürchtete er sich vor dem, was er zu sehen bekommen würde. Der Dschungel stand unangetastet. Ein scharfer Wind hatte sich plötzlich aufgetan und brachte die Bäume zum Schwanken. Die Sonne schien einen Teil ihrer Kraft verloren zu haben. Es war dunkler geworden.

Stoke gab sich einen Ruck und fuhr auf dem Absatz herum.

Er schrie auf, als er die riesige, milchige Wand sah, die unmittelbar hinter ihm aufgewachsen war. Er legte den Kopf in den Nacken und sah an ihr hinauf. Schwindel erfasste ihn beim Anblick des ungeheuren Gebildes. Er taumelte, streckte hilflos die Arme aus und fand sein Gleichgewicht am Stamm eines dünnen Bäumchens, das sich unter dem Wind schüttelte. Er fühlte sich schwach in den Knien. Er hatte Angst und empfand einen fast unwiderstehlichen Drang, sich auf den Boden zu werfen, das Gesicht in die Erde zu drücken und die Hände über dem Kopf zu verschränken, um nichts mehr zu sehen und nichts mehr zu hören.

Nur langsam kehrte die Beherrschung zurück. Er kniff die Augen zusammen und hielt sie eine Zeit lang geschlossen, bevor er es wagte, die Wand ein zweites Mal anzusehen. Diesmal erschien sie ihm weniger schrecklich. Er redete sich ein, dass er, seitdem er auf Karson gelandet war, in jeder Sekunde mit einem Vorfall wie diesem hatte rechnen müssen. Er war ein armseliger Narr, wenn das plötzliche Auftauchen eines Schwarzschild-Feldes ihn so aus dem Gleichgewicht brachte.

Er versuchte, das Ausmaß des Feldes abzuschätzen. Vor ihm, die kleine Lichtung in der Mitte zerschneidend, stieg die Wand senkrecht in die Höhe, und so hoch sein Blick reichte, war nirgendwo auch nur die Spur einer Krümmung zu erkennen. Der gleiche Eindruck bot sich in der Waagerechten. Die Wand verlief schnurgerade von links nach rechts und verschwand in der Düsternis des Waldes.

Das Feld war größer als alle anderen, die Stoke bisher gesehen hatte. Es war so gewaltig, dass der Verstand sich sträubte, seine Ausdehnung zu erfassen, und in seiner Monstrosität das Mahnmal einer unendlich hoch überlegenen Technologie, dessen Anblick Stoke mit einem bitteren Gefühl von Bedeutungslosigkeit erfüllte.

Er zwang sich dazu, ein paar Schritte zurückzugehen, bis er dicht vor der milchigen, undurchsichtigen Wand stand. Ohne sich darüber Rechenschaft abzugeben, was er tat, nahm er eine Handvoll Erde auf und warf sie in Richtung des Feldes. Sie verschwand, als hätte es sie nie gegeben, und kein Geräusch deutete darauf hin, dass sie im Innern des Feldes wieder zu Boden fiel.

Stoke spürte plötzlich, wie der Boden sich unter ihm bewegte. Der Ruck war so heftig, dass er um ein Haar das Gleichgewicht verloren hätte. Er warf sich nach hinten, um vom Feldrand wegzukommen. Er stürzte und sah gleichzeitig, was vor sich ging.

Für die Erde unmittelbar am Rand des Feldes war es, als hinge sie plötzlich frei in der Luft. Was hinter der milchigen Wand lag, existierte nicht mehr. Der Boden stand ständig unter Druck. Jetzt, da sich am Feldrand eine freie Oberfläche gebildet hatte, gab er dem Druck nach. Erde bröckelte in das Feld hinein ab.

Der Vorgang verlief langsam. Das Wurzelwerk des Dschungels hielt die Schollen zusammen. Aber mit der Zeit würden sie dem Druck nachgeben und in das Feld hineinstürzen. Dasselbe musste am Rand aller anderen Felder geschehen – rascher oder langsamer, je nach der Beschaffenheit des Bodens. Es war nur niemals jemand lange genug an Ort und Stelle gewesen, um das Phänomen zu beobachten.

Stoke erkannte plötzlich, dass sie alle – er selbst, Stav und wahrscheinlich auch Rich Leven – die wahre und unmittelbare Gefahr, die von den Halbkugelfeldern ausging, bislang völlig übersehen hatten. Es ging nicht darum, darauf zu warten, bis die milchigen Halbkugeln von selbst wieder verschwanden. Der Himmel mochte wissen, wie lange das dauerte, und in der Zwischenzeit setzte die Erde sich rings um die Felder in Bewegung, bröckelte ab und verschwand im Nichts. Erdrutsche mussten die Folge sein. Und nicht nur das.

Einige der Felder waren groß genug, um mit der unteren Kugelhälfte die feste Kruste von Karson zu durchstoßen und bis in die Kanäle vorzustoßen, in denen Magma zur Oberfläche drängte. Bisher von den Kräften der Kruste im Bann gehalten, fanden die glutflüssigen Massen des Planeteninnern dort, wo sie gegen die Felder stießen, auf einmal keinen Widerstand mehr. Die Magmakanäle würden sich in die Schwarzschild-Felder hinein entleeren und die Druckverhältnisse im Kern des Planeten aus dem Gleichgewicht bringen.

Es war nicht abzusehen, welche Folgen daraus entstehen konnten; aber Stoke fühlte einen kalten Schauder, als er im Geist die Bilder plötzlich entstehender Vulkane, explosionsartiger Ausbrüche glühenden Gesteins und brennender Wälder sah.

Er eilte zum Labor zurück. Er musste zurück nach Karson-Main. Er musste wissen, wie viele Felder in der Zwischenzeit neu entstanden waren und welchen Umfang sie besaßen. Er rechnete damit, dass es wenigstens fünfhundert großkalibriger Schwarzschild-Felder bedurfte, um den Energieinhalt des Planeteninnern auf gefährliche Weise aus dem Gleichgewicht zu bringen. Wenn es so weit kam, musste Corneil Stavalone seinen Ehrgeiz unterdrücken und die Flotte des Imperiums um Hilfe bitten, denn gegen die einmal entfesselten Gewalten des Planetenkerns hatten die Siedler nicht die geringsten Chancen.

Leven musste in seinem Labor irgendwo einen Sender haben, mit dem er sich mit Karson-Main in Verbindung setzen konnte. Er musste ihn finden und mit Stav Kontakt aufnehmen.

Stoke stürzte die Treppe hinunter und nahm die Halbkugel mit dem Servomechanismus wieder auf, die er diesseits der Tür hatte liegenlassen. Die eigentliche Laborhalle war noch so leer, wie er sie in Erinnerung hatte. Wenn es ein Funkgerät gab, dann musste es in einem der Räume liegen, deren Türen er in den Wänden des Ganges gesehen hatte.

Er machte sich daran, die erste zu öffnen. Mehrmals hielt er inne, um zu lauschen. Das letzte, was er in dieser Lage brauchen konnte, war, von Leven oder seinen Leuten überrascht zu werden.

Aber alles blieb still. Leven hielt seinen Gefangenen für sicher, und niemand kümmerte sich um ihn. Stoke hatte mittlerweile im Öffnen der elektronischen Riegel eine gewisse Geschicklichkeit erlangt und brauchte nicht mehr als zehn Minuten für die erste Tür. Der Raum, der dahinter lag, sah seiner eigenen Gefängniszelle völlig ähnlich. Unter der Decke hing die gleiche Art von billiger Fluoreszenzleuchte, und rechts an der Wand standen drei Gestelle – ohne Ausnahme leer. Er trat in den Raum hinein und untersuchte ihn mit Sorgfalt. Er war wirklich leer.

Er kehrte zurück auf den Gang und versuchte sein Glück mit der nächsten Tür. Innerhalb kurzer Zeit hatte er sie geöffnet. Mittlerweile schmerzte ihn das Handgelenk vom Hantieren mit dem Taschenmesser, das er als Kontaktbrücke benützte. Aber als die Tür sich öffnete, wusste er, dass er sich nicht weiter zu bemühen brauchte. Es war dieser Raum, der Wand an Wand mit seiner ehemaligen Zelle lag, in dem Rich Leven alle seine geheimen Reichtümer untergebracht hatte.

Hier gab es sechs Gestelle, drei an jeder Seitenwand, und jedes einzelne war mit einer Vielfalt von Instrumenten beladen. Schon nach dem ersten Blick war Stoke völlig sicher, dass er, wenn er kein Funkgerät fände, sich aus den vorhandenen Einzelteilen ganz gewiss eines bauen könnte.

Es war reiner Zufall, dass es ein kleiner, achtlos zusammengeschobener Haufen von Gerätebauteilen auf dem untersten Brett des nächststehenden Gestells war, der seine Aufmerksamkeit in erster Linie erregte. Auf diese Weise fand er den fehlenden Inhalt der beiden fremdartigen Kugeln früher, als er sich vorgestellt hatte. Denn er brauchte kaum eine Minute, um festzustellen, dass die Teile sich mit nichts vergleichen ließen, das er je zuvor gesehen hatte, und als er eines davon aufnahm, erwies es sich als so leicht, dass er es, auf der offenen Handfläche haltend, nicht spüren konnte.

Er schenkte dem Fund zunächst jedoch keine Beachtung. Er fuhr fort, nach einem Funkgerät zu suchen. Die Suche war nur teilweise erfolgreich. Er fand kein fertiges Gerät, jedoch rund achtzig Prozent der Einzelteile, die er brauchte, um eines zu bauen.

Die Räume auf der anderen Seite waren größer als die beiden, die er bisher durchsucht hatte. Wie zu erwarten gewesen war, fand sich in einem die Kraftstation, die Levens Labor mit elektrischer Energie versorgte. Es handelte sich um einen alten, aber tadellos funktionierenden Fusionsgenerator, der aus einer Wasserstoff-Druckflasche durch einen Plasmaerzeuger Baujahr 2100 gespeist wurde. Bis auf den Generator und die dazugehörenden Geräte war der Raum leer. Stoke verließ ihn mit der Gewissheit, dass er, wenn alle Stricke rissen, wenigstens eine Kernexplosion mittleren Ausmaßes erzeugen konnte, die in Karson-Main vielleicht wahrgenommen wurde und Stav mit genug Neugierde erfüllte, sodass er nachsehen käme.

Der vierte Raum enthielt eine Serie langer Bänke, die zur Hauptsache mit optischen Geräten bestückt waren. Es gab eine Reihe kleiner, mittlerer und großer Mikroskope, eine alte Mößbauer-Apparatur und andere Dinge, die das Herz jedes Experimentalphysikers hätten höher schlagen lassen, für jemand, der sich einen Sender basteln wollte, jedoch nur von beschränktem Nutzwert waren.

Der fünfte und letzte Seitenraum war die Zelle, in der Stoke die Zeit bis zur Wiedererlangung seiner Bewegungsfähigkeit verbracht hatte. Er wusste, dass er dort nichts finden würde, und kehrte in das Gelass zurück, in dem er die Einzelteile des Kugelinhalts entdeckt hatte.

Die Halbkugel, deren er sich zur Öffnung der Türen bedient hatte, als Behälter benutzend, lud er die Teile auf und trug sie nach draußen in die Haupthalle, wo Raumverhältnisse und Beleuchtung sich besser für eine eingehende Untersuchung eigneten. Als er begann, die Teile auseinander zu sortieren und in Augenschein zu nehmen, hatte er nur geringe Hoffnung, dass es ihm jemals gelingen würde, ihren Sinn zu enträtseln.

Es stellte sich jedoch heraus, dass er zu pessimistisch gewesen war. Die alte Regel, wonach eine Fleischmühle wie eine Fleischmühle aussah, gleichgültig, ob sie auf der Erde oder auf einem Planeten in einer drei Milliarden Lichtjahre weit entfernten fremden Galaxis hergestellt worden war, bewies ihren Wahrheitsgehalt. Es war nicht ganz so einfach; aber schon nach einer Viertelstunde hatte Stoke eine Plastikkarte mit einigen Druckleitungen gefunden, die in ihrer Gesamtheit unmöglich etwas anderes als einen Verstärker darstellen konnten. Die Karte war ungefähr so groß wie ein halber kleiner Fingernagel und die Leitungen so haarfein, dass er sich anstrengen musste, um sie überhaupt zu erkennen. Aber er war seiner Sache sicher, und der so unerwartet errungene Erfolg verlieh seinen Bemühungen neuen Schwung.

An seiner Uhr konnte er ablesen, dass seit dem Beginn seiner Analyse mehr als eine Stunde vergangen war, als er glaubte, einen vollständigen Instrumentenkomplex von den übrigen Teilen isoliert und seine Funktion begriffen zu haben. Er war so in seine Arbeit vertieft gewesen, dass er den weiteren Rahmen seines

Vorhabens aus den Augen verloren hatte, und als er sich schließlich mit schmerzendem Rücken aufrichtete, um das Resultat seiner Untersuchung in Augenschein zu nehmen, da befielen ihn mit einem Male Zweifel, ob das, was er in den Geräten zu sehen glaubte, wirklich das war, was sie darstellten.

Eine Art Kamera! Was, in aller Welt, hatte eine Kamera in einer völlig geschlossenen Kugel zu suchen? Sie hatte keine Möglichkeit, von irgendwoher Licht zu empfangen. Und doch handelte es sich bei dem Kernstück der Anordnung ohne Zweifel um eine Schwerkraftlinse, und das Ding, das unmittelbar dahinter geschaltet war, stellte einen elektronischen Bildtaster dar, dessen Ausstoß in einen komplizierten Verstärker geleitet wurde. Die vom Verstärker erzeugten Impulse wurden auf ein Bildband geleitet, dessen Transportmechanismus in der Hauptsache aus einem winzigen Elektromotor bestand.

Alles war klar – bis auf die eine Frage: Woher bezog die Linse ihr Licht?

Stoke unternahm aufs Geratewohl ein Experiment. Der Erfolg, den er damit erzielte, war weniger ein Beweis seines Sachverständnisses als vielmehr der Tatsache, dass er manchmal unverschämtes Glück hatte. Er nahm die Kugelhälfte auf, die er bislang fast ständig mit sich herumgeschleppt hatte, und stülpte sie über die linke Faust. Dann zog er mit der rechten Hand ein Streichholz aus der Tasche und entzündete es, indem er kräftig daraufblies. Das brennende Streichholz hielt er ein paar Zentimeter hoch über die Kuppe der Halbkugel. Die von der Streichholzflamme erwärmte Luft stieg nach oben, konnte die Kugel also nicht berühren. Und Wärmeleitung durch Luft war ein äußerst langwieriger und unergiebiger Prozess.

Er klopfte sich im Geist selbst auf die Schulter, als er trotzdem mit der linken Hand die Wärme des brennenden Streichholzes spürte. Es war ganz so, als gäbe es keine Halbkugel, die er sich über die Faust gestülpt hatte – als hielte er die linke Hand ungeschützt zwei oder drei Zentimeter von der Flamme entfernt.

Er ließ das Streichholz fallen und trat es aus. Das Rätsel war gelöst. Die Kugelwandung war undurchlässig für sichtbares Licht, aber für Ultrarot- oder Wärmestrahlung war sie so gut wie nicht vorhanden. Ultrarotwellen durchdrangen die Kugelwand ungeschwächt und wurden von der Schwerkraftlinse aufgesammelt. Mithilfe eines ultrarotempfindlichen Sensors und der angeschlossenen Geräte erzeugte sie ein Bild, das auf dem abrollenden Band gespeichert wurde.

Diese Entdeckung stachelte seine Neugierde von Neuem an. Im Laufe der nächsten zwei Stunden vergaß er völlig, dass er im Grunde genommen immer noch Rich Levens Gefangener war und sich eigentlich hätte ausschließlich darum kümmern sollen, wie er am schnellsten wieder nach Karson-Main kam. Aber die Faszination, den Produkten einer fremden Technologie ihre Geheimnisse zu entlocken, nahm ihn so völlig gefangen, dass er nur noch ein Ziel kannte: die Teile wieder zusammenzusetzen und die Funktion des Gesamtbildes zu enträtseln.

Er fand zwei Miniaturkraftwerke – eines dafür bestimmt, über einen längeren Zeitraum hinweg einen mittleren Energiebetrag auszustoßen, das andere zur Erzeugung großer Mengen an Energie für eine verhältnismäßig kurze Zeitspanne.

Er fand eine Serie von kleinsten Geräten, die offenbar zusammengehörten und deren Zweck er nicht im einzelnen bestimmen konnte – nur eben, dass sie, alle zusammengenommen, ein höchst kompliziertes Navigationssystem darstellten, eine Art Autopilot, der seinerseits auf ein Feldtriebwerk einwirkte und das aus zwei Kugeln und einem Mittelstück bestehende Gebilde auf vorgeschriebenem Kurs hielt. Die Existenz eines Feldtriebwerkes erklärte auch, warum die Verbindung der Kugelhälften untereinander und die des Hantelstabs mit den beiden Kugeln so erstaunlich lose war. Die Hantel bewegte sich in der schützenden Hülle des von ihr selbst erzeugten Feldes. Solange das Feld bestand, war sie keinerlei Belastungen unterworfen.

Er ermittelte, dass das langlebigere der beiden Miniaturkraftwerke die Energie für das Triebwerk zur Verfügung stellte. Kraftwerk, Autopilot und Triebwerk machten den Eindruck, als seien sie besonders sorgfältig gearbeitet. Auch die Kameraanlage sah so aus, als sei sie dafür bestimmt, öfter als nur einmal verwendet zu werden. Das zweite Kraftwerk, obwohl immer noch eine Meisterleistung der Mikrotechnik, wirkte dagegen verhältnismäßig roh – als hätte man sich gescheut, darauf zuviel Mühe zu verwenden, weil es nach Erfüllung seiner Aufgabe ohnehin nicht mehr gebraucht wurde.

Diesem Hinweis verdankte Stoke, dass er während der letzten Stunde wesentlich rascher vorankam als zuvor. Er sortierte die Geräte danach, ob sie sorgfältig gearbeitet waren oder nicht, und nahm dabei sozusagen automatisch an, dass er damit auch eine Trennung nach Kugeln bewerkstelligte. Eine der beiden Hantelhälften hatte offenbar alle Feinstgeräte enthalten, während sich die gröberen in der anderen Kugel befunden haben mussten.

Er entdeckte ein Gebilde, das ein Feldprojektor zu sein schien, und fand, dass es zu dem kurzlebigen Kraftwerk passte. Er identifizierte ein weiteres Gerätestück als ein Hilfstriebwerk, das er ebenfalls unter die gröber gearbeiteten Instrumente einreihte. In die gleiche Kategorie fiel ein verhältnismäßig primitiver Schubmechanismus, dessen Verwendungszweck er erst nach längerem Grübeln erkannte.

Er hatte jetzt alle Geräte bis auf etwa ein Dutzend zu Funktionsgruppen angeordnet. Was übrig blieb, widerstand hartnäckig jedem Versuch, sich irgendwo einreihen zu lassen. Stoke gab sich keine weitere Mühe. Er war mit seinem Erfolg zufrieden und sicher, dass jedem anderen, der ein Produkt einer völlig fremden Technik aus Einzelstücken hätte zusammensetzen wollen, noch wesentlich mehr Teile übrig geblieben wären.

Er zündete sich umständlich eine Zigarre an, nahm mit nicht gelindem Erstaunen zur Kenntnis, dass er seit rund acht Stunden nicht mehr geraucht hatte, ohne dabei etwas zu empfinden, und besah sein Werk. Während er es betrachtete, rundete sich das Bild, das er sich zu machen begonnen hatte, zusehends ab. Es war ein wenig ausgefallen, und vor sechzig Stunden hätte er sich wahrscheinlich noch geweigert, es überhaupt anzusehen.

Aber die Beweise waren erdrückend.

Und Rich Leven musste zu demselben Schluss gekommen sein wie er selbst, sonst ließ sich seine Handlungsweise nicht erklären.

Die beiden Kugeln, durch das Mittelstück zu einer Hantel vereint, bildeten ein selbstgesteuertes Raumfahrzeug. Woher das Fahrzeug kam, darauf besaß Stoke bislang nicht den geringsten Hinweis, und er bezweifelte, dass Leven in dieser Hinsicht weiter vorgedrungen sei als er. Das Fahrzeug hatte ein Ziel. Über das Ziel gab es keinerlei Ungewissheit.

Das Ziel war Karson.

Das Fahrzeug verfolgte einen Zweck.

Der Zweck war, auf Karson ein Gerät zu deponieren, das ein Schwarzschild-Feld erzeugte, in dessen Einflussbereich alle Materie spurlos verschwand.

Der Fremde, wer immer er auch sein mochte, hielt den Erfolg seiner Selbstlenkgeschosse keineswegs für garantiert. Er brauchte Beweise, um sich zu überzeugen, dass sie den Zweck erfüllten, für den sie gebaut waren. Deshalb bestand jedes Fahrzeug aus zwei grundsätzlich voneinander verschiedenen Hälften. Eine Kugel enthielt das eigentliche Langstreckentriebwerk mit allem, was dazugehörte. Die andere Kugel barg in der Hauptsache den Feldgenerator und den Projektor, der dem Schwarzschild-Feld die gewünschte Form und Ausdehnung verlieh.

Irgendwo in der Nähe des Zieles trennten sich die beiden Kugeln voneinander. Stoke war nicht sicher, wo dieses Irgendwo lag, aber nachdem er die Kamera näher in Augenschein genommen hatte, glaubte er, sagen zu können, dass die Trennung der beiden Kugeln nicht weiter als fünfzigtausend Kilometer über der Oberfläche von Karson erfolgte.

Die Kugel mit dem Feldgenerator senkte sich auf den Planeten. Das Hilfstriebwerk bewältigte diesen letzten Abschnitt der langen Reise. Auf Karson gelandet, wurde der Feldgenerator aktiviert. Das Schwarzschild-Feld entstand. Die Energiequelle des Generators war kräftig, aber kurzlebig. Rich Leven hatte das erkannt. Daraus bezog er die Gewissheit, dass die Felder eines Tages wieder verschwinden würden. Wenn es ihm gelang, für wenig Geld alles Land aufzukaufen, das durch das Entstehen der Felder scheinbar wertlos geworden war, ging er aus diesem Unternehmen als der Mann hervor, der den größten Profit der Weltgeschichte gemacht hatte.

Inzwischen verhielt sich die zweite Kugel im Raum über Karson verhältnismäßig reglos. Die Kamera fertigte Aufnahmen des neuentstehenden Schwarzschild-Feldes an und speicherte sie auf Band. Erst nach einer gewissen Zeit setzte sich die Kugel wieder in Bewegung. Das Triebwerk begann zu arbeiten, und in sein eigenes Transportfeld gehüllt, kehrte das merkwürdige Gebilde dorthin zurück, woher es gekommen war.

Vieles an dem Antriebssystem war Stoke nicht klar geworden. Er wunderte sich nicht darüber. Der Ursprung der Kugeln, und gleichzeitig auch der Punkt, an den sie schließlich zurückkehrten, musste Tausende von Lichtjahren weit entfernt liegen – in Regionen, die zu erforschen sich weder Arkon noch Terra jemals Mühe gegeben hatten. Zur Bewältigung solcher Entfernungen war ein Hypertriebwerk erforderlich. Ein Hypertriebwerk in derart kompakter Form herzustellen, war eine Leistung, die keine der bekannten galaktischen Technologien bislang vollbracht hatte. Die wissenschaftlichen Erkenntnisse, die in diesem winzigen Gerät verkörpert waren, mussten denen der Erde um Jahrhunderte voraus sein.

An den Ursprungsort zurückgekehrt, wurde die zweite Kugel, so nahm Stoke an, sofort auf einen neuen Einsatz vorbereitet. Das Bildband war ihr zuvor entnommen worden, und ihre Erbauer hatten sich vom Erfolg der Mission überzeugt. Mit einer dritten Kugel wurde die zweite zu einer neuen Hantel zusammengefügt, und der Kreis begann von Neuem.

Das war, was Stoke Derringer sich in drei langen Stunden mühselig zusammengereimt hatte. Er hielt es für logisch und plausibel und wäre bereit gewesen, eine Wette darauf einzugehen, dass niemand mit einer einleuchtenderen Erklärung aufwarten könnte – wenn es nicht eine letzte kleine und dennoch unübersehbare Ungewissheit gegeben hätte, die sich hartnäckig jeder Deutung entzog.

Wozu das alles?

Welchen Zweck verfolgte eine fremde, weit fortgeschrittene Zivilisation, indem sie merkwürdige Geschosse über die Abgründe des Alls hinweg auf einen so unbedeutenden Planeten wie Karson abfeuerte? Woher, wenn sie sich doch offensichtlich so wirkungsvoll isoliert hielt, dass keine der anderen galaktischen Kulturen von ihrer Existenz auch nur eine Ahnung hatte, wusste sie von Karson und seiner Position?

Der zweite Teil der Frage, fand Stoke, ließ sich beantworten, ohne dass er seine Vorstellungskraft dabei allzu sehr zu strapazieren brauchte. Die fremde Kultur mochte Jahrhunderttausende alt sein und Sternkarten aus einer Zeit besitzen, in der weder Terra, noch Arkon überhaupt wussten, was Weltraumfahrt war.

Aber die Absicht, die die Fremden verfolgten, blieb ihm unklar, so sehr er sich auch den Kopf zerbrach. Er weigerte sich, die Möglichkeit eines Angriffs auf Karson und seine hilflose Bevölkerung auch nur in Erwägung zu ziehen. Ohne die Mentalität der Fremden zu kennen, konnte er sich leicht ausrechnen, dass eine so fortgeschrittene Technik wie die ihre wirksamere Mittel besitzen müsse, um einen Siedlerplaneten zu überwältigen.

Natürlich bestand die Möglichkeit, dass die Unbekannten sich aufs Geratewohl eine Welt herausgesucht hatten, die am Rande des terranischen Einflussbereichs lag, um dort ihre Macht zu demonstrieren und den Erdenmenschen zu zeigen, dass ihr Expansionsstreben nur so lange stillschweigend geduldet werde, wie sie nicht mit den Interessen eines Mächtigeren in Konflikt gerieten. Aber diese Erklärung war nach Stokes Ansicht gleichbedeutend damit, den Fremden für einen pathetischen Angeber zu halten, und aus irgendeinem Grunde war er nicht bereit zu glauben, dass eine so überaus hoch entwickelte Kultur einen Hang zu falschem Pathos haben könnte.

Konnte es sein, dass dies alles ein grotesker, unglaublicher Zufall war? Dass die Fremden ihre Geschosse aufs Geratewohl abgefeuert und Karson getroffen hatten, ohne es wirklich zu wollen?

Er war dabei, diese neue Hypothese zu überdenken und ihr einige unerwartet einleuchtende Aspekte abzugewinnen, als er ein Geräusch hörte, das die vollkommene Stille, die bisher ringsum geherrscht hatte, abrupt zerriss.

Von einer Sekunde zur anderen fand er in die Wirklichkeit zurück. Er war nicht hier, um die Gedankengänge einer fremden Kultur zu enträtseln. Er hatte eine Aufgabe zu erfüllen. Er musste nach Karson-Main zurück.

Er lief zu der Tür, die zum Treppenschacht hinausführte. Zum zweiten Mal hörte er das Geräusch, und diesmal erkannte er es.

Es war das Summen eines Gleitermotors. Er schob die Tür auf und sah hinaus. Ein Schatten schien über ihn hinwegzugleiten. Das Summen wurde deutlicher, als käme es immer näher heran.

Stoke überlegte so blitzschnell und zielsicher, wie es ihm im Laufe seiner Karriere als Geheimdienstagent zur Gewohnheit geworden war. Jemand kam, um nach ihm zu sehen, wahrscheinlich Levens Leute. Unmittelbar neben der Treppe konnten sie nicht landen. Das Unterholz war zu dicht. Sie mussten den Gleiter auf der Lichtung absetzen.

Er stürzte die Treppe hinauf. Wenn sie ihn hier erwischten, war er verloren. Ein kurzer Blick würde Levens Männern genügen, um zu wissen, dass er entflohen war.

Bis sie das Labor erreichten, musste er in der Nähe der Lichtung sein. Nur wenn es ihm gelang, den Gleiter in seine Gewalt zu bekommen, hatte er die Chance, Rich Leven endgültig zu entkommen.

Als er sich hastig durch das Gestrüpp arbeitete, sah er die Umrisse des Gleiters durch eine schmale Lücke im Blätterdach des Dschungels. Es fiel ihm leicht, sich die Überraschung des Piloten beim Anblick des frisch entstandenen Schwarzschild-Feldes vorzustellen. Einen Augenblick lang stockte ihm der Atem bei dem Gedanken, das Fahrzeug werde einfach umkehren und wieder zurückfliegen. Aber seine Befürchtung erwies sich als grundlos. Der Gleiter sank langsam nach unten und setzte am äußersten Rand der Lichtung auf.

Stoke ging hinter einem zerzausten Gestrüpp in Deckung. Er war nicht weiter als fünfzehn Meter von der Lichtung entfernt, und das gelandete Fahrzeug lag in seinem Blickfeld.

Er sah zwei schwerbewaffnete Männer aussteigen, als er das Geräusch zweier weiterer Motoren hörte.

5.

Das Beben ging so schnell vorüber, dass Stav eine Zeit lang nicht recht wusste, ob er sich das Ganze nicht nur eingebildet hatte. Er erinnerte sich, einen kräftigen Ruck gespürt zu haben, der ihn zur Seite schleuderte, und wenige Sekunden später einen zweiten, schwächeren, der ihn halbwegs wieder aufrichtete. Das war alles. Der Zwischenfall war geräuschlos verlaufen.

Als er auf die Ringstraße einbog, erkannte er, dass er sich nicht getäuscht hatte. Das Beben war wirklich gewesen. Von überall her erschienen Leute, schreiend und mit den Armen fuchtelnd. Erdbeben waren auf Karson etwas völlig Unbekanntes. Selbst wenn die Erschütterungen keinen materiellen Schaden angerichtet hatten, die Leute in Karson-Main würden sich eine Zeit lang nicht darüber beruhigen können.

Stav hielt den Wagen an, als er die erste Gruppe heftig diskutierender Bürger erreichte, und stieg aus. Sie waren so erregt, dass sie ihn erst bemerkten, als er sich mitten unter ihnen befand.

»He, was ist los?«, rief er ihnen zu. »Hat euch das bisschen Gewackel so außer Rand und Band gebracht?«

Sie wandten sich ihm zu. Ein älterer Mann fragte in fast flehendem Tonfall: »Stav, was hat das zu bedeuten? Sag's uns! Sind wir noch sicher?«

Stav legte ihm die Hand auf die Schulter. »Völlig sicher«, antwortete er und stellte mit Verwunderung fest, dass es ihm leicht fiel, einen gütigen, väterlichen Tonfall anzuschlagen.

»Woher weißt du das, Stav?«, meldete sich eine Stimme aus dem Hintergrund.

»Weil ich selber schon eine Menge Erdbeben erlebt habe«, dröhnte Stav.

»Hier auf Karson?«

»Nein, zu Hause auf der Erde.«

»Das ist was anderes! Hier auf Karson soll es keine Erdbeben geben. Und wenn es doch welche gibt, dann ist etwas falsch.«

»Du bist ein Holzkopf«, schrie Stav wütend. »Die Natur lässt sich nicht vorschreiben, wo es Erdbeben geben soll und wo nicht. Das hier war nicht einmal ein Beben – nur ein kleiner Stoß. Und solange der Boden nicht wirklich zu wackeln anfängt, braucht ihr euch den Kopf nicht zu zerbrechen.«

»Steht das zu befürchten, Stav?«, fragte der alte Mann vor ihm. »Dass es wirklich anfängt zu wackeln?«

»Nein, natürlich nicht«, brummte Stav und wischte sich den Schweiß von der Stirn.

»Er weiß das ganz genau!«, höhnte die Stimme aus dem Hintergrund. »Guter, alter Stav – er weiß immer alles.«

Stav suchte nach dem Schreier, konnte ihn aber nicht finden. Die Menge hatte sich vergrößert und war in dauernder, schiebender Bewegung. Er selbst stand fast in der Mitte des Haufens.

»Stav«, begann der Alte wieder, »hat das Beben etwas mit den Feldern zu tun?«

Stav hatte schon angefangen zu hoffen, diese Frage bliebe ihm erspart. Er hatte keine Bedenken, Leute zu belügen, solange er ihnen damit nützte. Aber hier war die Lage anders. Er war seiner Sache nicht sicher, und wenn das Beben wirklich etwas mit den Feldern zu tun hatte, dann war die Gefahr wirklich groß, und es wäre unter Umständen besser, es den Leuten gleich klarzumachen.

Er entschied sich dagegen.

»Es besteht nicht der geringste Anhaltspunkt für eine solche Vermutung«, antwortete er dem Alten und so laut, dass jeder ringsum es hören konnte.

»Das heißt, er weiß es nicht!«, schrie der Spötter.

Diesmal hatte Stav aufgepasst. Der Schreihals war ein junger, blondhaariger Mann. Er war erst seit einem Jahr auf Karson, und Stav hatte ihn im Verdacht, dass er insgeheim für Rich Leven tätig war. Stav arbeitete sich mit schwingenden Armen durch die Menge. Der Blonde erriet, worauf er aus war, und versuchte, sich zu verdrücken. Aber Stav war im Behandeln dicht gedrängter Menschenmassen entschieden der Erfahrenere. Er erwischte sein Opfer beim Kragen, noch bevor es weiter als zwei Schritte vorwärtsgekommen war.

»Du weißt also alles besser, Lazzak«, dröhnte er. »Du bist ganz genau darüber informiert, dass das Erdbeben nur der Vorläufer einer Riesenkatastrophe ist, wie?«

Lazzak war einen halben Kopf größer als Stav, aber im Augenblick sah es nicht so aus, als könnte er daraus einen Vorteil ziehen. Schlapp und ängstlich hing er in Stavs hartem Griff.

Mit kläglicher Stimme antwortete er: »Nein, Stav, natürlich nicht. War doch nicht so gemeint. Ich – ich wollte nur ein bisschen Spaß machen.«

Die Leute wichen zur Seite. Stav gab Lazzak einen Stoß, dass er durch die hastig sich öffnende Gasse davontaumelte. Stav ging hinter ihm her.

»Lass dir einen guten Rat geben, Freundchen«, knurrte er ihn an. »Lass dich nicht erwischen, wie du in der Stadt herumschleichst und den Leuten Angst einzujagen versuchst. Sonst bist du schneller im Kittchen, als du bis drei zählen kannst – und diesmal kommt kein Rich Leven mehr, um die Zelle aufzubrechen.«

Lazzak schlich davon, ohne ein Wort zu sagen. Stav wandte sich an die Menge.

Mit beschwörender Stimme rief er: »Glaubt mir, es besteht kein Grund zur Furcht! Geht nach Hause und ruht euch aus, damit ihr beizeiten wieder an die Arbeit könnt!«

Die Menge zerstreute sich zögernd. Stav schwang sich wieder in den Wagen und fuhr davon. Auf dem Weg nach Hause sah er noch eine Reihe anderer Gruppen, die sich an den Straßenrändern gebildet hatten und heftig diskutierten. Aber er hielt nicht mehr an. Er war müde und zerschlagen. Er hatte die Nase voll, die Leute dauernd mit Lügen und Vermutungen abzuspeisen, weil er selbst nicht wusste, was los war.

Wenn nur Derringer da gewesen wäre!

Als er zu Hause ankam, wartete Thurell Franz auf ihn. Thurell hockte auf den Stufen neben der Eingangstür und starrte verdrießlich vor sich hin auf den Boden. Sein Wagen stand ein Stück weiter oberhalb der Straße.

»Was suchst du hier?«, begrüßte Stav ihn ungnädig. »Pepe leitet zur Zeit die Amtsgeschäfte.«

»Das weiß ich«, winkte Thurell ab, stand auf und wischte sich den Staub vom Hosenboden. »Aber Pepe sagt, er hätte von Tuten und Blasen keine Ahnung, und ich sollte mich gefälligst an dich halten.«

Stav war stehengeblieben. Er machte keine Anstalten, Thurell ins Haus zu lassen. Er wäre ihn sonst vor Ablauf von drei Stunden nicht wieder losgeworden.

»Also schön – worum geht's?«

»Rich Leven«, knurrte Thurell. »Ich fürchte, er ist uns endgültig durch die Lappen gegangen, und wenn wir ihn trotzdem noch fangen wollen, müssen wir endlich eine Taktik ausarbeiten, wie das normale Polizisten sonst tun.«

»Keine Spur von ihm?«

»O doch. Die Leute von On-Meander und South sahen ihn nach Südwesten fliegen – mitten in den Tiefland-Dschungel hinein.«

Stav sagte etwas Unanständiges.

»Es hat keinen Zweck, dass wir ihn dort verfolgen«, fuhr Thurell fort. »Es gibt Millionen von Verstecken. Er brauchte sich nur unter einem Baum zu verbergen, und wir werden ihn unser Lebtag lang nicht finden.«

Stav wusste das. Der Tiefland-Dschungel war unerforschtes Gebiet. Kein Mensch außer den Beamten des Experimentalkommandos hatte es für nötig gehalten, den Fuß in die dampfende, sumpfige Wildnis zu setzen. Es war das ideale Versteck für jeden, der aus dem Siedlungsbereich flüchten musste. Allerdings …

»Allerdings«, sagte Thurell, »wird er es dort nicht für immer aushalten können. Er braucht Proviant, und außerdem ist er auf Geschäfte aus, die er von seinem Dschungelloch aus nicht tätigen kann. Er wird also bald wieder zum Vorschein kommen. Und dann, meine ich, sollten wir bereitstehen, um ihn zu schnappen.«

Stav nickte. »Ja, das ist richtig.«

Er legte Thurell die Hand auf die Schulter und brachte ein müdes Grinsen zuwege. »Mach dir einen Plan zurecht und lass mich darüber hören, wenn du so weit bist.«

»Aha. Und was hast du jetzt vor?«

Stav zog die Brauen in die Höhe.

»Schlafen«, antwortete er und unterstrich seine Absicht mit einem herzhaften Gähnen.

»Schlafen«, brummte Thurell, »während die Welt in Flammen steht. Ich habe mich stundenlang da draußen herumgetrieben und mir einen trockenen Hals geholt. Wenigstens einen Drink könntest du deinem treuesten Polizisten anbieten.«

Stav stapfte auf die Tür zu.

»Dann komm schon rein, du Nassauer«, ächzte er.

Drei Stunden und ein Dutzend Gläser später hatten sie die Anfänge des Plans ausgearbeitet, der darauf abzielte, Leven zu fassen.

Stoke drückte sich noch ein paar Meter tiefer ins Gestrüpp. Es ließ sich vorerst noch nicht sagen, ob die Ankunft zweier weiterer Gleiter sein Vorhaben erschwerte; aber ihm persönlich wäre es lieber gewesen, wenn er es nur mit zwei Männern zu tun gehabt hätte.

Er schaute nach oben und sah, dass eines der beiden neuankommenden Fahrzeuge Rich Levens schwerer Continental war. Die beiden Männer, die aus dem ersten Wagen gestiegen waren, warteten am Rand der Lichtung. Stoke wusste nicht recht, was er von der ganzen Sache halten sollte. Warum kam Leven mit drei Gleitern angeflogen? Um sich um den Gefangenen zu kümmern, hätten zwei oder drei Leute genügt. Wozu also das Aufgebot?

Die beiden Fahrzeuge landeten. Fünf Männer stiegen aus, drei aus Levens Continental und zwei aus dem anderen Gleiter. Sie blieben neben den Wagen stehen und betrachteten die milchige Wand des Schwarzschild-Feldes. Stoke hörte sie miteinander sprechen, aber er konnte nicht verstehen, was sie sagten.

Schließlich wandten sie sich um und stapften durch den Dschungel auf die Treppe zu, die zum Labor hinunterführte. Einer der Leute, dicht neben Leven gehend, war ein kleiner, ältlicher Mann. Der Beschreibung nach musste er Alo Perritt sein, der mit Leven zusammen gegen Stav arbeitete.

Stoke hörte ihn sagen: »... gar nicht einverstanden. Ich lasse mir dies und jenes zuschulden kommen, um ein gutes Geschäft zu machen. Aber offenen Aufstand, das nehme ich nicht auf mein Konto.«

Es klang sehr erregt.

Leven antwortete: »Sie werden sich nicht mehr lange den Kopf darüber zerbrechen müssen.«

So, wie er es sagte, sah Alo Perritt keiner rosigen Zukunft entgegen. Aber der Alte war viel zu aufgeregt, um die Drohung in Levens Worten zu spüren. Und Stoke hatte keine Zeit mehr, sich um derlei nebensächliche Dinge zu kümmern. Die Spitze der Gruppe hatte das obere Ende der Treppe fast schon erreicht, und das Ende zog soeben vor seinem Versteck vorbei.

Er kroch nach vorne, um eine bessere Übersicht zu haben. Dabei stellte er mit Schrecken fest, dass Leven einen Mann bei den Fahrzeugen zurückgelassen hatte. Befürchtete er Schwierigkeiten? Der Mann saß unter den Bäumen am Rande der Lichtung, das Gesicht der Wand des Schwarzschild-Feldes zugewandt. Wenn er so sitzenblieb, hatte Stoke immer noch eine Aussicht auf Erfolg.

Nur die Zeitspanne, die ihm verblieb, um sich in den Besitz eines Fahrzeugs zu bringen, verringerte sich. Es brauchte nur der Erste von Levens Leuten die offenen Türen zu bemerken, und er war erledigt.

Er musste die Wache überwältigen, bevor sie bemerkten, dass er entkommen war.

So rasch er konnte, arbeitete er sich durch das Buschwerk vorwärts. Nur einmal warf er einen raschen Blick nach hinten. Schon zwei von Levens Leuten waren inzwischen die Treppe hinabgestiegen. Er hatte nur noch ein paar Sekunden Zeit.

Er war noch acht Meter von dem immer noch ahnungslosen Wächter entfernt, als er beim Vorwärtskriechen mit der Hand gegen einen Stein von beachtlichem Ausmaß stieß. Er packte das Felsstück mit beiden Händen und hob es aus der weichen Erde. Sofort sah er seine Chance. Er schob sich noch zwei Meter weiter vorwärts, dann richtete er sich auf. Er war jetzt fast völlig ohne Deckung. Wenn sich einer von denen bei der Treppe zufällig umdrehte, musste er ihn sehen.

Aber darauf kam es jetzt nicht mehr an. Es ging nur noch darum, wie gut er werfen konnte.

Mit beiden Armen stieß er den Stein von sich. Im letzten Sekundenbruchteil schien der Wächter zu fühlen, dass hinter ihm nicht alles mit rechten Dingen zuging. Stoke sah, wie er die linke Hand gegen den Boden stemmte, um sich aufzurichten. Aber er kam nicht mehr dazu. Der Stein traf ihn und schleuderte ihn vornüber.

Mit drei, vier hastigen Sätzen war Stoke bei ihm. Noch hatte von Levens Gruppe niemand etwas bemerkt. Er nahm dem Wächter die Waffe ab und nahm sich einen Augenblick Zeit, die Wunde an seinem Schädel zu untersuchen. Er würde eine Gehirnerschütterung davontragen, vielleicht sogar einen Schädelbruch; aber es würde ihm nicht ans Leben gehen.

Stoke richtete sich auf und musterte die drei Fahrzeuge. Dabei fiel ihm auf, dass der Rand der Lichtung sich zu senken begonnen hatte. In unmittelbarer Nähe der Felswand war von dem dichten, grünen Graswuchs, der noch vor wenigen Stunden die ganze Lichtung bedeckt hatte, nichts mehr zu sehen. Der Sog des Feldes hatte die Erde aufgewühlt und das Unterste zuoberst gekehrt. Und je mehr Boden das Feld verschlang, desto tiefer senkte sich die Umgebung.

Irgendwo hinter ihm ertönte ein wütender, heiserer Schrei. Sie hatten entdeckt, dass er entflohen war. Er hörte Rich Leven voller Aufregung hastige Befehle brüllen, und Schritte kamen brechend und knisternd durch das Gestrüpp des Dschungels.

Levens Continental stand unmittelbar vor ihm. Er öffnete den Einstieg und schwang sich hinein. Innerhalb einer Sekunde hatte er das Triebwerk auf Touren. Wie von der Sehne geschnellt, schoss das kräftige Fahrzeug in die Höhe. Stoke beschrieb eine enge Kurve, um von der tückischen Hülle des Schwarzschild-Feldes freizukommen. Der Gleiter neigte sich zur Seite, und er konnte den Rand der Lichtung überblicken.

Zwei Männer stürzten aus dem Dschungeldickicht hervor. Einer von ihnen trug eine schwere Automatik. Er brachte sie in Anschlag und feuerte. Aber Stoke hatte den Gleiter im selben Augenblick zur Seite gerissen. Die Salve fauchte harmlos zehn Meter seitwärts vorbei, und im nächsten Augenblick hatte er sich über dem fast undurchdringlichen Blätterdach des Waldes in Deckung gebracht.

Er hatte es geschafft. Er hatte dem Gegner das leistungsfähigste Fahrzeug abgenommen und brauchte sich vor einer Verfolgung nicht zu fürchten. Er war nicht einmal sicher, ob Leven seine Leute hinter ihm herschicken würde. Er musste wissen, dass er damit nichts erreichte. Ein Continental hängte jeden anderen Gleiter im Handumdrehen ab.

Stoke hatte gesehen, dass Leven und seine Leute aus nordöstlicher Richtung gekommen waren. Wenn er voraussetzte, dass sie keinen Grund gehabt hatten, einen Umweg zu nehmen und jemand über ihren wahren Kurs zu täuschen, dann konnte er mit einiger Gewissheit erwarten, irgendwo im Nordosten auf besiedeltes Gebiet zu stoßen.

Die Sonne hatte sich tief auf den Horizont herabgesenkt. Noch zwei oder drei Stunden, und es würde dunkel werden. Stoke schaltete das Triebwerk auf Höchstleistung und ließ den Gleiter knapp fünfzig Meter über den Wipfeln der Bäume dahinschießen. Die gelungene Flucht erfüllte ihn mit einem Gefühl wohlverdienten Triumphs, und er freute sich darauf, Corneil Stavalone, der anscheinend noch nicht die richtige Meinung von ihm hatte, sein Husarenstück zu berichten.

Er war dabei, sich Stavs Reaktion auszumalen – sein spöttisches Genörgel und seine knurrend und widerwillig vorgebrachte Anerkennung –, als ihm die Idee kam.

Die Idee, nach der er die ganze Zeit über gesucht hatte. Plötzlich war sie da, fertig und ausgegoren, als hätte jemand anders sie für ihn gedacht und sie ihm in den Verstand gelegt.

Sein Triumph war sofort dahin. Er stieß einen kräftigen Fluch aus und musterte zum zweiten Mal, diesmal sorgfältiger, den Stand der Sonne. Noch zweieinhalb Stunden. Dann war es dunkel. Bis dahin musste er seinen Plan ausgeführt haben, oder es war zu spät.

Einen Augenblick lang war er versucht, den Bordsender des Fahrzeugs in Betrieb zu nehmen und sich mit Stav in Verbindung zu setzen. Er entschied sich dagegen. Es war möglich, dass es im Labor einen Monitor gab, der auf die Sendefrequenz des Continental abgestellt war, und in diesem Falle würde Rich Leven das Gespräch abhören. Und selbst wenn ihm das nicht gelang, konnte der Funkspruch unter Umständen immer noch mehr Schaden als Nutzen bringen, weil Stoke keine Ahnung hatte, wie Corneil Stavalone auf seinen Anruf reagieren würde. Wenn er seine Streitmacht aufrief und einen konzentrierten Angriff gegen Levens verstecktes Labor in Gang brachte, war alles verloren.

Stoke fand sich damit ab, dass er auch weiterhin alleine und auf sich selbst gestellt arbeiten musste, und wendete das Fahrzeug, wobei er gleichzeitig tiefer ging, bis der Boden des Gleiters die Wipfel der Bäume fast berührte. Er drosselte die Geschwindigkeit bis auf fünfzig Kilometer pro Stunde und legte sich seinen Plan zurecht.

Er musste die beiden Kugeln und deren Inhalt in die Hand bekommen. Er hatte eine ganz bestimmte Vorstellung, wie er die Gefahr, die Karson drohte, abwenden konnte. Er war seiner Sache nicht völlig sicher, aber sie schien ihm einen Versuch wert, solange sich die Lage noch nicht zur Katastrophe entwickelt hatte. Um seinen Plan ausführen zu können, musste er Rich Leven die Kugeln und ihren Inhalt abjagen.

Das war das Problem, dem er im Augenblick gegenüberstand. Levens Gruppe bestand aus sieben Männern. Blieben sechs, wenn er den Verwundeten abrechnete, und fünf, wenn er in Betracht zog, dass Alo Perritt nicht der begeistertste Kämpfer für Levens Sache war. Aber selbst fünf Mann waren zuviel gegen einen einzigen.

Stoke sah sich um. Das Fahrzeug bewegte sich auf gleichbleibender Höhe, und die Strecke voraus war frei von Hindernissen, sodass er seine Aufmerksamkeit nicht ununterbrochen auf das Steuer zu konzentrieren brauchte. Levens Continental war mit erlesenem Geschmack eingerichtet. Er bot insgesamt neun Passagieren Platz, jedem auf einem individuellen, schwenk- und drehbar gelagerten Sessel. Die Sessel waren mit rotem Leder überzogen, das aus dem Fell einheimischer Tiere gefertigt war.

Der Sitz des Piloten war abseits von den Sesseln der Passagiere angebracht. Der Pilot kommandierte eine Schalttafel, die der eines kleinen Raumschiffs nahekam. Stoke nahm an, dass Levens Chauffeur, den er von der Erde mitgebracht hatte, einen eingehenden Trainingskurs hatte mitmachen müssen, um sich mit der Unzahl von Schaltungen vertraut zu machen.

Irgendwo in diesem Wust von Geräten und Instrumenten musste es etwas geben, das Stoke bei dem geplanten Attentat auf Levens Labor benutzen konnte.

Er überflog die Reihen beschrifteter Täfelchen, die die Funktion jedes Schalters, jedes Knopfes und jeder Messskala erläuterten. Er fand einen Hebel mit der Aufschrift *Flares*. Eine Bewegung des Hebels löste Signalraketen aus, wie sie von in der Wildnis gestrandeten Fahrzeugen zur Kenntlichmachung ihrer Position benutzt wurden. Stoke dachte ein paar Augenblicke nach und kam zu dem Schluss, dass er sein erstes Utensil soeben gefunden hatte.

Die Möglichkeiten des Armaturenbretts schienen damit erschöpft, denn solange er auch suchte, er fand nichts mehr, das er hätte verwenden können. Inzwischen war der Gleiter so weit nach Südwesten gelangt, dass der automatische Distanzmesser, der beim Start auf Null gestanden hatte, der Nullmarke wieder bedenklich nahe kam. Er war nicht weit vom Ausgangsort seiner etwas konfusen Reise entfernt. Das Messgerät gab eine Distanz von weniger als vier Kilometern an. Es war Zeit, dass er sich in Deckung begab.

Nachdem er die Richtung, in der Levens Labor lag, mithilfe des Distanzmessers genau festgelegt hatte, bugsierte er den Gleiter durch eine kleine Öffnung im Blätterdach des Waldes auf den Dschungelboden hinunter. Er landete in dichtem, rotblättrigem Gestrüpp, und das Fahrzeug kam trotz seines Gewichts infolge des Widerstands schräg zu liegen.

Mithilfe der Werkzeuge, die er in der Reparaturkassette fand, nahm er die Seitenverkleidung des Schaltpults ab. Indem er den Leitungen folgte, die vom *Flare*-Hebel ausgingen, fand er den Behälter mit Signalraketen. Er leerte ihn und breitete die Raketen sorgfältig nebeneinander auf dem Boden aus.

Als er die Werkzeuge zurücklegte, machte er eine weitere Entdeckung. Unter der Reparaturkassette befand sich ein weiterer Behälter, der zwei Sprengkapseln aus konventionellen Explosivstoffen enthielt. Das Material war plastisch und konnte nach Belieben geformt werden. Die Kapseln gehörten zu jener Sorte von Dingen, die einem zustattenkamen, wenn ein Hindernis aus dem Wege geräumt werden musste und der Einsatz eines Strahlers aus irgendeinem Grunde nicht ratsam war.

Stoke war von seinem Fund begeistert. Mit den Raketen, den Kapseln und dem erbeuteten Strahler ausgerüstet, hatte er eine vernünftig hohe Aussicht auf Erfolg. Wenn ihm noch ein bisschen Glück beschieden war, dann musste er sein Ziel erreichen können.

In aller Eile begann er, die Signalraketen auseinanderzunehmen und ihren Inhalt in einem der Reparaturkassette entnommenen Kästchen zu sammeln.

Zum ersten Mal, seit seine Leute ihn kannten, war Rich Leven alles andere als der kühl kalkulierende, überlegene Mann, der jede, selbst die verfahrenste Situation sofort unter Kontrolle brachte.

Es war ihm völlig rätselhaft, wie sein Gefangener hatte entkommen können. Er hielt die Türen mit ihren altmodischen elektronischen Schlössern für völlig sicher; aber Stoke Derringer hatte, bevor er sich aus dem Staub machte, nicht nur seine Zellentür und den Hauptausgang, sondern offenbar auch noch ein paar andere Türen geöffnet, wie der sorgsam aufgebaute Inhalt der Kugeln bewies.

Was die eigentliche Flucht anging, so hatte er ganz einfach unverschämtes Glück gehabt. Der Mann bei den Gleitern hatte nicht richtig aufgepasst, und Derringer war in den Besitz eines Fahrzeugs gelangt. Es wurmte Leven, dass er sich ausgerechnet seinen Continental ausgesucht hatte.

Leven hielt nichts davon, Derringer zu verfolgen. Erstens war er mit dem Continental jedem Verfolger überlegen, und zweitens konnte er ohnehin keinen Schaden anrichten. Er würde Stav die Lage des geheimen Labors verraten, und Stav würde in aller Eile eine Streitmacht ausrüsten, um den vermeintlichen Schlupfwinkel mitsamt seiner Besatzung zu vernichten. Bis dahin jedoch wollte Rich Leven schon längst woanders sein.

Er ließ einen seiner Leute einen Baum erklettern und Derringers Abflug beobachten. Wie er erwartet hatte, hielt Derringer sich in nordöstlicher Richtung – er hatte sie schließlich kommen sehen – und hatte es ungeheuer eilig. Leven rechnete, dass er Karson-Main in siebzig bis achtzig Minuten erreichte. Um Stav zu finden und ihn in Kenntnis zu setzen, brauchte er mindestens eine weitere halbe Stunde. Stav seinerseits brauchte Zeit, um seine Polizeitruppe zu alarmieren, zu bewaffnen und in Marschbereitschaft zu versetzen. Knapp gerechnet, anderthalb Stunden. Der Flug zum Labor dauerte noch einmal so lange. Leven rechnete sich aus, dass kein Grund bestand, seinen ursprünglichen Plan zu ändern. Sie würden das Labor nach Anbruch der Dunkelheit verlassen.

Er ließ den Mann, der auf den Baum gestiegen war, als Wache am oberen Ende des Treppenschachts. Er selber kehrte in die Laborhalle zurück, wo zwei seiner Leute damit beschäftigt waren, den Verwundeten zu verarzten. Alo Perritt stand vor dem Tisch, auf dem Derringer die Einzelteile des Kugelinhalts aufgebaut hatte, und bestaunte die fremdartigen Erzeugnisse einer unbekannten Technik. Er hörte Leven neben sich treten und sah auf.

»Das also«, sagte er beinahe ehrfürchtig, »ist Ihr Geheimnis?«

»Das«, antwortete Leven, »ist mein Geheimnis.«

»Wie sind Sie dazu gekommen?«

Er sah Leven an und bemerkte, dass er eine Sekunde lang zögerte.

Dann trat ein amüsanter Ausdruck in sein Gesicht, und er sagte: »Ich denke, es kann nicht viel schaden, wenn Sie alles erfahren. Ich fand die beiden Kugeln durch Zufall. Das war an dem Tag, bevor Pavl Arransch das erste Halbkugelfeld entstehen sah. Die Kugeln lagen auf einem flachen Stück Land in der Nähe der Küste, und man konnte sie weithin sehen. Ich nahm sie auf und brachte sie nach Hause. Damals wusste ich noch nicht, was ich damit anfangen könnte, aber das geringe Gewicht faszinierte mich. Ich stellte fest, dass das Gebilde sich leicht auseinandernehmen ließ. Ich studierte den Inhalt, und da ich einige Fachkenntnisse besitze, kam ich ziemlich bald dahinter, was es mit den Kugeln auf sich hatte. Ich konnte mir ziemlich leicht zusammenreimen, dass die Halbkugelfelder mit den Kugeln zu tun hatten – das heißt: von den Kugeln erzeugt wurden.«

»Phantastisch«, murmelte Alo. »Und wozu das alles?«

Leven zuckte theatralisch mit den breiten Schultern.

»Das weiß ich nicht«, gab er zu. »Aber es spielt auch keine Rolle. Hauptsache ist, dass die Felder eines Tages wieder verschwinden werden. Wenn es uns gelingt, das darunterliegende Land rechtzeitig aufzukaufen, sind wir reiche Leute, sobald der Spuk vorüber ist.«

»Ja, das sagten Sie schon«, meinte Alo nervös. Er trat einen Schritt zur Seite und sah unsicher zu Boden, als hätte er nicht den Mut, Leven ins Gesicht zu sagen, was er auf dem Herzen hatte. »Ich bemerkte vorhin schon, dass ich mir dies und jenes zuschulden kommen lasse, um ein gutes Geschäft zu machen, aber …«

»Oh«, lachte Leven, »machen Sie sich keine Sorgen. Wenn ich *wir* sage, meine ich meine Leute und mich. *Sie* sind längst aus dem Spiel!«

Verblüfft starrte Alo Perritt ihn an. Leven wirkte amüsiert. Alo war im Umgang mit Menschen trotz seines Alters zu unerfahren, um den harten, unerbittlichen Schimmer in seinen Augen zu erkennen.

»Wie – wie meinen Sie das?«, stotterte er.

Leven deutete mit dem Daumen über die Schulter.

»Sie sagten dort draußen, dass Sie mit meiner Handlungsweise nicht einverstanden sind. Richtig?«

Alo nickte automatisch.

»Gut. Ich kann niemand brauchen, der mich kritisiert. Nicht, weil ich selbstherrlich bin. Sondern weil ich weiß, dass meine Taktik die einzige ist, die zum Ziel führt.«

Alos Entschluss war gefasst. Schön, er war innerhalb weniger Sekunden um die Aussicht auf einige Millionen Solar ärmer geworden. Und Stav würde sich halb zu Tode lachen – und ganz Karson-Main mit ihm –, wenn er demütig zu Kreuz gekrochen kam und seine Verbindung zu Rich Leven öffentlich aufsagte. Aber wenigstens kam er ohne Blut an den Fingern davon. Wenigstens brauchte er das Risiko nicht eingehen, als Aufrührer und Mörder vor Gericht gestellt zu werden, falls Levens Anschlag misslang.

»Schön«, sagte er, und seine Stimme klang beinahe befriedigt, »dann lassen Sie mich eben gehen. Ich habe keine Forderungen an Sie, und Sie keine an mich.«

Wieder lachte Rich Leven. Diesmal wollte er sich ausschütten vor Heiterkeit, aber selbst Alo entging der falsche Ton nicht, der in seinem Lachen mitschwang.

»Alo, Sie sind köstlich«, stieß er schließlich hervor.

»Warum?«, erkundigte sich Alo, und Angst schnürte ihm die Kehle zu.

»Sie wissen zuviel, Alo«, sagte Leven und beugte sich nach vorne, sodass er Alos runzliges Gesicht dicht vor sich hatte. »Ich lasse Sie laufen, und Sie erzählen Stav genug, dass er mich dreimal in sein verfluchtes Gefängnis werfen kann. Außerdem hat er für die Gerichtsverhandlung noch einen Zeugen.«

Alo wich zurück.

»Mein Gott«, stammelte er, »das ist nicht mehr, als er jetzt schon hat. Sie wollten Stav kidnappen, und Sie haben mich aus dem Gefängnis befreit. Dafür gibt es ein ganzes Dutzend Zeugen. Wie könnte ich die Sache noch schlimmer machen – selbst wenn ich reden wollte?«

Leven schnitt ihm mit einer scharfen Handbewegung das Wort ab.

»Egal!«, erklärte er kalt. »Sie sind gegen mich, und wer sich gegen mich stellt, wird beseitigt.«

Noch weigerte sich Alo, an das Fürchterliche zu glauben. Leven klang viel zu theatralisch, als dass er es ernst meinen könnte.

»Rich, das meinen Sie nicht im Ernst!«, flehte er.

Leven lächelte spöttisch. »So?« Er wandte sich zur Seite. »Kotty!«

Einer der beiden, die sich um den Verwundeten kümmerten, stand auf.

»Komm her!«, befahl Leven.

Kotty kam um die Reihe der Tische herum. Er war ein kleiner, gedrungener Mann mit strähnigen, schwarzen Haaren, die ihm ins Gesicht fielen, sodass seine Stirn unnatürlich flach erschien.

»Dieser Mann ist uns im Weg, Kotty«, sagte Leven kalt und deutete auf Alo Perritt.

Kotty griff unter die Jacke und brachte einen kleinen, plumpen Strahler zum Vorschein. Ohne seinen Gesichtsausdruck auch nur um die winzigste Nuance zu verändern, richtete er den Lauf auf Alo Perritt.

Das war zuviel für Alo. Er knickte in der Mitte ein und fiel vornüber. Das Gesicht ängstlich gegen den Boden gepresst, schrie er: »Nein, nein! Ihr könnt mich nicht umbringen. Ich habe nichts getan! Ihr müsst mich laufenlassen.«

»Wir lassen niemand laufen«, sagte Leven und zündete sich eine Zigarette an.

Alo, dem das Ausbleiben des tödlichen Schusses einen Funken neuen Mutes verliehen hatte, hob den Kopf.

»Ich bleibe«, stieß er hervor, und die unnatürliche Haltung strengte ihn so sehr an, dass die Adern an der Seite des Halses dunkelblau hervortraten. »Ich bin immer noch für euch.«

»Das glaubt dir keiner mehr«, spottete Leven. »Du willst nur Zeit gewinnen.«

»Ich werde es beweisen«, kreischte Alo. »Sobald ich kann, werde ich es beweisen.«

Leven schien ein paar Sekunden lang nachzudenken. Dann gab er Kotty einen Wink. Alo befürchtete das Schlimmste und stieß einen heulenden Schrei aus.

Leven sagte: »Wir wollen ihm auf den Zahn fühlen, Kotty. Binde ihn und leg ihn dort hinten in die Ecke.«

Kotty schob den Strahler wieder in die Tasche. Aus einer anderen Tasche zog er eine Rolle fadendünner, unzerreißbarer Plastikschnur. Mit einer Geschicklichkeit, die den Fachmann kennzeichnete, rollte er sie ein paar Mal um Alo Perritts schmächtigen Körper und verwandelte den so kürzlich in Ungnade Gefallenen in ein Paket, das er lässig und ohne Anstrengung aufnahm und in der von Leven bezeichneten Ecke deponierte. Alo sprach kein Wort.

Rich Leven hatte den Vorgang beobachtet. Als Kotty zurückkehrte, sah er ihn unter die Jacke greifen und die Brauen fragend in die Höhe ziehen.

»Später, Kotty«, sagte er leise. »Später. Vorerst gibt es Wichtigeres.«

Auf einen Wink hin brachte Kotty einen kistenförmigen Behälter, den er vor der Tischreihe abstellte. Eigenhändig und mit äußerster Sorgfalt begann Leven, die auf dem Tisch aufgereihten Geräte hinein zu sortieren. Als er fertig war, stand Kotty mit einer Plastikplatte bereit, die genau in die Kiste passte und die wertvollen Instrumente abdeckte. Auf die Platte legte er die beiden Kugelhälften, die Stoke Derringer auf dem Tisch zurückgelassen hatte. Danach holte er aus dem Raum, in dem Derringer gefangen gewesen war, die zweite Kugel mit dem rohrförmigen Mittelstück und packte sie ebenfalls in die Kiste. Leven schloss den Deckel und sah sich befriedigt um.

»So«, sagte er. »Jetzt brauchen wir nur noch zu warten, bis es dunkel wird. Wenn Stav hier ankommt, wird er ein leeres Nest finden. Und sobald er nach Karson-Main zurückkehrt, erlebt er sein blaues Wunder.«

Stoke fand den Weg durch den Dschungel leichter, als er sich vorgestellt hatte. Das dichte Blätterdach der Bäume schloss die Sonne so nachhaltig aus, dass sich das Unterholz an den meisten Stellen nur spärlich entwickeln konnte. Er kam ziemlich schnell voran, musste einen Sumpf von mäßiger Ausdehnung umgehen und ein Tier, das wie eine Kreuzung zwischen Schlange und Eidechse aussah und ihn von einem niedrigen Ast herab angreifen wollte, mit dem Strahler töten.

Eine Stunde vor Sonnenuntergang sah er zum ersten Mal die milchige Wand des Schwarzschild-Feldes durch das Laubwerk scheinen, und von da an bewegte er sich mit äußerster Vorsicht. Er schlug einen weiten Bogen um die Stelle, an der der Eingang zum Labor lag, und stieß schließlich vom Norden her auf die Lichtung, die die Wand des Feldes der Länge nach durchschnitt.

Inzwischen hatte das Feld fortgefahren, den Boden in seiner Nachbarschaft aufzusaugen. Vom Rand bis zur Feldwand verlief mittlerweile ein ziemlich steiler Abhang, und Stoke konnte, wenn er lange genug stehenblieb, deutlich sehen, wie sich die graubraune Erde in dauernder Bewegung befand.

Levens Leute hatten die beiden Gleiter ein Stück den Abhang hinaufgefahren, um sie aus der Gefahrenzone zu entfernen. Sie standen inmitten des Gebüschs, das am Rand der Lichtung Sonnenlicht genug empfing, um unter den Bäumen so dicht wie eine solide Wand zu wachsen.

Stoke schob sich vorsichtig den Hang hinauf. Durch das wuchernde Gebüsch führte ein schmaler Pfad, den er benutzt hatte, als es ihm zum ersten Mal gelungen war, das Labor zu verlassen. Er gelangte zu der Stelle, an der er in Deckung gegangen war, als er Leven und seine Leute an sich vorbeigelassen hatte. Von dort aus konnte er die Umgebung bis zum Laboreingang übersehen.

Er bemerkte den Posten, den Leven am oberen Ende der Treppe aufgestellt hatte. Er hockte auf dem Boden, die Automatikwaffe zwischen die Knie geklemmt. Er sah nicht aus wie ein Mann, der seinen Auftrag für übermäßig wichtig hielt, und Stoke war damit zufrieden.

Er kehrte zur Lichtung zurück und entleerte den Inhalt des Kästchens zu beiden Seiten der geparkten Gleiter. Er schüttete das grauweiße Pulver, das er aus den Signalraketen gewonnen hatte, in einem breiten Band entlang des Randes der Lichtung aus und sorgte dafür, dass eine schmale Spur seitwärts abzweigte und in dem Gebüsch endete, in dem er Posten zu beziehen plante, sobald die Vorbereitungen abgeschlossen waren.

Obwohl er unter Zeitdruck stand, tat er alles sorgfältig und mit Bedacht. Viele Jahre Erfahrung hatten ihn gelehrt, dass kaum etwas katastrophalere Folgen haben konnte als Eile am falschen Platz.

Als er sich schließlich in seinem Versteck niederkniete, das Ende der dünnen, grauen Schnur nur eine Handbreit von seinem Knie entfernt, war er ziemlich sicher, dass Rich Leven in aller Kürze ein unerwartetes Schauspiel erleben würde.

Kotty kam aus dem Raum, in dem das Kraftwerk untergebracht war und in dem Stoke nur oberflächlich gesucht hatte. Kotty hatte beide Arme voll leichter und mittelschwerer Waffen und deponierte sie auf einem der Tische in der Halle.

»Kein Anzeichen dafür, dass er das Lager entdeckt hat«, sagte er.

Rich Leven nickte nachdenklich.

»Er war auf etwas anderes aus«, antwortete er. »Wahrscheinlich steckte er nur den Kopf hinein, sah den Generator und verschwand wieder.«

Kotty wies über den Tisch hinweg. »Wir sind fertig mit Grexall. Er wird in fünf oder sechs Stunden wieder zu sich kommen und fürchterliche Kopfschmerzen haben. Was jetzt?«

Leven sah auf die Uhr. »Noch anderthalb Stunden – dann ziehen wir ab.«

Die große Halle war still. Alo Perritt lag zusammengeschnürt in der Ecke und zog es vor, keine Aufmerksamkeit auf sich zu lenken. Einer von Levens Leuten stand in der Nähe des Ausgangs, und ein zweiter hockte neben Grexall, dem Verwundeten, auf dem Boden. Leven starrte vor sich hin.

»Sie sind völlig sicher, dass wir …«, begann Kotty.

Abrupt drehte Leven sich zu ihm um.

»Natürlich bin ich sicher!«, fauchte er. »Wir werden Karson-Main so schnell in der Hand haben, dass Stav gar nicht weiß, wie ihm geschieht.«

Sein Ärger verrauchte so schnell, wie er entstanden war. Er begann zu grinsen. »Und das Beste dabei ist – wir werden dabei immer noch als diejenigen dastehen, die einzig und alleine das Wohl der Siedlung im Auge haben.«

»Na schön, wenn Sie überzeugt sind«, murmelte Kotty und scharrte mit dem rechten Fuß auf dem Boden, als träte er eine Zigarette aus.

»Klar«, sagte Leven. »Noch zwanzig oder dreißig Stunden, und wir haben das Ziel erreicht.«

Kotty nahm eine Zigarette aus der Tasche und wollte sie sich zwischen die Lippen schieben, als er plötzlich ein eigenartiges Geräusch hörte. Es klang, als würde dünner Stoff zerrissen. Zögernd hielt die Zigarette Hand mit der Hand. Leven schien das Geräusch ebenfalls gehört zu haben. Er fuhr herum und starrte halb vornübergebeugt zum Ausgang.

Hastige Schritte kamen die Treppe heruntergepoltert. Die Tür flog auf. Das vor Angst verzerrte Gesicht des Wächters erschien im Lichtkreis der Deckenlampen.

»Feuer!«, brüllte er. »Eine Eruption! Dort draußen …!«

Kotty hatte sich schon in Bewegung gesetzt, und Leven kam dicht hinter ihm her. Der Mann, der sich um Grexall gekümmert hatte, schloss sich ihnen an. Sie stürmten die Treppe hinauf, und noch bevor sie oben ankamen, sahen sie den Widerschein der Flammenwand, die am Rand der Lichtung in bunten, glühenden Farben haushoch vom Boden aufzüngelte.

Leven zögerte eine Sekunde. Niemand konnte sagen, was in diesem Augenblick in seinem Kopf vorging. Erkannte er die Falle – oder war er bereit, das eigenartige Phänomen dem Einfluss des Schwarzschild-Feldes zuzuschreiben?

Gegen die Glut des Feuers zeichneten sich die Umrisse der beiden Gleiter deutlich ab. Wenn die beiden Fahrzeuge vernichtet wurden, waren Leven und seine Männer vom Rest des Planeten hilflos abgeschnitten. Was immer er auch in dieser Sekunde dachte, er hatte keine Wahl. Er musste fürs erste dafür sorgen, dass die Fahrzeuge erhalten blieben.

»Zu den Gleitern!«, schrie er. »Versucht, das Feuer aufzuhalten! Wenn ihr könnt, bringt die Fahrzeuge weg!«

Er selbst schloss sich nicht aus. Zu fünft stürmten sie auf den Rand der Lichtung zu. Der grelle Glanz des Feuers blendete sie, und die Hitze versengte ihre Gesichter. Sie sahen, dass die Glut sich von links her schon bedenklich nahe an die Fahrzeuge vorgearbeitet hatte, und wandten ihre Aufmerksamkeit zuerst in diese Richtung.

Stoke kroch aus seinem Versteck hervor. Der grelle Schein des Feuers erfüllte den Dschungel mit solcher Helligkeit, dass er unwillkürlich eine Sekunde lang zögerte, bevor er die Deckung vollends verließ und mit langen Schritten auf den Eingang zum Labor zustürmte. Er kam sich vor wie auf dem Präsentierteller; aber hinter ihm waren Leven und seine Leute viel zu sehr mit der Rettung ihrer Fahrzeuge beschäftigt, um auch nur einen einzigen Blick rückwärts zu werfen.

Etwa fünf Meter vor der Treppe hielt Stoke an und legte die beiden Sprengkapseln rechts und links des Pfades aus, der zum Laboreingang führte. Dann lief er weiter. In weiten Sätzen nahm er die Treppe und stürmte in die Halle.

Unter seinen Fesseln bäumte sich Alo Perritt erstaunt auf, als er den Fremden hereinstürzen sah. Stoke erkannte ihn sofort. Er sah auch, dass der Tisch, auf dem er den Inhalt der beiden Kugeln aufgebaut hatte, völlig leer war. Nebenan lag ein Stapel Waffen.

Der Mann, den er vor knapp zwei Stunden niederschlagen musste, um in den Besitz eines Fahrzeugs zu gelangen, lag reglos am Boden. Stoke stieg über ihn hinweg und blieb vor Alo stehen.

»Sie sind Perritt«, sagte er ernst. »Sie haben gesehen, wohin Leven das Zeug brachte, das hier auf dem Tisch stand.«

Alo nickte hastig. »Ja, natürlich. Er legte es in den Behälter dort.«

Er zeigte mit dem Kopf. Stoke folgte dem Wink und fand die Kiste unter dem Tisch. Er zog sie hervor und stellte fest, dass sie bequem leicht war. Er stellte sie auf den Tisch. Er hatte sich vorgenommen, sich von nichts aufhalten zu lassen und sofort den Rückzug anzutreten; aber Alo Perritts Gegenwart und die Tatsache, dass er gefesselt war, verwirrten ihn.

Wortlos trat er zu dem Alten und zerschnitt seine Fesseln.

»Sie kommen mit«, entschied er.

Perritt wickelte das meterlange Plastikband von sich ab und stand auf. Er fing an, sich die eingeschlafenen Glieder zu massieren, aber Stoke packte ihn an der Schulter und schob ihn auf die Tür zu.

»Dazu ist keine Zeit«, fuhr er ihn an. »Wir haben Glück, wenn wir überhaupt davonkommen.«

Einen Augenblick lang hielt er still und lauschte. Das Fauchen des Feuers, das das Leuchtpulver der Signalraketen entfacht hatte, war schwächer geworden. Er riss sich den Behälter mit den Kugeln unter den Arm und lief hinter Alo Perritt her auf den Ausgang zu.

Die Treppe war frei. Die Kiste unter dem Arm, den Strahler in der freien Hand, stürmte Stoke hinauf. Alo hatte ihm den Vortritt gelassen. Vom oberen Ende der Treppe war zu sehen, dass dem Feuer die Nahrung ausging. Schattenhaft huschten die Gestalten Levens und seiner Leute hin und her, aber sie bewegten sich zielbewusst, und wo immer sie anhielten, verlor das Feuer weiter an Boden.

Für Stoke Derringer war es höchste Zeit, sich aus dem Staub zu machen. Alo Perritt am Arm mit sich ziehend, schlug er die nordöstliche Richtung ein.

Alo erkundigte sich: »Aha. Wo steht er?«

»Sie fragen zuviel«, knurrte Stoke. »Sie sollten lieber froh sein, dass Ihnen jemand aus der Patsche geholfen hat!«

Alo schwieg. Sie gingen fünf oder sechs Schritte, da stöhnte er plötzlich auf und stürzte vornüber zu Boden.

»Was ist?«, fuhr Stoke ihn an.

Alo betastete sich den Fußknöchel.

»Muss irgendwo in ein Loch getreten sein«, murmelte er betreten. »Wahrscheinlich verstaucht.«

Stoke beugte sich vornüber, um ihm unter den Arm zu greifen und ihn wieder auf die Beine zu ziehen. Alos Faustschlag traf ihn völlig unvorbereitet. Er stolperte, verlor beinahe das Gleichgewicht und prallte schließlich mit dem Rücken gegen einen Baum. Die Verbissenheit, mit der er die Kiste festhielt, verursachte ihm einen Krampf in den Armmuskeln.

Alo war sofort aufgesprungen. Stoke sah ihn durch das Halbdunkel des Waldes eilen, zurück zum Labor und auf das erlöschende Feuer zu. Er sah, wie er die Arme in die Luft warf, und hörte ihn schreien: »Rich! Rich! Hierher! Stoke Derringer ist hier!«

Stoke fluchte wütend vor sich hin. Perritts Verhalten war ihm völlig rätselhaft. Als er ihn in Fesseln sah, war er sicher, einen verlässlichen Verbündeten gefunden zu haben. Stattdessen riss er aus und jagte ihm den Gegner auf den Hals.

Alos wildes Geschrei fand ein überaus rasches Echo. Stoke war noch nicht weiter als zwanzig Meter vom Laboreingang entfernt und konnte deutlich sehen, wie die Männer drüben beim Feuer ihre Arbeit unterbrachen, sich umwandten und Perritt entgegeneilten. Alo brauchte nicht mehr so laut zu schreien. Stoke konnte nicht mehr verstehen, was er sagte; aber er sah ihn mit den Armen fuchteln und in die Richtung deuten, aus der er gekommen war.

Stoke lag mittlerweile flach am Boden und war zur Hälfte von einem Baumstamm gedeckt. Leven und seine Leute konnten ihn nicht sehen, solange sie nicht genau wussten, wohin sie zu schauen hatten. Er sah Leven ein paar Anweisungen geben. Ein Mann kehrte zum Rand der Lichtung zurück und nahm es auf sich, das

Feuer zu Ende zu bekämpfen. Zwei andere setzten sich in Richtung Labor in Bewegung – wahrscheinlich, um die Waffen zu holen, die Stoke auf einem der Tische aufgeschichtet gesehen hatte.

Das musste er verhindern. Levens Gruppe war ihm auch mit den Handwaffen, mit denen wahrscheinlich jeder Einzelne von ihnen bewaffnet war, schon hoch überlegen. Gelang es ihnen, sich im Laufe der nächsten Minuten in den Besitz schwerer Waffen zu setzen, dann sanken seine Aussichten auf Null.

Er setzte die Kiste zu Boden und kam ein Stück weiter hinter seiner Deckung hervor. Leven, der seine Augen überall hatte, entdeckte ihn sofort und stieß einen warnenden Schrei aus. In der gleichen Sekunde riss er seine Waffe hervor und begann zu feuern.

Er schoss, ohne zu zielen, und der gleißend helle Energiestrahl schoss hoch über Stoke hinweg. Inzwischen hatte Stoke selbst angelegt und sorgfältig gezielt. Die beiden Männer, die Leven zum Labor geschickt hatte, standen zögernd etwa zehn Meter von der Treppe entfernt und wussten nicht, was sie tun sollten. Leven feuerte zum zweiten Mal, und diesmal kam er so nahe, dass Stoke den Schwall heißer Luft spürte, den der scharf gebündelte Energiestrahl um sich herum verbreitete.

Er drückte den Auslöser. Ein nadelfeiner Strahl fuhr aus dem plumpen Lauf der Waffe. Fünf Meter vor den beiden Männern, die sich auf dem Weg zum Labor befanden, kochte der Boden auf. Stoke bewegte die Hand kaum merklich. Der Strahl huschte zur Seite und erfasste eine der Sprengkapseln.

Stoke hatte so gut wie keine Erfahrung mit konventionellen Sprengstoffen. Die Wucht der Explosion warf ihn um, und er konnte sich ohne Schwierigkeit ausmalen, was aus den beiden Leuten geworden war, die nur fünf Meter vom Explosionsort entfernt gestanden hatten.

Er raffte sich auf und riss sich die Kiste unter den Arm. In der Nähe des Laboreingangs erhob sich eine riesige Qualm- und

Staubwolke, die bis in die höchsten Lagen des Waldes hinaufstieg. Klatschend und prasselnd stürzten Dreck und Erde herab, die die Wucht der Explosion in die Höhe geschleudert hatte. Stoke kam zu dem Schluss, dass Druck und Hitzewelle der ersten Detonation auch die zweite Kapsel zur Zündung gebracht haben mussten.

Die Gelegenheit war so günstig, wie sie nie wieder sein würde. Er schob den kleinen Strahler in die Tasche, um wenigstens eine Hand frei zu haben, und machte sich auf den Weg. Er bewegte sich, so rasch er konnte. Auf dem Herweg hatte er in fast regelmäßigen Abständen kleine, unauffällige Markierungen angebracht, die ihm jetzt zustattenkamen.

Wenige Minuten vor Sonnenuntergang erreichte er den Continental, ohne auch nur ein einziges Mal mit den Verfolgern in Berührung gekommen zu sein. Er war fast bereit zu glauben, dass Leven darauf verzichtet hatte, nach ihm zu jagen. Aber als er die Kiste verfrachtet, das Triebwerk in Gang gesetzt und das Fahrzeug über das Blätterdach des Dschungels hinausgehoben hatte, blitzte nicht weiter als zweihundert Meter entfernt die orangefarbene Entladung einer schweren Energiewaffe auf.

Der Schuss fuhr unschädlich an Stokes Gleiter vorbei. Er schaltete auf Maximalbeschleunigung und schoss in nordöstlicher Richtung davon, noch bevor der heimtückische Schütze zum zweiten Mal abdrücken konnte.

6.

Kurz vor Sonnenuntergang wurde Karson-Main von einem zweiten Erdbeben heimgesucht, und damit wurde Corneil Stavalones Position kritisch. Das Beben war kräftiger als das erste, und am Westende der Stadt stürzten zwei Häuser ein. Es gab drei Verletzte. Niemand befand sich in kritischer Verfassung, aber das war im Augenblick nicht der springende Punkt.

Stav beorderte Thurell Franz unverzüglich von seiner bisher erfolglosen Suche nach Rich Leven zurück. Er befürchtete Schwierigkeiten. Und er befürchtete sie zu Recht. Als das Beben vorüber war, begab er sich auf dem schnellsten Wege zum Rathaus. In den Straßen hatten sich wiederum Gruppen von aufgeregt Diskutierenden zusammengefunden, aber diesmal hielt Stav sich nicht damit auf, auszusteigen und ihnen Mut zuzusprechen. Misstrauen und Angst lagen in der Luft – so dick, dass er sie glaubte riechen zu können.

Jemand erkannte Stavs Wagen und schrie auf ihn ein. Andere schlossen sich an. Stav konnte nicht verstehen, was sie riefen, aber er sah ihre drohend geschüttelten Fäuste und die vor Angst und Hass verzerrten Gesichter.

Mein Gott, dachte er, *wie lange werden sie noch aushalten?*

Bevor er das Rathaus zu sehen bekam, empfand er den Bruchteil einer Sekunde lang die wilde und widersinnige Hoffnung, Stoke Derringer könnte in der Zwischenzeit zurückgekehrt sein. Stoke war der Einzige, der in einer Lage wie dieser entscheiden konnte, was zu tun sei.

Als er auf die Ringstraße einbog und den Mob sah, der das Rathaus belagerte, verlor er Derringer augenblicklich aus dem Sinn. Etwa hundert Leute hatten sich rings um das Gebäude zusammengerottet, und Stav konnte ihr Geschrei quer über den weiten Platz hinweg hören. Sie befanden sich in höchster Erregung, und es schien verwunderlich, dass sie noch nicht versucht hatten, den Eingang zu stürmen.

Stav fuhr halb um den Platz herum und dirigierte den Gleiter auf die Einfahrt zur Garage zu. Ein paar Leute standen ihm im Weg. Er gab ein Warnsignal, und sie wichen automatisch zur Seite, ohne ihre Aufmerksamkeit vom Zentrum des Geschehens unmittelbar vor dem Rathauseingang zu wenden. Er hatte Glück. Unbehindert gelangte er in die unterirdische Garage, und das automatische Tor schloss sich hinter ihm, noch bevor die Meute Gelegenheit hatte zu bemerken, dass sich da ein zweiter Zugang aufgetan hatte.

Stav stürmte nach oben. In seinem Vorzimmer saß Thurell Franz, noch verschwitzt von den Anstrengungen seiner Suchaktion und offenbar äußerst niedergeschlagen. Aus Stavs Arbeitszimmer drangen wütende Stimmen.

»Was ist los?«, knurrte Stav.

Thurell nahm die Frage mit lautem Gähnen zur Kenntnis.

»Die Bürgerschaft ist aufgeregt«, brummte er abfällig. »Und sie haben sich Kinne Olafson als Vertreter ausgesucht. Er ist mit noch einem Mann drinnen bei Pepe, und Pepe sagt ihnen die Meinung.«

Stav stürmte auf die Tür zu. Kurz davor blieb er stehen und wandte sich noch einmal um.

»Halte deine Leute einsatzbereit, Thurell. Klar?«

Thurell nickte und versteckte ein zweites Gähnen hinter der hohlen Hand. »Klar, Chef. Erwartest du etwas?«

Stavs Brauen zogen sich drohend zusammen. »Mehr als etwas, Thurell. Viel mehr!«

Mit diesen Worten riss er die Tür auf und stürmte in sein Zimmer.

Stav überflog die Lage mit einem Blick. Hinter seinem Schreibtisch stand, die Arme auf die Tischplatte gestützt und den wuchtigen Schädel kampfeslustig vorwärtsgereckt, Pepe Atroz, dem er sein Amt überlassen hatte. Diesseits des Tisches standen Kinne Olafson und ein Mann, an dessen Namen Stav sich im Augenblick nicht erinnern konnte. Kinne stand der Schweiß in dicken Tropfen auf der Stirn, und er war wütend. Sein Begleiter wirkte eingeschüchtert.

»Was geht hier vor?«, donnerte Stav.

Pepe hob einen Arm und deutete anklagend auf Kinne.

»Dieser Narr hier«, dröhnte er, »hat sich von den Narren dort draußen«, er machte eine vage Geste zum Fenster hin, »einwickeln lassen. Er vertritt jetzt das Volk – anstatt den Notstandsrat. Und er verlangt nicht mehr und nicht weniger, der Tölpel, als dass wir sofort die Erde um Hilfe bitten, damit ganz Karson auf dem schnellsten Wege evakuiert werden kann.«

Stav hob die Hand und brachte Pepe damit zum Schweigen.

Er wandte sich an Olafson. »Kinne – deine Version?«

Kinne fuhr sich mit der Hand über die Stirn. Seine Wut schien plötzlich geschwunden. Er wirkte wie ein Mann, der es satthatte, seinen Standpunkt immer und immer wieder verteidigen zu müssen.

»Stav, dieses Riesenross hat die ganze Sache in den falschen Hals bekommen«, begann er mit schwerer Stimme. »Ich war in der Nähe, als das zweite Beben begann. Ich sah die Leute sich um das Rathaus zusammenzurotten. Sie wollten dich sprechen, Stav. Unser Erz- und Hauptdiplomat hier, Pepe Atroz, hängte seinen dicken Schädel zum Fenster hinaus und schrie sie an, sie sollten sich alle zum Teufel scheren, denn der Notstandsrat hätte wichtigere Dinge zu tun, als sich mit ein paar eingeschüchterten Idioten abzugeben.

Na, das brachte die Milch zum Kochen. Sie waren gerade dabei, die Tür einzurennen, als ich hier eintraf. Zuerst wollten sie nichts hören, aber ich redete ihnen gut zu. Einer von ihnen kam mit mir zu Pepe hinauf. Wir wollten dich zum Rathaus rufen und die Sache besprechen. Die Leute sind ihrer Sache ziemlich sicher: Die Beben haben etwas mit den Kugelfeldern zu tun, und da es immer mehr Kugelfelder gibt, wird es immer mehr Beben geben. Sie wollen nicht auf Karson bleiben. Sie wollen fort von hier, und zwar so schnell wie möglich.«

Er machte eine Pause und holte tief Luft.

»Stav, ich habe ihnen nichts versprochen. Ich habe ihnen gesagt, dass ich gegen eine Evakuierung bin, weil ich glaube, dass du weißt, was du tust. Ich kam mit diesem Mann hier herauf, damit er hören konnte, was wir drei miteinander zu besprechen haben. Vor allen Dingen will er hören, was für einen Trumpf du in der Hinterhand hast. Er und die Leute dort unten wollen wissen, woher du den Mut nimmst, ihnen zu sagen, dass es zu Befürchtungen keinen Anlass gibt.

Ich versprach ihnen, du würdest sie darüber informieren. Sie versprachen mir dafür, Ruhe zu bewahren – zumindest, bis ihr Mann zurückkehrte. Ich hielt das für ein anständiges Angebot. Und wenn dieser Hornochse mit seinem hirnverbrannten Blödsinn …«

Stav winkte ab. Kinne schwieg sofort. Stav trat zum Fenster und drückte einen kleinen, halb in der Wand versenkten Knopf. Das Fenster glitt zur Seite. Warme, feuchte Abendluft drang herein – und mit ihr das Geschrei der Aufgeregten unten auf der Straße.

Stav sah hinaus. Die Sonne war untergegangen. Hinter den Dächern der Stadt zog sich ein rötlichvioletter Streifen den Horizont entlang. In Karson-Main waren die Lichter angegangen. Es war ein friedliches, schönes Bild.

»Ihr wollt also die Wahrheit hören«, sagte er dumpf. »Na schön, ihr sollt sie haben. Ich kann nicht sehen, was es jetzt noch für einen Unterschied machte.«

Mit einem Ruck wandte er sich um und sah Kinne und seinen Begleiter an.

»Stoke Derringer, den ihr alle kennt, ist ein Spezialagent der Erde. Ich habe ihn angefordert, damit er sich um die Kugelfelder kümmert. Als ich ihn zum letzten Mal sah, war er der Ansicht, dass die Felder keine ernst zu nehmende Gefahr bedeuten. *Daher* nahm ich meinen Mut, euch zu sagen, dass ihr euch nicht zu fürchten brauchtet.«

Eine Zeit lang war alles still bis auf das gedämpfte Geschrei, das von unten heraufdrang.

»Derringer ...«, stieß Kinne schließlich hervor. »Warum hast du uns das nicht gesagt?«

Stav machte eine ungeduldige Geste.

»Weil ihr alle den Kopf verloren hättet, sobald ihr merktet, dass ich die Sache für ernst genug hielt, um die Erde um Hilfe zu bitten. Nicht so, wie es der Notstand der Klasse eins verlangt, sondern sozusagen hintenherum.«

»Und was wurde aus Derringer?«, fragte Pepe.

»Er verschwand. Heute Mittag. Er ging zu Rich Leven, und ich habe Leven in Verdacht, dass er ihn gekidnappt hat. So, wie er mich verschwinden lassen wollte. Ich habe seitdem nichts mehr von ihm gehört. Ich kann nicht mehr damit rechnen, dass er uns Beistand leistet, und ...«, er zögerte nur einen Atemzug lang, »... bin daher im Grunde genommen bereit, auf die Forderung der Bürgerschaft einzugehen.«

Pepe sog den Atem scharf durch die Zähne ein. »Du willst ...«, brüllte er.

Stav drehte sich zu ihm um.

»Ich will!«, schrie er ihn an. »Und du hältst jetzt eine Zeit lang deine große Klappe, verstanden?« In gemäßigtem Ton fuhr er fort: »Allerdings nicht ohne Bedingung. Ich werde mich nicht sofort hinter den Sender klemmen und um Hilfe schreien. Ich will bis morgen früh Zeit haben. Es besteht immer noch eine schwache Hoffnung, dass Derringer zurückkommt. Ist er bis morgen früh, Sonnenaufgang, noch nicht wieder hier, wird der Notstandsrat den Notstand, Klasse eins, erklären und die Flotte des Imperiums sofort um die Entsendung von Schiffen bitten. Seid ihr damit ...«

Er unterbrach sich. Die Menge unten auf der Straße hatte einen Sprechchor gebildet. Stav trat näher zum Fenster und hörte:

»Wir-wol-len-raus – wir-wol-len-raus! Her-ten-bosch – Herten-bosch – wo-bleibt-Her-ten-bosch?«

Stav wandte sich an Kinnes Begleiter.

»Hertenbosch. Sind Sie das?«

Der Mann nickte und sagte: »Ja, Sir. Ich ... ich kann nichts dafür. Ich bin sicher, wenn ich den Leuten sagen kann, dass ... dass ...«

Stav nickte ihm beruhigend zu.

»Schon gut, mein Junge. Gehen Sie hinunter und sagen Sie ihnen, was Sie hier gehört haben. Dann kommen Sie wieder rauf und teilen mir mit, wie die Leute sich entschieden haben. Einverstanden?«

Hertenbosch nickte hastig.

»Noch eines«, sagte Stav. »Machen Sie den Leuten klar, dass ihr Ratspräsident immer und in jedem Augenblick nur ...«

Der Sprechchor verstummte so abrupt, dass auch Stav mitten im Satz innehielt. Das Summen eines Gleitermotors war zu hören. Es erlosch ebenfalls, und dann hörte man die Stimme eines Mannes.

»... keine Angst ... Kugelfelder ... unerklärliches Ergebnis einer fremden Technologie. Ja, natürlich ... Erdbeben ... den Feldern zu tun. Sie rufen sie hervor. Aber trotzdem ...«

Mechanisch wandte Stav sich zum Fenster. Er beugte sich hinaus und sah hinunter. Er erschrak, als er Rich Levens großen Continental mitten auf der Straße stehen sah.

Dann erkannte er den Mann, der auf das Dach des Wagens gestiegen war und von dort zu der Menge sprach – mit solcher Überzeugungskraft, dass die Leute ihren Zorn vergessen hatten und ihm jedes Wort vom Munde ablasen.

Ein überwältigendes Gefühl von Erleichterung und Freude schwemmte Stav fast hinweg. Er spürte den Drang, zum Fenster hinauszuspringen, um so rasch wie möglich bei dem Mann dort unten zu sein und ihm voller Anerkennung auf die Schulter zu klopfen.

Nur mit Anstrengung bewahrte er seine Würde. Er schwankte leicht, als er sich umdrehte und mit unnatürlich lauter Stimme verkündete: »Meine Herren – die Lage hat sich gewandelt. Stoke Derringer ist wieder hier.«

Innerhalb einer Viertelstunde hatte Stoke die Menge beruhigt und nach Hause geschickt. Er klemmte sich die wertvolle Kiste unter den Arm und fuhr mit dem Aufzug zum obersten Stockwerk des Rathauses hinauf. Rich Levens großer Continental stand immer noch mitten auf der Straße.

Stav und ein paar andere Männer kamen ihm auf dem Gang entgegen. Thurell Franz war unter ihnen. Er hatte rotgeränderte Augen und gähnte in einem fort.

Stav trat ihm in den Weg und zwang ihn, stehen zu bleiben. Er tippte ihm mit dem Finger gegen die Brust und stellte mit sachlicher Stimme fest: »Sie sind spät, mein Freund.«

Stoke zog die Brauen in die Höhe.

»Beschweren Sie sich nicht«, warnte er in gespieltem Ernst. »So spricht man nicht zu dem Retter des Thrones.«

Sie kehrten um und schritten zu Stavs Arbeitsräumen zurück. Hertenbosch, der seit Derringers überraschendem Auftauchen keine Funktion mehr hatte, verabschiedete sich und ging nach Hause. Thurell Franz, Pepe Atroz, Kinne Olafson, Stav und Derringer selbst traten ins Vorzimmer. Stoke deponierte die Kiste, die er bis jetzt krampfhaft unter dem Arm gehalten hatte, auf dem leeren Tisch, trat einen Schritt zurück und starrte sie wortlos an.

Eine halbe Minute verging. Dann sagte Thurell Franz: »Anschauen genügt nicht. Was Sie brauchen, ist eine Flöte.«

Stoke ruckte herum.

»Wie? Was?«

Thurell deutete auf die Kiste. »Die Schlange richtet sich auf, wenn sie die Flöte hört.«

Pepe lachte schallend. Stoke verzog das Gesicht, kramte in seinen Taschen und brachte nach längerer Suche einen Zigarrenstummel zum Vorschein.

Er setzte das traurige Gebilde in Brand und lüftete den Deckel der Kiste.

»Hier haben Sie«, quetschte er neben dem Stummel vorbei hervor, »das große Geheimnis, das uns alle in Bann hält.«

Während seine Zuhörer sich um den Tisch herum versammelten, nahm er die Kugelhälften heraus, entfernte das Zwischenbrett und öffnete damit den atemlos Starrenden den Blick auf die Unzahl winziger Instrumente, die einst das Innere der Kugel gebildet hatten.

»Aus dem Besitz von Rich Leven«, erklärte er im Tonfall eines Museumsführers und machte eine pompöse Handbewegung, die den ganzen Tisch umfasste. »Man weiß nicht mit Sicherheit, wie Leven in den Besitz dieser Kostbarkeiten gelangte, aber es ist anzunehmen, dass er sie zufällig irgendwo fand.«

Stav schüttelte den Kopf und murmelte Unverständliches vor sich hin. Schließlich riss er sich von dem ungewohnten Anblick los und wandte sich an Stoke: »Und was ist das alles?«

»Eine Bombe«, antwortete Stoke. »Der Einfachheit halber sollten wir sie eine Feldbombe nennen. Wenn sie richtig funktioniert, erzeugt sie unmittelbar nach dem Aufschlag auf der Oberfläche eines Planeten ein Kugelfeld. Diese hier war ein Blindgänger. Leven entdeckte sie, nahm sie mit nach Hause – und weil er ein gebildeter Mann ist, fand er schnell heraus, was es mit der Bombe auf sich hatte. Darauf baute er seine Pläne.«

Sie warteten darauf, dass er fortführe. Aber er sog nur an seiner Zigarre und blickte mit dem Ausdruck tiefster Befriedigung auf die Kiste und die Halbkugelschalen.

Stav stemmte die Arme in die Seiten. Er war aufgebracht, das konnte man seinem Gesicht ansehen.

»Wenn Sie sich dazu entschließen könnten, die Geschichte der Reihe nach zu erzählen, anstatt die Rosinen aus der Mitte herauszupicken und sie uns einzeln vorzuwerfen, dann, werter Herr, hätten wir vielleicht mehr von Ihrem Geplappere.«

Stoke grinste ihn an.

»Touché«, gestand er. »Aber ich bin seit achtzehn Stunden unter den widrigsten Umständen auf den Beinen, und da wird man doch ein bisschen komisch.«

Dann erzählte er ihnen, was er seit dem Vormittag erlebt hatte. Er ließ nichts aus. Er beschrieb jede Einzelheit und brauchte sich dabei keinen Zwang aufzuerlegen, denn Stav hatte ihm zu verstehen gegeben, dass seine Mitarbeiter über Stokes Funktion als Agent des Solaren Geheimdienstes im Klaren waren.

»Glauben Sie mir, ich habe mir in den vergangenen Stunden alles Mögliche durch mein armes Gehirn gehen lassen. Ich habe versucht, die Lage objektiv unter allen denkbaren Winkeln zu betrachten. Dabei bin ich zu folgenden Schlüssen gekommen.

Erstens: Wenn wir versuchen, Rich Leven und die Feldbomben in einen geplanten Zusammenhang zu bringen, bellen wir den falschen Baum an. Leven ist zu seiner Blindgänger-Bombe gekommen wie das Kind zum Dreck. Als er die Bombe fand, hatte er keine Ahnung, was Karson bevorstand. Als allerdings die ersten Kugelfelder auftauchten, da machte er sich schnell einen Reim auf die Sache und nahm sich vor, sie zu seinen Gunsten auszunützen. Zunächst versuchte er zu erreichen, dass der Rat den Notstand erster Klasse erklärte. Auf diese Weise wäre er sicher gewesen, dass die Mehrzahl der Siedler Karson auf dem schnellsten Wege verlassen hätten. Vor ihrem Abflug hätte er ohne Zweifel Vorsorge getroffen, dass sie ihm ihr Land überschrieben. Auf diese Weise wäre er innerhalb kürzester Zeit Alleinbesitzer fast alles erschlossenen Landes gewesen und hätte damit, wenn Sie den Vergleich erlauben, die Aktienmajorität von Karson in Händen gehabt. Der Anschlag misslang. Es kam nur zum Notstand zweiter Klasse.

Aber Leven gab nicht auf. Sobald die Kugelfelder bebautes Land zu überdecken begannen, kaufte er das Land zu Spottpreisen auf, denn er wusste, dass die Felder eines Tages in nicht zu ferner Zukunft wieder verschwinden würden. Auch damit kam er nicht weit. Inzwischen überstürzten sich die Ereignisse. Ich ging in Levens Falle. Als Stav nach mir sehen kam, wollte er auch ihn auf die Seite schaffen. Stav hatte vorgesorgt. Leven musste die Stadt verlassen. Er verkroch sich in einem geheimen Labor, das er, unbemerkt von Ihnen allen, etwa achthundert Kilometer südwestlich von Karson-Main mitten im Dschungel angelegt hatte. Und ich will Ihnen eines sagen: Er hat immer noch nicht aufgegeben. Ich weiß nicht, was er als Nächstes vorhat – aber er hat sich und seine Leute mit Waffen versorgt und ist immer noch darauf aus, so schnell wie möglich der reichste und mächtigste Mann auf Karson zu werden.

Zweitens: Selbst ein so kluger Mann wie Rich Leven macht manchmal einen Fehler. Leven zum Beispiel übersieht, dass die Kugelfelder, obwohl sie in einiger Zeit wieder verschwinden werden, in der mehr oder weniger ausgedehnten Zeitdauer ihrer Existenz ungeheuren Schaden anrichten können. Viele von ihnen sind groß genug, um die harte Kruste des Planeten zu durchdringen und bis zu den obersten Schichten des glutflüssigen Kerns hinabzureichen. Ungeheure Verschiebungen müssen schon in diesem Augenblick im Innern von Karson im Gange sein, und wenn die Zahl der Felder weiterhin zunimmt, kann es zu katastrophalen Ereignissen kommen. Sie haben die ersten Anzeichen schon gespürt. Wie ich höre, gab es in Karson-Main während meiner Abwesenheit zwei geringere Erdbeben.

Drittens: Bei den Erzeugern der Feldbomben handelt es sich um Angehörige einer Zivilisation, die uns völlig unbekannt ist. Außerdem ist ihre Technik der unseren überlegen. Wir wissen nicht, woher die Bomben kommen. Wir wissen nicht, *warum* sie kommen – wir können nur Vermutungen anstellen.

Viertens: Die Möglichkeit eines geplanten, zielvollen Angriffs auf Karson scheidet nach meiner Ansicht aus. Obwohl wir schlecht entscheiden können, was von den Dingen, die es auf Karson zu finden gibt, einer fortgeschrittenen Kultur unter Umständen wertvoll erscheinen könnte, sind wir doch in der Lage, Mutmaßungen anzustellen. Nimmt man den Stand unserer

Technik, extrapoliert ihn einige Jahrhunderte oder gar Jahrtausende in die Zukunft und betrachtet sich Karson noch einmal unter dem Gesichtswinkel zukünftiger Bedürfnisse, dann kommt man zu einem ziemlich eindeutigen Schluss: Für eine überlegene Technik ist Karson vergleichsweise wertlos. Hier liegt also *kein* Motiv für die unsichtbaren Fremden, die uns mit Feldbomben eindecken. Außerdem scheint mir, dass jemand, der so weit fortgeschritten ist und sich in den Besitz eines feindlichen Planeten setzen wollte, sein Vorhaben anders durchführen würde.

Fünftens: Es bleiben zwei Möglichkeiten. Die erste ist die, dass ein Unbekannter uns – das heißt dem Imperium – eine Warnung zukommen lassen will. Karson liegt ziemlich weit draußen. Man könnte sich denken, dass Terra im Begriff ist, in den Einflussbereich einer fremden Zivilisation vorzudringen und dass die Fremden uns deswegen so etwas wie einen Schuss vor den Bug setzen. Die schwache Seite dieses Arguments ist, dass Karson, von der Erde aus gesehen, in Richtung Milchstraßenzentrum liegt und dass wir ziemlich sicher sind, dass es im Kern der Milchstraße keine bisher unentdeckte interstellare Zivilisation gibt.

Die zweite Möglichkeit ist die, die nach meiner Ansicht den größten Anspruch auf Glaubwürdigkeit hat.«

Er paffte heftig an seiner Zigarre, schritt mit nachdenklich geradeaus gerichtetem Blick bis zur Tür und kehrte wieder zurück. Die Zigarre im Mund, stützte er sich mit beiden Armen auf die Kante des Tischs und sah Stav an, der ihm auf der anderen Seite gegenüberstand.

»Karson ist die Zielscheibe am Ende eines Schießstands, auf dem ein Fremder eine neue Art von Bomben ausprobiert.«

Er hatte erwartet, dass das ihnen eine Zeit lang den Atem nehmen würde. Er genoss es, denn er war seiner Sache so sicher, wie man aufgrund logischer Überlegung sein konnte.

Er betrachtete ihre staunenden, ungläubigen Gesichter und sagte schließlich: »Wenn Sie genau über die Ereignisse der letzten Tage nachdenken, werden Sie zu demselben Schluss kommen wie ich. Ich würde die Sache gerne mit Ihnen diskutieren, aber es sieht so aus, als hätten wir keine Sekunde zu verlieren. Das Bombardement hält an, und in jedem Augenblick wird die Lage der Siedlung schwieriger.«

Stav war der Erste, der die Benommenheit von sich schüttelte. »Aber – was, in Dreiteufelsnamen, wollen Sie jetzt tun?«

Stoke lächelte. »Zwei Dinge. Eines davon liegt auf der Hand. Das andere nicht. Ich rufe die Erde an, schildere die Lage auf Karson und bitte, die Flotte in Einsatzbereitschaft zu halten, sodass die Siedlung unverzüglich evakuiert werden kann, sobald es die Situation erfordert.«

Er sah den Schatten über Stavs Miene fallen. Es berührte ihn eigenartig, Zeuge des Augenblicks zu werden, in dem ein Mann standhaft und ohne Murren seine Träume begrub.

»*Noch* ist es nicht so weit«, warf er ein. »Wir haben immer noch ein bisschen Hoffnung.«

Stav musterte ihn bitter. »Welche, zum Beispiel?«

»Mein zweites Vorhaben. Ich werde den Fremden eine Botschaft schicken. Wenn sie wirklich so zivilisiert sind, wie ich glaube, dann muss es für sie ein Schock sein zu erfahren, dass sie einen besiedelten Planeten als Zielscheibe verwenden. Sie werden das Bombardement einstellen und die schon bestehenden Kugelfelder schleunigst beseitigen.«

Thurell starrte ihn mit offenem Mund an. Kinne Olafsons Gesicht trug einen Ausdruck völligen Unverständnisses. Pepe Atroz kratzte sich am Ohr.

Stav blieb bitter. »Sie machen sich über mich lustig«, warf er Stoke vor.

Stoke schüttelte den Kopf. »Nein«, antwortete er ernst. »Ich meine es ernst.«

»Aber Sie haben keine Ahnung, wo sich die Fremden verstecken«, protestierte Thurell, der seine Sprachlosigkeit schließlich überwunden hatte.

»Nein«, gab Stoke zu. »Aber die Daten sind an verlässlicher Stelle gespeichert.«

Und bevor noch jemand eine weitere Frage stellen konnte, fuhr er fort: »Sie können mir bei diesem Vorhaben helfen. Ich brauche Werkzeuge, hauptsächlich feinmechanische. Mikroskop, Lupen, kleine Batterien, Messgeräte, und so weiter. Bringen Sie alles hierher. Das heißt«, er machte eine leichte Verbeugung in Stavs Richtung, »wenn der Herr Präsident gewillt ist, mir hier irgendwo einen Arbeitsraum zu überlassen.«

»Krampf«, brummte Stav verächtlich und gab damit seine Zustimmung.

»In der Zwischenzeit setze ich alle notwendigen Meldungen an die Erde ab«, fuhr Stoke fort. »Ich brauche einen Begleiter. Stav, können Sie Ihren Polizeichef für eine Stunde entbehren?«

Thurell gähnte protestierend, aber niemand achtete auf ihn.

»Nehmen Sie ihn«, sagte Stav, »wenn Sie ihn wach halten können. Wozu, um Gottes willen, brauchen Sie einen Begleiter?«

Stoke grinste freundlich.

»Ich möchte gerne sicher sein. Mit meinem Vorgesetzten auf der Erde zu sprechen, erfordert meine ganze Konzentration. Wenn ich einen Begleiter bei mir gehabt hätte, als ich zu Leven ging, wären wir alle jetzt ein ganzes Stück besser dran.«

»Gut«, entschied Stav. »Thurell geht mit Ihnen. Was brauchen Sie sonst noch?«

»Jemand, der auf die Stadt aufpasst«, antwortete Stoke, ohne zu zögern. »Ich rechne in jeder Sekunde damit, dass Rich Leven irgendwo auftaucht und Unruhe stiftet. Halten Sie die Augen offen. Lassen Sie ihm keine Bewegungsfreiheit.«

Stav räusperte sich indigniert. »Nicht, dass ich das vorgehabt hätte«, murmelte er. »Und noch was: Bringen Sie diese Kiste mitsamt Inhalt hinter sicheren Verschluss. Ich möchte sicher sein, dass noch alles da ist, wenn ich wieder zurückkomme.«

Er war schon auf dem Weg zur Tür und Thurell Franz dicht auf seinen Fersen, als er noch einmal anhielt und sich umwandte.

»Ihr Pilot!«, rief er Stav zu. »Schicken Sie ihn auf die Reise. Wir müssen wissen, in welchem Maße die Zahl der Kugelfelder zunimmt.«

Stav kam zwei Schritte hinter ihm her.

»Gut, dass Sie mich darauf bringen«, antwortete er. »Sie verstehen davon mehr als wir alle zusammen. Wann wird die Lage kritisch?«

Stoke verzog das Gesicht, als hätte er Schmerzen. Er hatte gehofft, die Frage vermeiden zu können.

»Sobald wir mehr als vierhundertundfünfzig Felder haben«, sagte er dumpf, »werden wir mit der Evakuierung beginnen.«

Zehn Minuten später war er mit Thurell Franz unterwegs. Er selbst saß am Steuer des großen Continental, den er von Rich Leven erbeutet hatte. Thurell kauerte in einem der Fahrgastsessel.

»Hauen Sie sich eine Weile hin«, empfahl ihm Stoke. »Wenigstens eine halbe Stunde lang können Sie ausruhen.«

»Das ist eben das Risiko«, brummte Thurell. »Wenn ich jetzt einschlafe, bringt mich vor morgen früh kein Mensch mehr auf die Beine.«

Stoke verzichtete daraufhin auf weitere Vorschläge und lenkte den Gleiter mit größtmöglicher Geschwindigkeit auf die roten Markierungslichter zu, die den Standort des Hypersenders kennzeichneten. Er landete neben der unscheinbaren Baracke, unmittelbar vor der Eingangstür.

»Sie bleiben hier draußen«, befahl er Thurell. »Versuchen Sie, die Augen offenzuhalten. Keine falsche Scham! Wenn Sie wirklich schlafen müssen, sagen Sie mir Bescheid.«

»Mhm«, machte Thurell.

Stoke ging hinein. Der Schein einer Handlampe fiel vor ihm her. Staub wirbelte unter seinen Schritten auf. Die Tür zum eigentlichen Senderaum quietschte, als er sie aufzog. Er kam sich vor wie ein Schauspieler in einem zweitklassigen Gruselfilm. Der

Senderaum war ebenso unbeleuchtet wie der Rest der Baracke; nur die Kontrolllampen auf dem Schaltpult des Senders glühten.

Stoke legte die Handlampe auf die Theke, sodass sie ihm bei der Arbeit leuchtete. Mit raschen, zielsicheren Handgriffen setzte er das Sendeaggregat in Gang. Als er das Freizeichen erhielt, wählte er Allan D. Mercants Kodeadresse. Er war noch dabei, sich auszumalen, wie der Hyperfunkstrahl mit unvorstellbarer Geschwindigkeit von einer Relaisstation zur anderen eilte, als plötzlich der Empfänger ansprach.

Über die gewaltige Entfernung hinweg bestand keine Bildverbindung. Aber Stoke brauchte das Bild nicht, um Allan D. Mercant zu erkennen. Die sanfte Stimme, hinter der sich so viel Entschlusskraft und Machtfülle verbargen, gab es im ganzen Universum nur einmal.

»Also – was gibt's, Oberst?«

Stoke grinste vor sich hin. Er empfand ein fast unstillbares Verlangen nach einer Zigarre; aber sein Vorrat war erschöpft. Er begann, über seine Erlebnisse auf Karson zu berichten – und er beschrieb im Detail, was er zu tun gedachte, um die drohende Gefahr zu beseitigen.

Als er geendet hatte, herrschte eine volle Minute lang tiefes Schweigen. Die Sendetechnik trug keine Schuld daran. Hyperwellen bewegen sich ohne messbaren Zeitverlust. Allan D. Mercant war derjenige, der die Pause einlegte.

Als er sich wieder meldete, hörte Stoke an seiner Stimme, dass er sich von dem eben gehörten Bericht nicht in dem Sinne beeindruckt fühlte, auf den Stoke gezielt hatte.

»Gehen wir systematisch vor, Oberst«, begann er. »Die Flotte wird sofort alarmiert. In wenigen Stunden haben Sie so viele Schiffe zur Verfügung, wie Sie brauchen, um ganz Karson zu evakuieren.

Das, Derringer«, seine Stimme wurde dringlich, »halte ich für das einzige, worum Sie sich im Augenblick kümmern sollten. Vergessen Sie diesen Leven. Sobald die Flotte erscheint, hat er ausgespielt. Und hören Sie um Gottes willen auf, mit dieser Idee zu spielen, dass Ihre hypothetischen Fremden etwa durch eine mahnende Botschaft dazu gebracht werden könnten, die Bombardierung von Karson aufzugeben.

Sie wissen nicht einmal, ob es sich wirklich um Fremde handelt«, fuhr Mercant fort. »Vielleicht haben die Springer eine neue Waffe entdeckt – oder irgendjemand sonst. Ihre Hypothese, scheint mir, steht auf recht unsicheren Füßen. Ich weiß nicht …«

Er zögerte, und Stoke nutzte die Gelegenheit. »Sir, geben Sie Befehl, das geplante Vorhaben aufzugeben?«

Zum zweiten Mal zögerte Mercant.

»Ich hätte große Lust«, antwortete er schließlich. »Die Möglichkeiten erscheinen mir gering, die ganze Idee an den Haaren herbeigezogen. Aber Sie behaupten, dass Karson verloren ist, sobald die ersten Schiffe der Flotte landen?«

»Jawohl, Sir. Die Siedler stehen dicht vor der allgemeinen Panik. Sobald die Flotte landet, werden sie an Bord gehen – selbst wenn bis dahin die Kugelfelder verschwunden wären.«

Diesmal kam Mercants Antwort ohne Zögern. »Wissen Sie was, Derringer? Ich bin dafür, dass Sie sich über dieses Problem mit einem Mann unterhalten, der eine ungemein umfangreichere Vorstellungskraft besitzt als ich. Halten Sie das Mikrofon fest. Ich verbinde Sie mit dem Großadministrator!«

Aus dem Empfänger drangen knackende Geräusche. Stoke ertappte sich dabei, wie er unwillkürlich Haltung annahm. Er hörte fernes, verwaschenes Stimmengewirr, halb übertönt vom Störgeräusch des Weltalls. Ein erneutes Knacken, das Störgeräusch verschwand, und plötzlich stand mit klarer, beherrschender Deutlichkeit die Stimme im Raum, die Stoke Derringer zeit seines Lebens nicht mehr vergessen würde, seitdem er sie vor langen Jahren zum ersten Mal gehört hatte.

»Oberst Derringer? Hier spricht Rhodan.«

Stoke nahm alle seine Sinne beisammen. In den folgenden Minuten durfte kein überflüssiges Wort fallen. Mit leiser Überraschung kam ihm zu Bewusstsein, dass jetzt, da er dicht vor der Entscheidung stand, ihn Corneil Stavalones Sorgen und Ängste ihn weitaus mehr beeindruckten als die Tatsache, dass er, ein einfacher Oberst im Dienst der Abwehr des Imperiums, mit Perry Rhodan, dem Großadministrator sprach.

»Sir«, begann er, »ich erlaube mir, einen kurzen Bericht über die Ereignisse zu geben, die sich seit meiner Ankunft auf Karson abgespielt haben.«

Er zögerte eine Sekunde. Als von der Gegenseite kein Einwand kam, begann er zu sprechen. Das erste Wort war noch nicht ganz heraus, da polterten draußen schwere Schritte durch den Vorraum, und die Tür wurde knallend nach innen geschlagen.

Thurell Franz stand unter der Öffnung und rief: »Sie kommen!«

»Was ist das, Oberst?«, fragte die Stimme aus dem Empfänger. »Haben Sie dort Schwierigkeiten?«

Stoke machte eine verzweifelte Geste in Thurells Richtung.

»Ich werde in Kürze angegriffen, Sir«, antwortete er Rhodan. »Ich gebe mir Mühe, mich so kurz wie möglich zu fassen. Bitte, haben Sie einen Augenblick Geduld.«

Ohne das Mikrofon zu verdecken, rief er Thurell zu: »Halten Sie sie ab! Ich bin so bald wie möglich draußen bei Ihnen. Geben Sie Stav Bescheid!«

»Wie, um Himmels willen?«, protestierte Thurell. »Die Baracke hat vier Seiten. Ich kann immer nur auf einer sein, und Leven kommt mit zwei Gleitern.«

»Klettern Sie aufs Dach!«, riet ihm Stoke. »Und sagen Sie Stav, er soll die Kiste und die Instrumente mitbringen.«

Thurell verschwand, und Stoke wandte sich wieder dem Mikrofon zu – ohne in diesem Augenblick zu wissen, dass er soeben die Anweisung gegeben hatte, die das Schicksal des Siedlerplaneten Karson letztens entscheiden würde.

So rasch er konnte, haspelte er seinen Bericht herunter. Er war bei der Stelle angelangt, an der er seine Beweggründe für das Vorhaben, das Allan D. Mercant so schockiert hatte, darlegen wollte, als er draußen das Summen von Gleitermotoren hörte.

Er sprach weiter. Ein paar Sekunden später entlud sich über ihm mit giftigem Fauchen der Schuss eines schweren Strahlers. Draußen gellte wütendes Geschrei auf. Stoke ließ sich nicht stören.

Ein zweiter Strahler ließ sich hören. Diesmal sah Stoke den grellen Lichtschein der Entladung.

Perry Rhodan unterbrach ihn mitten im Satz. »Sie werden an anderer Stelle dringender gebraucht, Oberst«, sagte er rasch. »Ihr Vorschlag ist gebilligt. Die Flotte wartet, bis sie nähere Anweisungen von Ihnen erhält. Einige Vorausfahrzeuge werden Karson aus sicherer Entfernung überwachen und mit Ihnen in Kontakt zu treten versuchen, wenn Ihres Ermessens die Lage dort bedenklich wird. Sollten Sie verhindert sein, auf diesen Anruf zu antworten, wird der kommandierende Offizier nach eigenem Gutdünken handeln.«

Einen Augenblick lang wurde die kühle, sachliche Stimme wärmer, als sie sagte: »Ich wünsche Ihnen alles Gute, Oberst!«

Stoke ließ das Mikrofon einfach fallen. Draußen war das Gefecht inzwischen in vollem Gang. Er stolperte durch den düsteren Vorraum und sah die Umrisse der halb geöffneten Tür im Blitz eines Schusses. Er zog die Waffe hervor und entsicherte sie. Mit einem Sprung stand er neben der Tür. Zwischen zwei Entladungen überzeugte er sich, dass auf dieser Seite der Baracke alles ruhig war. Vorsichtig schob er sich durch den Ausgang und sah sich um. Dicht vor ihm stand Rich Levens großer Gleiter. Er ging daran entlang und benutzte die Deckung der Karosserie, um sich ein paar Schritte von der Barackenwand zu entfernen. Von seinem neuen Standort aus konnte er auf das Dach hinaufsehen.

Thurell Franz hatte seinen Rat befolgt. Er kauerte dicht hinter dem First. Augenblicklich war er dabei, seinen Standort zu wechseln. In sicherer Deckung kroch er das Dach entlang. Fast am Ende sah Stoke ihn plötzlich in die Höhe schnellen. Fauchend entlud sich der schwere Strahler. Von der anderen Seite kam der Donner einer Explosion. Thurell ging wieder in Deckung, und um keine Zehntelsekunde zu früh. Rich Levens Leute waren auf der Hut. Zwei Salven fegten dicht über das Dach hinweg, scharf gebündelte Strahlen grellweißer Glut. Aber Thurell war in Sicherheit.

Stoke begriff. Es war so einfach, dass er es hätte vorhersagen können, wenn er sich nur die Mühe gemacht hätte, lange genug darüber nachzudenken. Nachdem Levens erster und zweiter Vorstoß gescheitert waren, hatte er sich entschlossen, seinen ursprünglichen Plan in leicht veränderter Form wieder in Anwendung zu bringen. Diesmal legte er keinen Wert mehr auf Vorschriftsmäßigkeit. Es musste nicht unbedingt der Präsident des Stadtrats sein, der die Flotte zu Hilfe rief. Im Notfall konnte jeder Siedler das tun. Und wenn die Schiffe erst einmal landeten, würden die Leute von Main, South und On-Meander, durch Levens Propaganda dirigiert, keine Sekunde lang zögern, ihre bewegliche Habe zusammenpacken und sich an Bord der Evakuierungseinheiten begeben.

Leven brauchte den Sender. Thurell Franz wäre längst nicht mehr am Leben, wenn Levens Leute nicht darauf hätten achten müssen, dass ihre Salven den Sender nicht beschädigten.

Thurell hatte sie offenbar in Deckung gezwungen. Stoke schlich sich bis zum Ende der Baracke. Auf der anderen Seite sah er die Umrisse zweier Gleiter. Der eine brannte – das war die Explosion, die er gehört hatte, und beleuchtete die Szene. Jenseits der beiden Fahrzeuge, am Fuß der riesigen Antenne, erstreckte sich niedriges Gebüsch. Es bot die einzige Deckung weit und breit, und es war leicht, sich auszurechnen, dass Levens Leute dahintersteckten.

Stoke zögerte nur einen Augenblick. Er hatte keine Aussicht, Leven und seinen Männern in den Rücken zu kommen. Sobald er den Schatten der Baracke verließ, beleuchtete ihn der brennende Gleiter. Spätestens nach vier oder fünf Schritten hätten Levens Leute ihn sicher im Visier.

Er kehrte zu dem Continental zurück. Vorsichtig und ohne Geräusche zu verursachen, stieg er ein. Von Hand öffnete er die Seitenfenster. Alles, was jetzt kam, musste schnell und reibungslos vonstatten gehen, oder er verlor den Moment der Überraschung – und damit Hals und Kopf.

Das Triebwerk heulte auf. Der Gleiter schoss mit einem Satz in die Höhe. Aus den Augenwinkeln sah Stoke Thurell auf dem Dach verwirrt herumfahren und seinen Strahler in Anschlag bringen. Armer Thurell – er hatte ihn nicht warnen können.

Der Andruck presste ihn tief in das Polster des Pilotensitzes, als er in einer waghalsigen Kurve das Nordende der Baracke umrundete. Er blieb dicht über dem Boden und näherte sich dem Gebüsch so, dass er die Baracke ständig im Rücken hatte. Auf diese Weise behinderte er Levens Leute beim Schießen – wenn sie überhaupt zum Schießen kamen.

Er brauchte eine oder zwei Sekunden, um die Distanz zu überwinden, die die Baracke von dem Gebüsch trennte. Ein einziger Schuss flammte auf, und der ging hoch über ihn hinweg. Als der Gleiter über das Buschwerk hinwegschoss, hing Stoke aus einem der offenen Fenster weit über die Seite und entleerte seinen kleinen Strahler wahllos in die Tiefe. Das niedere Gehölz flammte auf. Männer wurden sichtbar, die kopflos aus ihren Deckungen hervorkamen, um sich vor dem Feuer zu retten. Stoke riss das Fahrzeug in eine Kurve und flog zum zweiten Mal an. Inzwischen hatte Thurell auf dem Dach der Baracke die Lage begriffen und nahm alles unter Feuer, was sich auf dem Boden bewegte.

Innerhalb weniger Sekunden war Rich Levens gesamte Streitmacht in die Flucht getrieben. Thurell erwischte zwei Männer, als sie auf den übrig gebliebenen Gleiter zuliefen. Die anderen schafften es. Levens letztes Fahrzeug stieß steil in die Höhe und verschwand in der Nacht. Thurells letzte Salve verpuffte nutzlos in der Finsternis.

Stoke landete vor der Baracke. Als er ausstieg, kam Thurell müde vom Dach herabgeglitten. Er hatte Schmerzen, das war ihm vom Gesicht abzulesen, und presste die Hand auf die rechte Schulter. Stoke roch verbrannten Stoff und versengte Haut.

»Schlimm?«, fragte er.

»Nur gestreift«, knirschte Thurell. »Aber es tut verdammt weh.«

»Haben Sie Stav angerufen?«

Thurell nickte. »Er ist auf dem Weg.«

Er ließ sich einfach fallen und lehnte sich mit dem Rücken gegen die Wand der Baracke. Stoke ließ ihn alleine, um nach den übrigen Opfern des Kampfes zu sehen. Rich Leven hatte zwei Mann verloren. Sie waren beide tot. Seine Gruppe war ursprünglich sieben Köpfe stark gewesen. Einen der Leute hatte Stoke außer Gefecht gesetzt, als er Levens Continental stahl. Zwei weitere mussten bei der Explosion der Sprengkapseln zumindest verletzt worden sein. Zwei waren hier gefallen.

Das hieß – Leven hatte außer sich selbst nur noch einen einsatzfähigen Mann, und der musste Alo Perritt sein.

Stoke überlegte, wie er sich an Levens Stelle verhielte. War jetzt der Zeitpunkt gekommen, an dem selbst ein Mann wie Leven einsah, dass er das Spiel verloren hatte?

Es war zu bezweifeln. Es gab zumindest noch eine Möglichkeit, die Leven zu nutzen versuchen konnte. Und so, wie Stoke ihn beurteilte, würde er es tun.

Aus der Dunkelheit drang das Summen von Gleitermotoren. Stoke eilte zur Baracke zurück, um in Thurells Nähe zu sein, falls Gefahr drohte. Die Gleiter schwebten über das Dach hinweg und landeten auf der Westseite der Baracke. Es waren insgesamt drei Fahrzeuge. Der erste, der ausstieg, war Corneil Stavalone.

Er eilte auf Stoke zu.

»Was, zum Donnerwetter, ist hier …«

Dann sah er Thurell am Boden hocken und verstummte.

»Leven war hier«, sagte Stoke voller Ernst.

»Das hab' ich gehört«, knurrte Stav. »Wo ist er hin? Wir müssen ihn abfangen!«

Stoke ging nicht drauf ein. »Haben Sie die Kiste mitgebracht? Und die Werkzeuge?«

»Ja, natürlich. Aber …«

»Gut. Ihre Leute sollen sie in die Baracke schaffen.«

Stav trat einen Schritt zurück und musterte ihn zornig.

»Sonst haben Sie keine Sorgen, was? Rich Leven ist in der Gegend, mit Mord und Brandstiftung im Sinn – aber das einzige, was bei Ihnen zählt, ist, ob ich Ihre Kiste mitgebracht habe. Ich bin der Präsident …«

Nach all den Stunden fortwährender Anspannung riss Stoke Derringer schließlich die Geduld.

»Ganz richtig!«, schrie er Stav an. »Sie sind der Präsident, und Sie halten jetzt gefälligst den Mund. Lassen Sie Ihre Leute die Kiste mitsamt den Werkzeugen in die Baracke bringen. Dann lassen Sie Ihre Männer rings um den Sender Aufstellung nehmen, mit der Waffe in der Hand. Rich Leven ist schon längst in der Stadt, und da ist er so gut versteckt wie eine Nadel im Heuhaufen. Und wissen Sie, was er als nächstes vorhat? Er will die Leute aufwiegeln. Und das wird ihm gelingen. Und bei nächster Gelegenheit wird er mit einer ganzen Heerschar hier auftauchen und verlangen, dass er den Sender benützen darf. Um die Flotte herbeizurufen. Um den Siedlern eine Möglichkeit zur Evakuierung zu bieten. Glauben Sie, dass Sie ihn aufhalten können – so, wie die Dinge stehen? Oder wollen Sie lieber sichergehen und den Sender verteidigen?«

Ein paar Sekunden lang sah es so aus, als wollte Stav explodieren. Jedermann hatte die Zurechtweisung gehört und stand reglos an seinem Platz, auf den Ausbruch gefasst, der unweigerlich kommen musste.

Aber Stav senkte schließlich den Blick. So leise, dass nur die

Umstehenden ihn hören konnten, antwortete er: »Sie haben recht, Stoke. Manchmal geht das Temperament mit mir durch. Nehmen Sie mir's nicht übel.«

Dann blickte er auf und sah seine Polizisten an. »Ihr habt gehört, was der Mann sagte! Steht nicht so da rum, sondern tut, was er euch aufträgt!«

Eine halbe Stunde später war Stoke an der Arbeit. Er hatte sich den Vorraum der Baracke von Stavs Leuten einigermaßen wohnlich herrichten lassen und arbeitete an einem Tisch, über dem Stav eigenhändig eine Handlampe aufgehängt hatte. Stav und seine Leute waren draußen. Die Nacht war warm, und so wenig Stoke bei seiner Arbeit Zuschauer und unnütze Fragen brauchen konnte, so sehr brauchte er draußen Aufpasser, die darauf achteten, dass Rich Leven sich nicht unbemerkt dem Sender nähern konnte.

Als Stoke sich an die Arbeit machte, war er sich darüber im Klaren, dass es keinerlei Garantie für den Erfolg seines Projektes gab. Das begann damit, dass er die Technologie der Fremden nur dort beherrschte, wo sie der irdischen ähnlich war, und dass er im Augenblick noch keine Ahnung hatte, ob er die eine der beiden Kugeln jemals wieder so zum Funktionieren bringen könnte, wie sie eigentlich hätte funktionieren sollen. Selbst wenn ihm das gelang, besaß er keinerlei Kontrolle darüber, in welcher Weise sie die Aufgabe, die er ihr stellte, lösen würde. Er mochte einen Fehler übersehen oder beim Zusammenbau der Geräte selbst einen Fehler begehen, und die Kugel landete am anderen Ende des Kosmos, weit von ihrem Ausgangspunkt entfernt.

Und schließlich – wenn er annahm, er könne diese beiden ersten Klippen erfolgreich umschiffen – erhob sich die große Frage, wie die Fremden reagieren würden. Waren sie wirklich das, was er sich unter ihnen vorstellte? Ging er von der richtigen Voraussetzung aus, wenn er an ihre Menschlichkeit appellierte – obwohl er keine Ahnung hatte, wie sie dachten und fühlten? Oder war er nur ein hirnverbrannter Narr, der um jeden Preis ein Experiment anstellen wollte, weil es ihm interessant erschien?

Er entschied sich schließlich, die Bedenken auf die Seite zu werfen. Er wusste nicht, woher ihm die Kraft der Überzeugung kam – aber er war so sicher wie noch selten zuvor, dass er im Begriffe war, das Richtige zu tun.

Dieser Entschluss gab ihm die Kraft, die er brauchte, um der Müdigkeit Herr zu werden und seine Arbeit mit der gebotenen Eile fortzusetzen. Stunden vergingen, ohne dass er eine Pause einlegte – wenn man von den kurzen Unterbrechungen absah, in denen er von dem heißen Kaffee-Surrogat-Gebräu nippte, das Stavs Leute in regelmäßigen Abständen hereinbrachten. Er hatte den Fehler gefunden, der nach seiner Ansicht das aus den zwei Kugeln bestehende Hantelgebilde daran gehindert hatte, seine Aufgabe so zu erfüllen, wie es von seinen Herstellern gedacht war. Es handelte sich um einen schlechten Kontakt, den er ohne besondere Schwierigkeit reparieren konnte.

Als er das getan hatte, überprüfte er mit minutiöser Sorgfalt alle Schaltungen und ging jeder Leitung nach, um sich, soweit es im Bereich seiner Kenntnis lag, davon zu überzeugen, dass es keinen Fehler mehr gab. Dann begann er, die Geräte, die zu der für die Rückkehr bestimmten Kugel gehörten, in eine der vier Kugelhälften einzubauen. Er war sicher, dass es nicht unbedingt darauf ankam, dass sie wieder denselben Platz einnahmen wie zuvor, und lötete sie auf ihre Unterlage, wie er es für richtig hielt.

Als die Arbeit vollendet war, überflog er das Ganze noch einmal mit einem langen Blick. Was vor ihm lag, war sein Werk. Er hatte es verstanden, die Tücken einer fremden, hoch überlegenen Technik zu meistern und ein Kunstwerk, das von unsachverständigen Händen auseinandergenommen worden war, wieder zusammenzusetzen.

Jetzt, überlegte er, brauchte es nur noch zu funktionieren; dann war sein Triumph vollendet.

Die Natur unterstützte sein Gefühl der Zufriedenheit und verhaltenen Begeisterung mit dem entsprechenden Begleitgeräusch. Mit rollendem Donner und einem Ruck, der Stoke beinah aus dem Gleichgewicht brachte, meldete sich des Tages drittes Erdbeben an.

Das dritte Beben stempelte Corneil Stavalone in den Augen der Bürger von Karson-Main zum Lügner. Es dauerte nur zwei Minuten, aber in dieser Zeitspanne tobte es mit solcher Wucht, dass mehr als vierzig Häuser einstürzten. Die Bewohner waren beim ersten Anzeichen, dass es diesmal schlimmer werden würde als beim vorigen Mal, voller Angst auf die Straße geeilt; daher gab es keine Verluste. Aber, so schloss man eilig und nicht ganz unlogisch, dafür konnte Corneil Stavalone nichts.

Wenn sie sich alle auf seinen Rat verlassen hätten, lägen sie jetzt unter den Trümmern ihrer Häuser begraben.

Kinne Olafson, der nach Stavs überstürztem Abflug erneut seinen Posten übernommen hatte, war zwei Stunden nach dem Beben damit beschäftigt, Visifonanrufe zu beantworten und aufgeregte Bürger zu beruhigen. Er wäre auch nach zwei Stunden noch nicht fertig gewesen, wenn ihn nicht die Geduld verlassen und er sich von da an geweigert hätte, weitere Anrufe entgegenzunehmen.

In der allgemeinen Verwirrung war es Rich Leven, der eine Zeit lang unschlüssig am Rand der Stadt gewartet hatte, ohne Schwierigkeit gelungen, zu seinem Haus zurückzukehren. Wie Stoke Derringer annahm, war er alles andere als bereit, sich geschlagen zu geben.

Im Gegenteil.

Als er mit Alo Perritt das Haus betrat, nachdem er seinen Gleiter in der Garage abgestellt hatte, sagte er: »*Jetzt* ist unsere Zeit gekommen! Nach diesem letzten Beben gibt kein Mensch mehr einen Pfifferling für Stavalone.«

Und Alo Perritt, der sich so viel Mühe gegeben hatte, ihn von seiner Aufrichtigkeit zu überzeugen, nickte vor sich hin und war plötzlich etwas zuversichtlicher, dass er nach all dem Durcheinander sein Geld doch auf das richtige Pferd gesetzt hatte.

Beim ersten Anzeichen des Bebens stürzte Stoke aus der Baracke. Er wusste, dass die Sendeaggregate mitsamt der riesigen Antenne vorschriftsgemäß so gelagert waren, dass selbst der kräftigste Erdstoß ihnen nichts anhaben konnte; aber der Baracke traute er nur wenig Standhaftigkeit zu.

Stav und seine Männer hatten ihre eigentliche Aufgabe in dem Augenblick vergessen, als die Erde unter ihren Füßen zu zittern begann. Als Stoke ins Freie eilte, fand er sie auf der Ostseite der Baracke, die Strahler mit den Läufen nach unten, mit gebanntem Blick in die Dunkelheit starren. Dort hinten irgendwo lag Karson-Main. Fast jeder von ihnen hatte Frau und Kinder in der Stadt. Mit Augen voller Angst versuchten sie, die Finsternis zu durchdringen, und zählten jede Sekunde, die verstrich, ohne dass der Widerschein eines Feuers, einer Explosion, den östlichen Horizont erleuchtete.

Die zwei Minuten, die das Beben dauerte, kamen Stoke wie eine Ewigkeit vor. Als es vorüber war, kam Stav auf ihn zu. Er wirkte bitter.

»Ich möchte hören, was sie jetzt über mich zu sagen haben«, knurrte er. »Ich habe ihnen weisgemacht, sie brauchten sich nicht zu fürchten.«

Stoke antwortete: »Sie werden ein paar Stunden lang noch viel unbeliebter sein als jetzt, bevor die ganze Sache vorüber ist.«

Stav sah zu Boden. »Ja«, nickte er schließlich. »Sie könnten recht haben.«

Er hob den Kopf mit einem Ruck und schien alle Bitterkeit vergessen zu haben. »Was macht Ihre Arbeit? Kommen Sie vorwärts?«

Stoke schmunzelte.

»Klar. Verstand und Fingerfertigkeit – auf die Kombination können Sie sich immer verlassen. Kommen Sie – ich zeig's Ihnen.«

Sie schritten auf die Baracke zu. Stavs Leute nahmen ihre Posten wieder ein. In der Nähe des Eingangs lag ein Mann auf der Erde. Thurell Franz. Die Müdigkeit hatte ihn schließlich überwältigt.

Stoke trat als erster ein. Er hatte den Arm ausgestreckt, um auf seinen Arbeitstisch zu deuten und eine mehr oder weniger humorvolle Bemerkung über sein Werk zu machen. Als er aber hinsah, blieb ihm das Wort im Hals stecken.

Zwei Halbkugelschalen und ein wirres Durcheinander von kleinen Instrumenten lagen auf einer Seite der Tischplatte. Die Mitte, wo er die andere Kugel mit Geräten bestückt und wieder zusammengesetzt hatte, war leer. Die Kugel war verschwunden.

Stoke blieb stehen. Stav hatte es nicht vorhersehen können und prallte auf ihn.

»Was ist?«, fragte er überrascht.

»Die Kugel«, hauchte Stoke. »Sie ist … sie ist …«

Er fand keine Worte. Erst nach einer Weile dämmerte ihm, was geschehen war. Er hatte den Fehler behoben, der die Geräte ursprünglich daran gehindert hatte, planmäßig zu funktionieren. Er hatte die Instrumente wieder zusammengebaut und die Kugel geschlossen. Von diesem Augenblick an war sie funktionsfähig. Sie hatte sich verhalten, wie es von ihr erwartet wurde.

Enttäuschung und Niedergeschlagenheit brachen wie eine haushohe Woge über ihm zusammen. Nach all den Stunden der fieberhaften Anstrengung, in denen alleine die Hoffnung auf Erfolg ihn auf den Beinen gehalten hatte, fühlte er sich plötzlich so leer und ausgebrannt, dass ihm die Knie zitterten.

Stav sah ihm an, was er empfand. Er musterte ihn mit besorgtem Blick.

»Die Kugel ist gestartet«, sagte Stoke matt. »Ich wollte sie mit einer Botschaft versehen, die den Fremden klarmacht, was hier auf Karson vor sich geht. Aber sie hat es vorgezogen, sich ohne die Botschaft zu entfernen.«

Die Kugel war unterwegs. Niemand wusste, wie lange sie brauchte, um ihren Bestimmungsort, der zugleich der Ausgangspunkt ihrer Reise war, zu erreichen. Aber eines schien sicher. Wenn sie ans Ziel gelangte, würde sie nicht in der Lage sein, über die Sorgen und Nöte der Siedler auf Karson zu berichten. Ihre Hersteller würden, wenn sie sie auseinandernahmen und das Bildband untersuchten, feststellen, dass sich irgendetwas Unvorhergesehenes ereignet hatte – dass die Funktion der Instrumente eine Zeit lang ausgesetzt hatte und dann wieder angesprungen war.

Aber die Ursache des Wiederanspringens würde ihnen unklar bleiben. Die Botschaft, die Stoke Derringer hatte senden wollen, blieb unartikuliert.

Der Plan war fehlgeschlagen. Ein Erdbeben von zwei Minuten Dauer hatte ihn unbrauchbar gemacht.

Stokes Niedergeschlagenheit dauerte nicht lange. Er wusste, was er zu tun hatte. Er setzte sich mit dem Kommandanten der Hilfsflotte in Verbindung und machte ihm klar, dass es keinen Ausweichplan mehr gab und dass Karson, wenn nicht ein Wunder geschah, seine Hilfe in nächster Zukunft brauchen werde.

Um diese Zeit befand sich die Flotte noch in ihrem Ausgangshafen auf der Stützpunktwelt Fulgor, knapp eintausend Lichtjahre von Karson entfernt. Die Vorauseinheiten, die die Lage auf Karson zu beobachten und, falls Stoke etwas zustieß, nach eigenem Ermessen einzugreifen hatten, waren schon unterwegs.

Stoke hatte das Gespräch gerade beendet, als Stav eintrat. Er hatte von seinem Piloten gehört, den er auf Stokes Anweisung hin zu einem Rundflug um Karson ausgeschickt hatte.

»Er ist auf dem Rückweg«, sagte er ernst, »und was er zu sagen hat, klingt nicht besonders freundlich.«

»Neue Felder?«, fragte Stoke.

»Und wie. Die Gesamtzahl ist mindestens einhundertfünfzig. Eine Zunahme von fünfzig in einem halben Tag.«

Stoke rechnete schweigend. Wenn die Zuwachsrate konstant blieb, hatten sie noch ein paar Tage Zeit.

»Und noch was«, fuhr Stav fort. »Der Pilot ist unterwegs einem anderen Fahrzeug begegnet. Leven besitzt also tatsächlich ein eigenes Flugzeug und benutzt es, um sich über die Entwicklung der Lage auf dem Laufenden zu halten.«

»Sie wussten davon nichts?«, erkundigte sich Stoke.

»Ich hatte keine Ahnung. Ein Flugzeug ist so teuer, dass ein Privatmann es sich unmöglich leisten kann. Außer Leven natürlich. Er hat nie gezeigt oder gesagt, dass er eines hat. Wahrscheinlich war es irgendwo außerhalb der Stadt versteckt.«

Von Neuem dachte Stoke über den merkwürdigen Mann nach, der nach Karson gekommen war, um ein Vermögen zu machen und sich dabei in Ausgaben von schwindelnder Höhe gestürzt hatte, nur um für den richtigen Augenblick gerüstet zu sein. Was würde geschehen, wenn Leven erkannte, dass die Kugelfelder tatsächlich eine ernste Gefahr bedeuteten? Dass sie, obwohl sie eines Tages wieder verschwinden würden, Karson zerstören konnten, bevor sie erloschen? Die Erdbeben mussten Leven zu denken geben. Wie würde er sich verhalten, wenn ihm schließlich die Erkenntnis kam, dass er sich selbst in Gefahr befand? Dass der Teufel, den er tagelang an die Wand gemalt hatte, um die Siedler einzuschüchtern und zu vertreiben, plötzlich Gestalt angenommen hatte und ihn selbst bedrohte?

Es würde ein Vergnügen sein, dachte Stoke, seine Reaktion zu beobachten.

Aber vorläufig war es nicht so weit. Die Nacht ging weiter. Nach ein paar Stunden traf Pepe Atroz von Karson-Main ein und berichtete, dass Rich Leven und Alo Perritt in der Stadt umhergingen und politische Stimmung machten. Kinne Olafson hatte, wie es seine Pflicht war, die zwei noch in der Stadt verbliebenen Polizisten ausgeschickt, um beide zu verhaften. Aber die Menge hatte die Polizisten verprügelt und weggeschickt. Leven und Perritt hatten keinen Finger zu rühren brauchen.

Kurz nach Pepes Ankunft landete das Flugzeug, mit dem Stavs Pilot Karson umflogen hatte. Der Mann wirkte niedergeschlagen. Er gab einen kurzen Bericht und wiederholte im Wesentlichen, was er Stav über Funk gesagt hatte.

Danach wurde es ruhig. Die Stunden verstrichen langsam, und die Nacht war so finster, als hätte sie sich für immer über Karson niedergelassen.

Stoke hatte draußen vor der Baracke ein bequemes Plätzchen gefunden und sich langgestreckt. Die Müdigkeit übermannte ihn augenblicklich. Er schlief tief und traumlos, bis ihn jemand an der Schulter rüttelte. Er fuhr in die Höhe. Es war finster, aber er erkannte Thurell Franz an dem Verband, den er trug.

»Sie kommen«, sagte Thurell.

Die warme Luft war erfüllt vom Summen ferner Gleitermotoren. Das Geräusch kam von der Stadt her. Mindestens fünfzehn Fahrzeuge, schätzte Stoke. Leven hatte rasche Arbeit geleistet. Es war sechs Stunden nach Mitternacht – noch neun Stunden bis Sonnenaufgang.

Stav und seine Leute waren vorbereitet. Zwei kräftige Scheinwerfer standen an der Ostflanke der Baracke.

Es war anzunehmen, dass Levens Leute direkt auf den Sender zufliegen würden, um dort zu landen, wenn ihnen kein Widerstand geboten wurde.

Das Geräusch war jetzt nahe und bewegte sich mit unverminderter Geschwindigkeit. Dicht über dem Boden tauchten die Positionslichter der ersten Fahrzeuge auf.

»Zeigt ihnen, dass wir hier sind!«, schrie Stav über den Motorenlärm hinweg, und im gleichen Augenblick leuchteten die beiden Scheinwerfer auf, zerrissen mit ihren gleißend hellen Strahlenbündeln die Finsternis und übergossen die Front der herannahenden Fahrzeuge mit Helligkeit.

Die Gleiterkolonne kam in Verwirrung. Die Piloten der vordersten Fahrzeuge wollten anhalten, aber von hinten wurde nachgedrängt. Die vorderen Gleiter wichen nach oben aus. Die Nachdrängenden flogen unter ihnen hindurch.

»Einen Schuss vor den Bug!«, brüllte Stav. »Zeigt ihnen, dass wir's ernst meinen!«

Eine Reihe von Strahlern entlud sich fauchend. Vor den vorwitzigsten Gleitern kochte der Boden auf. Glut spritzte in die Höhe. Die Fahrzeuge wendeten und zogen sich langsam zurück. Die Piloten schienen ein paar Augenblicke lang unentschlossen. Der Gleiterschwarm schwebte dicht über dem Boden, ohne sich zu bewegen. Dann musste jemand, wahrscheinlich Leven selbst, einen Befehl gegeben haben. Die Fahrzeuge zogen sich zurück und verschwanden in der Dunkelheit – bis auf eines.

»Der will verhandeln!«, rief Stav. »Lasst ihn heran!«

Die Insassen des Gleiters schienen gewiss, dass ihre Absicht verstanden worden war. Das Fahrzeug schwebte ohne Zögern auf die Baracke zu und ging fünfzehn Meter vor den Scheinwerfern zu Boden. Stav war höflich genug, seinen Leuten zu befehlen, sie sollten die Lichtkegel ein wenig zur Seite richten. Das hohe Summen des Motors wurde leiser, ohne jedoch ganz zu erlöschen. Wer auch immer der Unterhändler war, er wollte sicher sein, dass er im Fall einer Gefahr schnell genug verschwinden könnte.

Ein Luk öffnete sich. Eine imposante Gestalt kam zum Vorschein. Stoke stand dicht neben Corneil Stavalone und hörte ihn mit den Zähnen knirschen.

Der Unterhändler war Rich Leven selbst.

»Ich fordere die Übergabe des Senders!«, rief er.

»Sie haben überhaupt nichts zu fordern«, schrie Stav. »Ich habe einen Haftbefehl für Sie. Kommen Sie her und ergeben Sie sich!«

Leven lachte höhnisch.

»Für wie dumm halten Sie mich eigentlich, Stav? Hinter mir steht die gesamte Bevölkerung von Karson-Main. Die Leute von South und On-Meander werden in Kürze zu uns stoßen. Sie alle haben die Nase voll von der unverantwortlichen Handlungsweise des Notstandsrats. Sie und Ihre Kumpane sind abgesetzt, Stav. Nennen Sie es eine Revolution, wenn Sie wollen. Sie war notwendig und erfolgreich. Die Flotte muss unverzüglich zu Hilfe gerufen werden, um zu retten, was noch zu retten ist. Ich werde das tun. Die Bürgerschaft hat mich dazu bestimmt. Sie haben nur eine Handvoll Männer, Stav – ich dagegen kann alle Bürger um mich zusammenziehen. Sie haben keine Aussicht! Geben Sie auf!«

Stavs Stimme war gefährlich ruhig, als er antwortete: »Es gibt ein paar Punkte, die Sie übersehen haben, Leven.

Erstens: Sie stehen im Verdacht, Verbrechen begangen zu haben, die Ihnen vor jedem ordentlichen Gericht mindestens zwanzig Jahre Gefängnis einbrächten. Unter der Sondergesetzgebung, die für Siedlungen wie Karson gelten, sind Sie vogelfrei, und wenn es mir auch nur ein kleines bisschen Spaß machte, könnte ich Sie da, wo Sie gerade stehen, abschießen.

Zweitens: Die Flotte ist alarmiert und wird uns zu Hilfe kommen, sobald die Notwendigkeit dazu besteht.

Drittens: Die Leute, die Sie bei sich haben, sind des Aufruhrs schuldig. Alle, wie sie da sitzen oder stehen, werden gesetzlich verfolgt werden, sobald dieser Zirkus vorüber ist.

Und viertens: Verschwinden Sie, bevor mir der Anblick Ihrer Visage zu lästig wird und ich Ihnen eine auf den Pelz brenne.«

»Das nenne ich die Sprache des Diplomaten«, warf Stoke halblaut ein.

Stav bedachte ihn mit einem zornigen Seitenblick.

Leven, der ein wenig dichter an seinen Gleiter herangetreten war, um Deckung zu haben, rief zurück: »Ihr Gift tut mir nicht weh, Stav. Sie sind ein alter Mann auf verlorenem Posten. Ich gebe Ihnen fünf Stunden Zeit, um den Sender auszuliefern. Sie können Ihre Bedingungen nennen. Sie werden erfüllt werden, solange sie sich in einem gewissen Rahmen halten. Sobald Sie sich entschlossen haben, kommen Sie mit einem einzelnen Fahrzeug, um uns zu unterrichten. Haben wir in fünf Stunden noch nichts von Ihnen gehört, greifen wir an.«

Er schickte sich an, in den Gleiter zu steigen.

Da trat Stoke nach vorne, sodass einer der Scheinwerfer ihn von der Seite her beleuchtete.

»Einen Moment noch, Leven«, sagte er nicht allzu laut, aber da war etwas in seiner Stimme, das ihr eine ungewöhnliche Deutlichkeit verlieh.

Leven zögerte und drehte sich halb herum.

»Ich habe nicht viel zu sagen«, begann Stoke. »Nur zwei Dinge, die Sie sich vielleicht überlegen möchten. Ich bin Offizier im Dienst der Abwehr des Solaren Imperiums. Ich bin in offiziellem Auftrag auf Karson. Über Ihre Machenschaften ist ein ausführlicher Bericht nach Terrania gegangen, und sobald die Einheiten der Flotte hier landen, wird man Sie festnehmen und zur Erde schaffen.

Zweitens: Wir wissen alle, was Sie vorhaben, Leven. Sie wollen diesen Planeten an sich reißen. Ist Ihnen schon einmal der Gedanke gekommen, dass Karson womöglich nicht mehr lange existieren wird? Dass die Erdbeben sich häufen werden? Dass die Kugelfelder, bevor sie erlöschen, das Unterste zuoberst kehren könnten? Denken Sie darüber nach, Leven. Ihr Spiel war schon verloren, bevor Sie die erste Karte auslegten.«

Leven stand starr. Einen Augenblick lang schien er zu überlegen, ob er antworten sollte. Dann verschwand er mit einem Ruck im Innern des Gleiters. Eine Sekunde später hob das Fahrzeug ab, wendete und verschwand in der Nacht.

Stoke wandte sich an Stav. »Sagen Sie Ihren Leuten, sie sollen sich bereithalten. Leven hat uns fünf Stunden gegeben. In spätestens vier wird er angreifen.«

Levens Strategie lag fest, und jeder konnte sie vorausberechnen. Für Rich Leven ging es nur noch darum, die Lage so rasch wie möglich in die Hände zu bekommen. Er durfte seinen Leuten keine Zeit zum Nachdenken lassen. Ein Teil von ihnen musste schon vor Levens Rückkunft von Hertenbosch gehört haben, dass Stoke Derringer ein offizieller Beauftragter der Erde war. In ihrem Zorn waren sie bereit, die Folgen außer Acht zu lassen, die sie unweigerlich treffen mussten, wenn sie einen Agenten angriffen. Vielleicht hatte Leven ihnen auch verschwiegen, dass er zurückgekehrt war. Jetzt wussten sie es, und je länger sie darüber nachdachten, desto deutlicher würde ihnen werden, in was sie sich da einließen.

Leven konnte sich auch nicht damit abfinden, dass Stav die Flotte schon alarmiert hatte. Um sein Geschäft abzuschließen, brauchte er völlig freie Hand. Jeder Widerstand gegen seinen Plan musste beseitigt sein. Er musste den Leuten einreden können, dass es für sie am besten war, wenn sie ihm ihr Land überschrieben – ohne dass ihm jemand dazwischenredete und die Siedler zum Nachdenken brachte.

Um all das zu erreichen, blieb ihm nur eine einzige Möglichkeit. Er musste den Sender angreifen und Corneil Stavalone, Stoke Derringer und ihre Leute aus dem Weg räumen.

Es gab nur ein Handicap: Er musste so vorsichtig zu Werke gehen, dass der Sender nicht beschädigt wurde.

Dies war gleichzeitig der einzige Lichtblick in Stokes Planung. Stav hatte zehn Männer, Thurell Franz eingeschlossen. Pepe Atroz war mit nur zwei Begleitern zu ihnen gestoßen. Sie waren insgesamt also vierzehn Mann, ihn selbst mit eingerechnet, und es war anzunehmen, dass Leven mindestens viermal so viel Leute hatte. Ohne das Handicap auf Levens Seite wäre das Ganze von Anfang an ein aussichtsloses Unternehmen gewesen. So hatten sie wenigstens noch ein bisschen Hoffnung.

Stoke machte sich kein allzu rosiges Bild von der Standhaftigkeit seiner kleinen Gruppe. Sie konnten vier Stunden lang aushalten, vielleicht fünf, wenn sie Glück hatten. Wenn Leven dann noch nicht aufgab, hatten sie verspielt. Stoke rechnete jedoch damit, dass Levens Leute, sobald es zum Schießen kam, sich ihre eigenen Gedanken machen würden. Er nahm nicht an, dass sie auf Gedeih und Verderb zu ihrem Anführer halten würden, sobald ihnen aufging, dass sie sich eines Kapitalverbrechens schuldig machten und keine Aussicht auf raschen Erfolg hatten.

Alles in allem, fand Stoke, war die Lage ernst, aber nicht hoffnungslos. Was sie brauchten, war ein bisschen Glück. Und wenn alles schiefging, konnte er die Vorauseinheiten um Hilfe rufen, die bis dahin über Karson kreuzen würden.

Er genehmigte sich eine weitere Tasse Kaffee und schritt, nachdem er sie genussvoll zu Ende geschlürft hatte, auf die Stelle zu, an der Stav sich im Gras niedergelassen hatte.

»Es sieht mies aus, wie?«, erkundigte sich Stav.

Stoke schüttelte den Kopf. »Nicht allzu sehr. Wir haben Chancen.«

»Klar. Wie ein Schneeball im Feuer. Was halten Sie davon, aus South und On-Meander Hilfe zu holen?«

»Nichts«, antwortete Stoke. »Leven hat die Leute wahrscheinlich schon aufgewiegelt.« Er lachte bitter. »Ich sagte Ihnen schon – bevor die Sache vorüber ist, werden wir beide eine Periode höchster Unbeliebtheit durchmachen.«

Stav knurrte etwas Unverständliches. Dann schwiegen sie beide und starrten in die Nacht hinein.

Nach etwa einer Stunde hörten sie in der Ferne Motorengeräusche. Es war nicht auszumachen, in welcher Richtung die Fahrzeuge sich bewegten. Das Geräusch war ein paar Minuten lang von konstanter Stärke, dann ließ es rasch nach und erlosch.

»Hm«, machte Stav, »vielleicht ziehen sie ab.«

»Ich würde mich nicht darauf verlassen«, sagte Stoke.

Das untätige Warten bedrückte ihn. Die paar Stunden Schlaf hatten seine Müdigkeit nicht völlig beseitigt. Er wusste, dass er sofort eingeschlafen wäre, wenn er es sich erlaubt hätte, sich flach auf den Boden zu legen.

Er musste schließlich im Sitzen eingedöst sein, denn als Stav neben ihm plötzlich sagte: »Da rührt sich was!«, brauchte er ein paar Augenblicke, um sich zurechtzufinden.

Vor ihnen in der Nacht waren Geräusche.

»Scheinwerfer an!«, schrie Stav.

Ein greller Lichtkegel fuhr durch die Nacht. Die Gestalten laufender, waffenschwingender Männer entstanden aus der Finsternis. Stoke warf einen hastigen Blick auf die Uhr. Leven hatte nicht ganz drei Stunden gebraucht, um seine Offensive in Gang zu bringen.

Stavs Leute begannen zu feuern. Sie hatten Befehl, nach Möglichkeit niemand zu verletzen, und schossen eine glühende, kochende Furche in den Boden etwa fünfzig Meter vor den vordersten Angreifern. Levens Männer wichen zur Seite aus und setzten ihren Vormarsch fort. Stoke lief auf die andere Seite der Baracke und überzeugte sich, dass dort noch alles ruhig war. Die Sache gefiel ihm nicht. Leven hatte nur dann eine Chance, wenn er von allen Seiten zugleich anstürmte und die gegnerische Streitmacht aufsplitterte. Warum ließ er sich diese Möglichkeit entgehen?

Stoke kehrte auf die Ostseite zurück und griff zum ersten Mal aktiv in das Geschehen ein. Er sah einen Mann sich an der Nordflanke der Flammenwand vorbeischleichen und nahm ihn unter Feuer. Der Mann stutzte, als er eine Funkengarbe vor sich aus dem Boden steigen sah. Er zögerte den Bruchteil einer Sekunde, warf sich herum und begann zu rennen. Der glühende Streifen, den Stokes Strahler in den Boden brannte, glitt hinter ihm her, bis Stoke sein Ziel aus der Sicht verlor.

Von der anderen Seite der Baracke kam plötzlich ein dröhnender Krach. Ein fahler Blitz geisterte durch die Nacht. Stoke sprang zum zweiten Mal auf und lief nach drüben. Stavs Leute hatten den zweiten Scheinwerfer eingeschaltet und feuerten an seinem Lichtkegel entlang. Zehn Meter jenseits der Baracke gähnte ein kleiner Krater.

»Sprengkapseln«, schrie einer der Männer, als er Stoke bemerkte.

Ein weißes Etwas fiel taumelnd aus der Dunkelheit, blitzte eine Zehntelsekunde lang auf, als es den Strahl des Scheinwerfers durchschnitt, und fiel zu Boden. Ein donnernder Krach brandete auf. Der Schock des Luftdrucks riss Stoke von den Beinen. Er stürzte zu Boden, und ein Hagel von Sand, Gras und Erdbrocken trommelte auf ihn ein.

Stavs Leute feuerten jetzt ununterbrochen. Es war nicht zu sehen, ob sie etwas trafen, aber sie brauchten das Fauchen und Zischen ihrer eigenen Strahler, um sich selber zu zeigen, dass sie noch da waren und eine Rolle spielten. Der Hagel der Sprengkapseln fiel jetzt dicht auf dicht. Halb benommen und verwundert kam Stoke auf die Beine. Keine der Kapseln fiel dichter als acht oder neun Meter vom Westrand der Baracke. Was hatte Leven vor? Welchen Zweck verfolgte das Feuerwerk?

Ein unbestimmtes Gefühl drohender Gefahr ließ ihn aufsehen. Dicht über ihm hing ein Schatten, ein schwarzes Monstrum, das ihn zu zerdrücken drohte. Jetzt, da er wusste, dass es da war, konnte er über das Dröhnen der Explosionen hinweg den summenden Motor hören. Er riss die Waffe in die Höhe und stieß einen Schrei aus, um Stav und seine Männer zu warnen. Aber er kam zu spät. Etwas Schweres fiel aus dem Schatten auf ihn herab und riss ihn zu Boden. Etwas Hartes traf ihn am Hinterkopf und raubte ihm die Besinnung.

Als er wieder zu sich kam, lag er mit dem Rücken gegen die Wand der Baracke. Man hatte ihm die Hände zusammengebunden. Rechts neben ihm lag Stav, und neben Stav hockte Thurell Franz. Die anderen Leute waren nicht zu sehen. Einer von Stavs Scheinwerfern beleuchtete die Szene. Man hatte ihn so aufgebaut, dass er gegen den Boden leuchtete und das Licht von dort reflektiert wurde.

Vor ihnen stand Rich Leven, groß, breitschultrig und das Leuchten des Triumphs in den Augen. Neben ihm, klein, schmal und mit einer Miene voller Gehässigkeit und Schadenfreude, hielt sich Alo Perritt. Ihre Leute umstanden die Szene im Halbkreis, die Waffen noch in der Hand.

»Das Ende des Tyrannen«, spottete Leven, trat auf Stav zu und trat ihm in die Seite. »Machen Sie die Augen auf und ertragen Sie die Niederlage mit Würde.«

Stav rührte sich nicht. Leven trat ihn ein zweites Mal, diesmal mit aller Kraft. Stoke sah, wie Stav sich in die Lippen biss.

»Lassen Sie ihn in Ruhe, Sie Psychopath«, knurrte Stoke. »Oder wie lange, glauben Sie, werden sich die Leute Ihre Gemeinheit wortlos ansehen?«

Rich Leven zog die Brauen in die Höhe und wandte ihm seine Aufmerksamkeit zu. Stoke empfing einen Tritt in die Rippen, der ihm ein paar Sekunden lang den Atem raubte.

»Hier ist der Mann«, sagte Leven laut, »der sich als Agent der Solaren Abwehr ausgibt, um ahnungslose Bürger in Sicherheit zu wiegen. In Wirklichkeit ist er ein armseliger reisender Händler, der eine Gelegenheit sah, zum ersten Mal auf einen grünen Zweig zu kommen.«

»Sie bringen das nicht durch, Leven«, knurrte Stoke und verbiss den Schmerz, den der Tritt ihm verursachte. »Wenn die Flotte landet, werden Sie zur Rechenschaft gezogen.«

Leven beugte sich zu ihm herunter und zischte so, dass ihn niemand sonst verstehen konnte: »Wenn die Flotte landet, wird man erfahren, dass Sie irgendwo verunglückt sind. Das sind Ihre Aussichten, mein Freund.«

Er verabschiedete sich mit einem Tritt und wandte sich Thurell Franz zu, der ihn mit verächtlichem Blick erwartete.

»Ich hätte den Tritt gerne in die linke Seite«, sagte er. »Rechts könnte er meinem Blinddarm schaden!«

Leven hatte den Fuß schon gehoben. Thurells Bemerkung machte ihn unsicher.

»Es geht auch anders«, grinste er, beugte sich vornüber und zog Thurell am Kragen seines Hemdes in die Höhe. Thurell war hilflos. Mit gebundenen Händen konnte er sich nicht wehren. Leven holte zu einem Faustschlag aus.

»Halt!«, brüllte Stoke.

Leven erstarrte mitten in der Bewegung und sah ihn an.

»Wenn Sie mit Ihren sadistischen Spielen nicht in dieser Sekunde aufhören«, drohte Stoke, »werde ich dafür sorgen, dass das Gericht auf der Erde Sie für den Rest Ihres Lebens in die Bergwerke auf Entry schickt.«

Leven war eine Sekunde lang verblüfft. Dann fing er an zu lachen. »Hört euch das Großmaul an!«, dröhnte er. »Ich werde ihm zeigen, was …«

Er holte aus. Seine geballte Faust schoss auf Thurells Schädel zu. Aber Thurell hatte die Pause genutzt. Blitzschnell duckte er sich zur Seite. Wie ein Gummimann schnellte er in die Höhe und rammte Leven beide Füße in den Leib.

Rich Leven stürzte nach hinten, überschlug sich und blieb stöhnend und würgend im Gras liegen. Thurell, unfähig sein Gleichgewicht zu halten, stürzte ebenfalls und fiel der Länge nach zu Boden.

Die Männer, die die Szene im Halbkreis umstanden, kamen in Bewegung. Zwei eilten auf Leven zu und halfen ihm auf die Beine. Der große Mann war blau im Gesicht und hustete würgend, beide Hände gegen den Leib gepresst. Aus blutunterlaufenen Augen starrte er Thurell an.

»Ich werde dir …«, röchelte er.

Er kam nicht dazu, den Satz zu beenden. Ein merkwürdiges, pfeifendes Geräusch erfüllte plötzlich die Luft. Es schien aus der Höhe zu kommen und drang durch Mark und Bein. Jedermann, selbst Leven, starrte in die Höhe.

Stoke sah einen winzigen, glitzernden Funken wie eine Sternschnuppe durch die Nacht schießen. Aus dem Funken wurde ein leuchtender Ball, dessen Flug sich rasch verlangsamte und der schließlich sachte, wie ein fallendes Blatt, zu Boden sank und halbwegs zwischen der Baracke und dem Fuß der großen Hyperantenne aufsetzte.

Plötzlich erlosch das Leuchten. Das Pfeifgeräusch erstarb im gleichen Augenblick. Das schimmernde Gebilde verwandelte sich in eine unansehnliche, graue Kugel.

Stoke hatte eine wahnwitzige Idee. Einem Impuls folgend, sprang er auf.

»Hört zu, Männer!«, dröhnte seine Stimme durch die Nacht. »Diese Kugel kann unsere Rettung sein.«

Das brachte Leven zur Besinnung.

»Hört nicht auf den Narren«, keuchte er, aber er hatte Schmerzen, und seine Stimme klang nicht besonders laut. »Alo – erschieß ihn!«

Alo zögerte.

»Sie müssen mich mundtot machen, Leute!«, schrie Stoke. »Sonst könnte unter Umständen die ganze Wahrheit ans Tageslicht kommen. Ich sage euch – es besteht die Hoffnung, dass jetzt, in diesem Augenblick, alle Kugelfelder auf Karson erloschen sind.«

Er machte eine Pause und ließ die Worte eindringen. Alo zögerte immer noch, die Augen weit und rund vor ungläubigem Erstaunen.

»Ich bin ein Agent der Solaren Abwehr – ganz gleich, was Leven euch vorzumachen versucht«, fuhr Stoke fort, und mit jedem Wort gewann er neue Zuversicht. »Leven hat mir alles abgenommen, was ich am Leib trage. Ich kann mich nicht ausweisen. Aber ihr braucht nur den Sender in Betrieb zu setzen und die Flotte anzurufen. Man wird bestätigen, dass ich die Wahrheit sage.«

Neben ihm begann Stav sich zu regen. »Hören Sie auf, Mann«, knurrte er. »Sie wissen nicht, was Sie sagen. Die Fantasie geht mit Ihnen durch.«

Stoke achtete nicht auf ihn.

»Ich sage, es besteht eine Möglichkeit, dass Karson gerettet ist. Ich will euch nichts vormachen. Es kann sein, dass ich Unrecht habe. Ihr könnt euch leicht überzeugen. Stav und ich haben in dieser Nacht ein Experiment angestellt. Es ist möglich, dass es erfolgreich war. Es ist möglich, dass alle Kugelfelder verschwunden sind und die Gefahr beseitigt ist. Ihr braucht mir nicht zu glauben. Ihr braucht auch Leven und Perritt nicht zu glauben. Geht hin und überzeugt euch – dann fällt euer Urteil.«

Leven hatte verloren. Er hatte ausgespielt, weil er Schmerzen hatte und nicht so laut schreien konnte wie Stoke Derringer. Was er sagte, ging im aufgeregten Rufen der Männer unter.

»Lasst Leven nicht aus den Augen«, warnte sie Stoke. »Er hatte vor, das größte Geschäft seines Lebens zu machen, indem er euch Furcht einflößte und von Karson vertrieb. Er wird sich nicht so einfach einen Strich durch die Rechnung machen lassen.«

Die Worte wirkten. Die Männer hatten sich inzwischen auf einen Wortführer geeinigt. In Begleitung von zwei Schwerbewaffneten kam er auf Stoke zu. Fünf andere Leute umringten Leven und Perritt.

»Ihre Angaben sind leicht zu überprüfen«, sagte der Wortführer. »Ich warne Sie. Stellt sich heraus, dass Sie uns hinters Licht führen wollen, dann …«

»Halten Sie sich nicht mit langen Reden auf«, fuhr ihm Stoke in die Parade. »Es kreisen mindestens zwei Vorausschiffe über Karson. Rufen Sie sie an und fragen Sie nach, wer ich bin.«

Der Führer wandte sich um und gab seinen Leuten den entsprechenden Auftrag. Zwei Männer eilten in die Baracke. In der Zwischenzeit hatte Rich Leven sich einigermaßen von seinen Schmerzen erholt und begann zu toben. Der Kreis der Wächter schloss sich enger um ihn. Anscheinend hatte man ihm und Perritt die Waffen abgenommen.

Ein paar Minuten vergingen. Der Anführer der Siedler hatte sich bereit erklärt, den Gefangenen die Handfesseln abzunehmen.

»Wo sind Pepe und die übrigen Leute?«, erkundigte sich Stav wild.

»Gefesselt und auf dem Weg in die Stadt«, hieß die Antwort. »Leven wollte sie sich gesondert vornehmen.«

»Kein Wunder«, brummte Thurell. »Pepe hat zehn Hektar Land an der Küste. Das konnte sich der gute Rich auf keinen Fall entgehen lassen.«

Einer der Männer kam aus der Baracke gestürmt.

»Es stimmt!«, schrie er schon von Weitem. »Er ist Stoke Derringer, Oberst im Solaren Geheimdienst.«

Der Wortführer wandte sich an Stoke. Ein hilfloses Lächeln lag auf seinem Gesicht. Er machte eine verlegene Geste und sagte: »Das alleine genügt mir schon. Ich kann im Augenblick nichts anderes tun, als für uns alle um Entschuldigung zu bitten. Wir hatten keine Ahnung, wer sie waren. Hätten Sie sich zu erkennen gegeben, wäre die Sache wahrscheinlich anders verlaufen. Ich bitte Sie, das zu bedenken, wenn ... wenn ...«

»Wenn es zur Verhandlung kommt«, beendete Stoke den angefangenen Satz.

Der Wortführer sagte nichts mehr.

»Sie können einen Teil Ihres Fehlers wiedergutmachen«, riet ihm Stoke, »indem Sie Leven und Perritt festnehmen und sich vergewissern, dass Sie uns nicht durch die Lappen gehen können.«

Die Anweisung wurde sofort ausgeführt. Rich Leven, nunmehr wieder Herr seiner Kräfte, fluchte unflätig vor sich hin, als er gebunden wurde.

Leven und Perritt waren im Innern der Baracke verstaut, als sich von der Stadt her ein Gleiter näherte. Er glitt dicht über die Baracke hinweg und setzte dicht neben dem Scheinwerfer auf.

Ein einziger Mann stieg aus. Er befand sich in höchster Erregung und schrie: »Die Kugelfelder sind verschwunden! Hört ihr? Die Kugelfelder ...«

Epilog

Die Kugelfelder waren verschwunden, und soweit sich der Vorfall überhaupt datieren ließ, hatte er sich im gleichen Augenblick ereignet, als die schimmernde Kugel in der Nähe des Hypersenders niederging.

Als der Morgen graute, landete auf Stoke Derringers Anweisung eines der Vorausschiffe auf dem Raumhafen von Karson-Main. Die Lage in der Stadt hatte sich inzwischen einigermaßen beruhigt. Mit der gleichen Bedenkenlosigkeit, mit der sie Rich Leven gefolgt waren, nahmen die Leute zur Kenntnis, dass ein Wunder geschehen war.

In Karson-South nahm der Jubel kein Ende. Die Leute, die vor Tagen mitsamt ihren Häusern unter einem der Felder verschwunden waren, tauchten unversehrt, wenn auch ein bisschen abgemagert, wieder auf. Inzwischen war ihnen der Proviant ausgegangen, und die Wasserleitungen, von der Umwelt abgeschnitten, hatten keinen Tropfen mehr von sich gegeben.

Gleichermaßen spurlos waren auch alle anderen Felder verschwunden. Das Land, das unter ihnen verborgen gewesen war, kam unversehrt wieder zum Vorschein. Nur leichte Vertiefungen an den Stellen, an denen der Boden nachgegeben hatte und ins Innere der Felder hineingerutscht war, zeugten noch davon, dass sich auf Karson Ungewöhnliches ereignet hatte.

Das Innere des Planeten beruhigte sich überraschend schnell. Die Magmakanäle waren wieder verstopft und abgeschlossen. Es kam noch zu einer Reihe schwächerer Beben, aber auch die blieben nach einem halben Tag vollends aus.

Leven und Perritt wurden an Bord des Raumschiffs gebracht, ebenso die rätselhafte Kugel, die das Wunder bewirkt hatte. Der Notstandsrat hatte sich entschlossen, Levens Parteigänger als harmlose Irregeführte zu betrachten und sie nicht zu verfolgen. Auf Stoke Derringers Rat hin sandte Stav eine Gruppe von Männern zu Levens Dschungellabor. Man fand dort die Leichen der beiden Leute, die der Explosion der Sprengkapseln zum Opfer gefallen waren, und den immer noch bewusstlosen Wächter, dem Stoke einen Stein an den Schädel geworfen hatte. Der Bewusstlose wurde ebenfalls an Bord des Schiffes gebracht – und schließlich auch Rich Levens Pilot, als er mit seinem Flugzeug kurz nach Sonnenaufgang im Norden von Karson-Main landete.

Stoke selbst blieb auf Karson zurück. Er hatte sich einen Urlaub verdient, wie er sagte. In Wirklichkeit hatte er Allan D. Mercants ausdrücklichen Auftrag, noch eine Zeit lang nach dem Rechten zu sehen.

Das Raumschiff startete noch am Mittag desselben Tages zum Rückflug zur Erde. In Terrania nahm man sich der rätselhaften Kugel unverzüglich an. Obwohl Wochen vergingen, bis die Untersuchung abgeschlossen war, stand das vorläufige Ergebnis, an dem bis zum Schluss nichts mehr geändert zu werden brauchte, schon nach wenigen Tagen fest.

Die Fremden hatten die Botschaft erhalten. Die Kugel enthielt ein Bild- und Tonband, das, nachdem Wissenschaftler gelernt hatten, wie es abzuspielen war, die Aufeinanderfolge der Ereignisse in allen Einzelheiten beschrieb. Die Kugel, die Stoke wieder instand gesetzt hatte, war planmäßig an ihrem Bestimmungsort gelandet. Sie war untersucht worden, und da einzelne Geräte, deren Funktion Stoke damals nicht erkennen konnte, die ganze Zeit über – selbst außerhalb des Kugelbehälters, auf dem Gestell in Levens Dschungellabor – funktioniert hatten, war es möglich gewesen, das Schicksal der Kugel zu rekonstruieren. Man erfuhr zum ersten Mal, dass es auf Karson intelligentes Leben gab. Man erkannte die Gefahr, die die Kugelfelder für den Planeten bedeuteten, und beeilte sich, sie zu beseitigen. Stoke – er wurde über Hyperfunk auf dem Laufenden gehalten – erfuhr zu seiner großen Überraschung, dass es nicht die Kugel gewesen war, die sich jetzt in den Händen der irdischen Fachleute befand, der Karson seine Rettung zu verdanken hatte. Es war ein anderes Gerät gewesen, das gleichzeitig mit der Kugel über Karson aufgetaucht und nach Verrichtung seiner Arbeit wieder zum Ausgangsort zurückgekehrt war.

Die Absicht der Fremden lag auf der Hand. Sie hatten nicht die Absicht, der unbekannten Zivilisation einen allzu tiefen Einblick in die Errungenschaften ihrer Technik zu ermöglichen.

Das Bildband, das der Kugel entnommen worden war, enthielt eine Sequenz von insgesamt sechzehntausend schematischen Bildern und Diagramme. Bilder und Diagramme waren streng nach den Regeln der Logik entworfen und den terranischen Semantikern ohne weitere Schwierigkeit verständlich. Aus ihnen wurde offenbar, dass Stoke Derringer mit seiner Vermutung völlig recht gehabt hatte: Die Fremden waren dabei, ein neues Gerät zu erproben. Sie hatten Karson aufs Geratewohl ausgewählt. Woher sie von der Existenz des Planeten wussten, ging aus dem Band nicht hervor. Es wurde jedoch darauf Wert gelegt zu erläutern, dass man, obwohl die von Karson zurückkehrenden Kugeln einen stetigen Strom von fotografischen Aufnahmen mit sich führten, den Planeten bis zum letzten Augenblick für unbesiedelt gehalten hatte.

Für die Wissenschaftler ergab sich daraus der Schluss, dass die Siedlungen der Fremden irdischen Niederlassungen völlig unähnlich waren. Sie hatten aus den Aufnahmen von Karson-Main, Karson-South und Karson-On-Meander, die auf den Bändern der zurückkehrenden Kugeln ohne Zweifel enthalten waren, nicht den richtigen Schluss ziehen können.

So viel Informationen die Fachleute auf der Erde auch erhielten – über eines ließ man sie völlig im Unklaren. Mit keinem Bild, mit keiner Linie gingen die Fremden auf sich selbst ein. Sie zeigten sich nicht, sie machten nicht die leiseste Andeutung, wer sie waren, wie sie aussahen und in welchem Verhältnis sie zu den Vorgängen im bekannten Teil der Galaxis standen.

Selbstverständlich verrieten sie nicht, wo ihre Welt lag.

Ihre Absicht war klar. Sie legten keinen Wert auf Kontakt mit dem Solaren Imperium.

Oder mit dem Arkonidenreich.

Oder mit den Akonen.

Oder mit sonst irgendjemand, der eine Rolle im bekannten Teil der Milchstraße spielte.

Sie wollten unbehelligt bleiben. Ihre Technik war den Technologien aller anderen Sternenvölker weit überlegen.

Von diesem Gesichtspunkt aus betrachtet, war ihre Zurückhaltung nicht mehr als recht und billig.

Im Gegenteil.

Man musste froh sein, dass sie sich nicht dafür entschieden, sich in die Belange der galaktischen Völker einzumischen.

Ein halbes Jahr nach der Niederwerfung des Aufstandes machte Stoke Derringer sich endlich auf die Heimreise. Auf Karson war alles in Ordnung. Die Siedlung würde blühen und gedeihen – für einige Jahre noch unter Corneil Stavalones Leitung, dann unter der sicheren Führung von Thurell Franz oder Pepe Atroz. Das Leben war in geregelte Bahnen zurückgekehrt, und die Siedler, die Hände voller Arbeit, hatten den Zwischenfall mit den Kugelfeldern schon halb vergessen.

Rich Leven und Alo Perritt waren auf der Erde vor Gericht gestellt und verurteilt worden. Leven zu vierzig Jahren Zwangsarbeit in den Bergwerken von Entry, Perritt zu zehn Jahren Gefängnis auf der Erde. Leven war schließlich zusammengebrochen und hatte seinen Plan dem Gericht dargelegt. Er hatte tatsächlich die Absicht gehabt, die Titelrechte aller erschlossenen Ländereien an sich zu bringen, um auf Karson die alleinige Macht darzustellen. Jedes Mittel war ihm dazu recht gewesen. Er hatte zuerst geplant, den Boden zu vergiften, sodass die Farmer den Mut verloren und Karson verließen. Dann waren die Kugelfelder entstanden. Er hatte den einzigen Blindgänger gefunden, den es im Verlauf der ganzen Testserie gab, und seine Taktik geändert.

Stoke Derringer hatte ein ansehnliches Gefolge, als er sich

zum Raumhafen begab, um an Bord des Schiffes zu gehen, das eigens von der Erde gekommen war, um ihn abzuholen. Er stand am Fuße des Feldstegs, der zur Einstiegsschleuse hinaufführte, und drückte eine Menge Hände. Er versprach, bald wiederzukommen und, sobald er pensioniert wurde, sich auf Karson anzusiedeln. Er versprach noch eine Menge anderer Dinge, von denen er ebenso wusste, dass sie nie Wirklichkeit werden würden. Schließlich war er so weit, dass er den Steg betreten konnte.

Da legte sich eine Hand auf seine Schulter. Er drehte sich um und begegnete Corneil Stavalones ernstem Blick. Stav hielt ein Stück Papier in der Hand.

»Was gibt's jetzt noch?«, fragte Stoke gut gelaunt. »Sie wollen mein Autogramm?«

Stav schüttelte den Kopf. »Nein. Eine Kleinigkeit, die wir fast übersehen hätten.«

Stoke nahm das Papier zur Hand und las. Es war eine Rechnung über mehrere Hyperfunkgespräche. Die Summe betrug 21.340 Solar.

Stoke sah verblüfft auf. »So viel wollen Sie von mir haben?«, fragte er.

Stav zuckte mit den Schultern. »Von Ihnen oder wer sonst auch immer bereit ist, dafür zu bezahlen.«

Stoke fing an zu lachen.

»Stav, Sie sind ein Halsabschneider.«

Stav blieb ernst. Mit dem unschuldigsten Gesicht der Welt versicherte er: »Sie können sich nicht beschweren. Das ist der Selbstkostenpreis, und eine Siedlung wie Karson kann es sich nicht leisten, einen solchen Betrag einfach abzuschreiben.«

Stoke schob das Papier in die Tasche.

»Ich werde sehen, was ich in Terrania für Karsons Finanzen tun kann«, versprach er, dann glitt er den Steg hinauf.

Wie wir im ersten Vorwort dieses Bandes bereits erwähnt haben, war der »frühe« Mahr ein Freund von Agenteneinsätzen. Bereits in seinem Heftroman-Erstling streckte er das Geschehen um eine kleine Agentengeschichte, die ihm half, den frühen Aufbau der Dritten Macht auf der Ebene des Einzelnen zu beleuchten und zugleich die Handlung fortzuschreiben. Mahr ließ Tako Kakuta Industriespionage betreiben und mit amerikanischen Gewerkschaftlern verhandeln; das passiert dem Teleporter danach nicht mehr so oft.

Oder nehmen wir Band 11, »Mutanten im Einsatz«, den zweiten Band der Handlungsschiene im Wegasystem. Den für die weitere Entwicklung der Geschehnisse nötigen Marsch der Gruppe um Perry Rhodan über Ferrol ergänzte Mahr durch eine zweite Reise: die des abgeschossenen Raumpiloten Conrad Deringhouse, der sich auf sich allein gestellt durchschlagen und mit den topsidischen Besatzern des Planeten auseinandersetzen muss. Dabei kommt er mit einer ferronischen Widerstandsbewegung in Kontakt, die Zugang zum Roten Palast des Thort in Thorta hat – was später wiederum Perry Rhodan helfen wird.

Deringhouse wird auch in Band 21 (»Der Atomkrieg findet nicht statt«) durch Dörfer und Tavernen ziehen (diesmal in der russischen Provinz), bis er schließlich nach Moskau gelangt, um seinen Auftrag (die Ausschaltung der russischen Führungselite) zu einem erfolgreichen Abschluss zu bringen: Die gesamte russische Regierung mit ihren immerhin 108 Personen ergibt sich und unterstellt sich der neu geschaffenen Gerichtsbarkeit des Weltgerichts. So einfach geht das manchmal.

Kurt Mahrs erster wirklich großer Wurf in nachrichtendienstlicher Hinsicht war im Jahre 1963 die bereits im vorigen Vorwort erwähnte Abteilung III der Solaren Abwehr, gegründet im PR-Jahr 2070 n.Chr. Ihre Aufgaben sind etwas vage formuliert, aber letztlich doch klar: Sie soll die Interessen des Solaren Imperiums schützen und Widerstände, die sich seiner wirtschaftlichen Expansion entgegenstellten, schnell, diskret und wirkungsvoll beseitigen. Das klingt ein wenig wie ein Vorläufer der USO – die taucht in der Serie ja erst später auf –, eine Art »00«-Abteilung des Imperiums. Dafür spricht auch, dass sie Perry Rhodans direkter Kontrolle untersteht. Mit der Interkosmischen Sozialen Entwicklungshilfe (ISE) gibt es sogar eine Tarnorganisation zur Rekrutierung neuer Agenten. Vom Standpunkt der Solaren Abwehr aus hätten wir hier also einen »Staat im Staate«. Man mag sich fragen, wie Allan D. Mercant das gesehen hat …

Nike Quinto, der Chef der Abteilung III, wurde bereits im August 1963 von K.H. Scheer im Zyklus-Auftaktband 100 (»Der Zielstern«) eingeführt. Auch hier sehen wir, wie die Abteilung III Pate für die USO gestanden hat: Das Hauptquartier der United Stars Organisation wird später nach dem Leiter der Abteilung III benannt (Quinto-Center).

Die Abteilung III taucht in insgesamt elf Heftromanen des Zyklus »Die Posbis« auf: 102, 106, 108, 113, 118, 122, 127, 131, 136, 141 und 146; sie stammen allesamt von Kurt Mahr. Hinzu kommen die beiden im ersten Vorwort erwähnten Taschenbücher sowie der »Hannigan-Nachschlag«. Der Einführungsroman der Truppe heißt ganz programmatisch »Abteilung III greift ein«; im Untertitel findet sich die Formulierung: »Terras Spürhunde auf heißer Fährte!«

Der Roman beginnt als Einzeleinsatz von Captain Ron Landry, den er mit der Unterstützung eines Kollegen seiner Abteilung, Leutnant Larry Randall, zu Ende bringt. Während ihres nächsten Auftritts bedienen sie sich der Dienste von Lofty Patterson vom Planeten Passa, der ab 113 fest zum Team gehört. Im gleichen Band taucht zum ersten Mal Meech Hannigan auf, der das Agentenquartett komplettiert. Ab und an treffen wir auch auf andere Agenten, und wir lernen zudem Leutnant Pauling aus dem Stab von Nike Quinto kennen.

Durchaus interessant ist eine Stelle in Band 108, in der ausgesagt wird, dass die Agenten der Abteilung III sich zwischen ihren Einsätzen in einer Art unbegrenztem Sonderurlaub befinden, aus dem sie allerdings jederzeit abberufen werden können. So muss man sich damals wohl auch James Bond vorgestellt haben …

Der letzte Einsatz der Abteilung III ist in Band 146, »Hinter der Zeitmauer«. Die Handlung des Romans spielt Ende Juni 2114. Ein Jahr später, am 1. Juli 2115, wird Quintos Truppe in der neu gegründeten USO aufgehen, von der die Leser in Band 150 (»Die Spezialisten der USO« von K. H. Scheer) zum ersten Mal hörten. Ab dann wurden Agenteneinsätze eher zur Domäne Scheers, was nicht zuletzt mit dessen Exposéarbeit an ATLAN zu tun hatte (er war ja durch »ZbV« in dieser Hinsicht auch nicht gänzlich unbeleckt).

Kurt Mahr hingegen verlagerte das Thema in die Taschenbücher. Nach den Romanen um die Abteilung III sowie Meech Hannigan wurde sein nächster Handlungsträger zu dieser Thematik der SolAb-Agent Stoke Derringer, den wir in diesem Roman kennenlernen. Wir werden Derringer noch in zwei weiteren Planetenromanen wiedersehen: in Band 61, »Der Planetenkönig« von 1969, sowie Band 66, »Supernova« aus dem gleichen Jahr. Dabei spielt lustigerweise Band 1 (wenn man so zählen möchte) zwei Jahre nach Band 2 und 3 …

Mit Oberst Stoke Derringer hat Mercant keinerlei Zuständigkeitsprobleme: Der Mann ist ihm direkt unterstellt – was aber nicht heißt, dass letztlich Rhodan nicht doch selbst entscheiden muss, als der Einsatz in seine heiße Phase geht. Auf jeden Fall ist auch Derringer ein Spitzenkönner im besten Scheerschen Sinne, denn wie formuliert Mercant: »Schließlich hätte ich mir einen anderen ausgesucht, wenn es sich um eine einfache Angelegenheit handelte.«

Und Derringer selbst denkt über sich: »Es gehörte zu Stokes charakteristischen Eigenschaften, dass er sich über sich selbst nie im Unklaren war. Er gehörte zu Mercants besten Leuten, das wusste er. Er war ziemlich alt, aber er hatte bei Mercant immer noch einen gewichtigen Stein im Brett. Sein Alter war ihm eher dienlich als hinderlich, weil es den Gegner über seine wahren Fähigkeiten hinwegtäuschte. Stoke Derringer war einer der Star-Agenten des Solaren Sicherheitsdienstes. Man schickte ihn nicht fünftausend Lichtjahre weit fort, um ihn nach grünen Elefanten jagen zu lassen.«

Ein wenig klingt das wie der James Bond des Solaren Imperiums, ein bisschen in die Jahre gekommen, aber noch voll fit. Am 13. Juni 1967 kam in den USA die englischsprachige Originalversion von »Man lebt nur zweimal« in die Kinos, dem fünften Bond-Film mit Sean Connery, in dem man dem Hauptdarsteller schon anmerkt, dass er langsam für die Rolle zu alt wird (Derringers Alter – 48 – würde da passen, die äußerliche Beschreibung natürlich nicht). Der Roman stammt aus dem September des gleichen Jahres – der zu diesem Zeitpunkt in den USA lebende Klaus Mahn könnte den Film also gekannt haben. Derringer mixt sich ja direkt nach der Auftragserteilung einen Drink, selbst wenn es kein Wodka Martini ist.

Trotz all seiner positiven Eigenschaften und Verweise auf populäre Heldenfiguren der Zeit mag Stoke Derringer nicht ganz die große Idealfigur für den Leser sein, wie sie Julian Tifflor in »Die Fremden aus dem Mikronebel« darstellt, aber ich denke schon, dass dieser Charakter gerade auf junge Leser prägend wirkend konnte.

Zumindest bei mir war es so. Ich kann mich nicht mehr erinnern, wann genau ich den Roman das erste Mal gelesen habe, aber dreißig, fünfunddreißig Jahre dürfte es her sein. Und seit damals habe ich zwei Sätze im Kopf, die ich mit diesem Roman verbinde und die sich mir damals wohl eingeprägt haben müssen: »Leven hatte verloren. Er hatte ausgespielt, weil er Schmerzen hatte und nicht so laut schreien konnte wie Stoke Derringer.« Es sind sicherlich nicht die literarisch wertvollsten aller Sätze, aber sie müssen mich seinerzeit beeindruckt haben.

Was für den Roman spricht. Finde ich.

Davon abgesehen, zeigt uns »Bomben auf Karson«, dass Kurt Mahr durchaus über einen sehr feinen Humor verfügte. Betrachten wir uns kurz diesen Dialog zwischen Thurell Franz und Corneil Stavalone:

»Man nennt es ein Feld«, behauptete Franz mit Nachdruck.

»Ein Feld?«

»Klar. Alles, was man nicht versteht, ist ein Feld. Das hier zum Beispiel ist ein Unsichtbarkeitsfeld.«

Ob Mahr sich da über seine weniger technikverständigen Kollegen lustig machen wollte …?

Natürlich waren die Derringer-Romane nicht Kurt Mahrs letzter Vorstoß in die Welt des SF-Agentenromans im Perryversum. In den Taschenbüchern 131 und 139 beschäftigte er sich 1974 und 1975 mit den Aufträgen der Agenten der »Abteilung Psi« der Solaren Abwehr, während er gleichzeitig ab Januar 1974 (»Das Sonnenkraftwerk«) bis Februar 1976 (»Der letzte Kurier«) die Karriere eines weiteren »Staragenten« der SolAb dokumentierte: Mark Richter.

Schließlich folgten von März 1980 (»Söhne der Liga«) bis Mai 1984 (»Sklaven des Orion-Nebels«) insgesamt fünf Abenteuer um Cromwell Shliffers SOLEFT, einen privaten Nachrichtendienst aus der Frühzeit der Liga Freier Terraner. Im Mai 1997 legte Konrad Schaef mit »Das Syndikat der Mächtigen« ebenfalls einen Roman zur SOLEFT vor, wenngleich in anderer Besetzung.

Aber wir sehen, dass Kurt Mahr die Agententhematik am Herzen lag …

Rainer Nagel

VORSCHAU

Die Geschichte der Menschheit ist voller Ereignisse, die sich gleichsam hinter ihrem Rücken ereignen, aber dennoch große Auswirkungen haben können. Manchmal bleiben nach den »großen« Einsätzen auch »lose Fäden« übrig, die jemand verknüpfen muss.

So hat einst die Superintelligenz ES in einem undurchsichtigen Spiel den Feinden Terras zwanzig Zellaktivatoren beschafft, um die galaktische Entwicklung in ihrem Sinn zu beeinflussen. Ein Jahr später liegt es an Reginald Bull, diese Geräte zurückzuholen – in gerade einmal fünf Tagen …

Anfang des 25. Jahrhunderts hingegen befinden sich die Terraner im Kampf gegen die Meister der Insel. Zu ihren treuesten Verbündeten gehören die Posbis, die Positronisch-Biologischen Roboter. Aber können sich die Terraner wirklich sicher sein, dass die tückischen Meister keinen Einfluss auf die Posbis haben …?

Die beiden Romane wurden von Peter Terrid verfasst, einem der beliebtesten Autoren der PERRY RHODAN-Serie. Sie tragen die Titel

UNSTERBLICHKEIT x 20
sowie
AUFSTAND DER POSBIS